目录

CONTENTS

目录

CONTENTS

第一章　你是宋太太

南城四月的回南天，空气很潮腻，让人呼吸都不太顺畅。昨天夜里开始下雨，直到杨薇早上出门时都没有停。

杨薇思考了一下稍后要走的路线，最后选择了一双尖头素色的细高跟，搭配线条简约的裙子和薄风衣，化了个淡妆，便准备出门。

阿姨听到杨薇开门的声音，从厨房里探出头来，有些疑惑："太太，您是要出去吗？"

"嗯。"杨薇声音平和，"我自己开车过去，不用叫老张了。"

"那您回来吃晚饭吗？"

"不了。"杨薇撑起伞，淡淡地说，"我和先生今晚都不回来吃饭，你准备自己和老张的就好。"

杨薇关上门，门口站着个二十出头的小姑娘，朝气蓬勃。她一手撑着伞，一手拿着文件，见杨薇出来，赶忙收起自己的伞，走过去给杨薇撑伞，送杨薇上车之后，才去了驾驶座。

杨薇开车很稳，车速一向比限速低百分之五，如无意外，连加速都很均匀。韩小葵当了杨薇一段时间的助理，也尽得杨薇真传，稳稳地开车向前，她有些紧张地看着前方："先生的时间已经确认好了，他十点钟开完晨会，可以立刻见我们。沈律师已经出发，会在公司门口等我们。文件资料全部打印好了，您最后再确认一遍。"

杨薇应了一声，低头打开手中的文件，是两份离婚协议书。

“沈律师按您的要求准备了两份离婚协议，一份是您净身出户离开的协议，另一份则是您能拿到最多财产的协议。核心问题会集中在宋氏集团那百分之五的股权上，如果签署那份协议，您至少可以分走宋先生百分之六十的财产。”

“那百分之五的股份原本就是阳兰太太留给您的遗产，而宋先生之前曾经公开在外承认过自己和武纶小姐的恋情，他作为出轨过错方，您有合理的理由要求更多的财产划分……”

韩小葵简述了这些文件的重点，杨薇静静地听着，一条一条浏览协议内容。路程才到一半，她便看完了协议，长舒一口气，合上了文件。

韩小葵看了杨薇一眼，小心翼翼地说：“太太，您确认好了啊？”

“嗯。”

韩小葵听后，犹豫了很久，才说：“太太，其实都熬了这么久，先生好不容易坐稳了宋氏集团的位置，您这时候离婚，不是有些……”

她没说完的话，杨薇明白。

陪着宋哲当没实权的傀儡当了这么久，好不容易熬到他当“真天子”了，这时候让位给其他人，还净身出户，怎么看都是脑子有毛病。

杨薇沉默了好久，突然问：“小葵，你知道丑小鸭为什么能变成白天鹅吗？”

韩小葵不明白杨薇为什么突然问这个问题，没等她回答，杨薇就接着道：“不是因为它的努力，是因为它本来就是天鹅。”

“所以啊，真的假不了，假的学不真。从哪里来的，就该回到哪里去。别牵绊了别人，更别害了自己。”

韩小葵被这番话说愣了，她完全不明白杨薇的意思。

杨薇眯起眼，转头看向车窗外，突然说：“雨停了。”

其实杨薇第一见到宋哲的时候，也是个雨天。

当时杨薇父母刚刚意外身亡，接着就有人通知她，说南城宋太太赵阳兰是她妈妈的学生，受过她妈妈照顾，现在想要收养她，问她愿不愿意。

杨薇别无选择，无论是叔叔伯伯还是婶婶阿姨，都怕她缠上他们家，现在有一个人愿意收养她，再好不过了。于是父母刚刚下葬，她就被赵阳兰接到了宋家。

南城是杨薇家附近的城市，开车要开三个多小时。但宋家人办事利索，早上来接她，下午就到了宋家。到宋家的时候，她还穿着学校里发的劣质校服，背着破洞的书包，穿着一双带泥的帆布鞋，看上去落魄又局促。

她进门的时候，赵阳兰和宋彦青就坐在沙发上。宋彦青面上看不出喜怒，赵阳兰却高高兴兴地走过来，亲热地握住了她的手，温柔地说："你就是小杨薇吧？都长这么大了！你三岁的时候阿姨还见过你一次，你记得吗？"

杨薇紧张得不敢说话，她想起自己的指甲似乎没有剪干净，看上去还有一点泥。她站在这客厅都比她家大的房子里，像一只到了陌生环境的兔子，僵住身子，不敢动。

赵阳兰察觉杨薇的拘谨，拍着她的手："没事，你别怕，以后就当这是你家，我是你妈。"

杨薇点点头。赵阳兰替她理了理衣服，正打算说话的时候，一道声音从楼上传了过来，如清泉击玉，好听得让人心醉，他说："哦，就她呀？"

杨薇抬头看去，看见一个少年站在楼梯边上，含笑打量她。

宋哲穿着米白色的毛衣，带着金丝边眼镜，碎发落在耳边，眼中流光溢彩。

这样的打扮杨薇以前很少见到，因为在她老家，这种颜色的衣服容易脏。可是她极喜欢穿浅色衣服，于是她的目光落在宋哲身上，有些移不开眼。

宋哲笑着看杨薇，那笑容说不上善意，但少年长得太过好看，似乎是从画里走出来一般，让人不自觉地忽视了那笑容中的几分嘲讽。他上下打量了杨薇一眼，随后轻飘飘地说了两个字："真脏。"

杨薇整个人都僵住了。

宋彦青站起来，怒喝道："你给我过来！怎么说话的？！"

宋哲理都不理，转身就走。

宋彦青和赵阳兰都有些尴尬，赵阳兰赶紧说："那个，杨薇，这是你宋哲哥哥，以后你就和他一起上学。他脾气很好的，就是今天有点不高兴，你别介意啊。"

杨薇点点头，没有说话。

这就是杨薇和宋哲的初遇。年少的宋哲就是少爷脾气，傲慢到没有半分遮掩。他看不起她，就大大方方坦言，全然不会顾及别人半分。

他笑她吃街边摊，讥讽她看言情小说、漫画、追爱豆，她十几岁时做的一切，在他眼里都是不入流。

为了融入宋家，为了讨他和赵阳兰的喜欢，杨薇放弃了自己所有的爱好。

杨薇一直在学着怎么做个"体面人"，她学大提琴，学法语和拉丁语，成绩永远第一，不吃所有他不喜欢的东西。

她自律，克制，像一根时刻绷紧的弦，从不放纵自己片刻。

可宋哲也没喜欢过她。

他们每天一起上学、放学，一起读书、上补习班，他都从来没给过她好脸色。

大概是努力求取一个人的喜欢成了习惯，后来就变成了，宋哲对她有半分好，她都放不下。宋哲喜欢什么，她就做什么。

杨薇一直在追随赵阳兰和宋哲的脚步，想得到他们的认可，成为他们心里很重要的人。

宋彦青出事的时候，宋哲才高三，赵阳兰毅然决定将这位大公子送出国去躲避这场风波。赵阳兰让杨薇选择留下还是和宋哲出国时，她选择留下来，陪着赵阳兰一起处理这些焦头烂额的事情。

杨薇记得很清楚，她决定留下来的那天晚上，宋哲站在她卧室门口，冷冷地看着她。

“你不是说我很重要吗？”宋哲问她，“不是说你喜欢我吗？那你为什么不陪我出国？！”

杨薇没说话，年少的她不善言辞，更不擅长表达自己的内心。

宋哲头一次那么气急败坏，一脚狠狠地踹在门上，冷冷地看着杨薇：“杨薇，你哪里是喜欢我？你就是愧疚，就是想报答我妈的那份恩情。就你这样的喜欢，”他嘲讽，捏紧了拳头，咬牙出声，“我不稀罕。”说完之后，他甩门离开。

第二天早上，宋哲甚至不让人叫醒她，直接出了国。

杨薇陪着赵阳兰一路稳住了宋氏集团的局势，可能正是这份忠诚，让赵阳兰认定她做儿媳。从杨薇十八岁以后，赵阳兰就把她按照“宋太太”的标准来培养。以前只是和她说“一个女人理应优秀”，那后面变成了“宋太太必须完美优秀”。

杨薇以全省第一的成绩考上北大，毕业后就读北大光华，考研究生进入沃顿商学院。她和宋哲一起回国，回国之后，他们订婚，结婚。宋哲没有任何反抗，在穿上婚纱结婚的那天，她甚至还想着，他是不是有几分喜欢她。

然而很快杨薇就发现这是错觉，宋哲对她很好，可是这种好和他年少时完全不一样。他对她的好，和对其他女人并没有不同。

宋哲送她的项链，隔了几日，她就在宋氏传媒旗下新捧的一个当红小花脖子上看到了一模一样的，不久之后，就有记者爆出了他们的恋情。

当时他们才结婚不到一年，这时候赵阳兰开始生病，杨薇不敢刺激赵阳兰，于是拿着照片去问宋哲。

这大概是杨薇这辈子做过的最失态的事，在听完她的质问后，宋哲撑着下巴笑问：“我和她在没在一起，与宋太太有关吗？”

杨薇愣了愣，看着宋哲精致的五官，他靠在椅背上，眼里全是不解：“这些事我妈没和你说过吗？有些事是逢场作戏，不用当真。你要是和她们计较，未免失了仪态。反正宋太太的位置你已经坐上了，计较这么多做什么？”

杨薇听到宋哲的话，整个人都是蒙的，她感觉自己掉进了冰窟里，手脚发凉。而他没有停下来，冷水一盆接一盆地泼过来。

宋哲说：“你是我妈钦点的儿媳妇，我对你也没什么不满意，你配得上这个身份，也很难有人能取代你。所以你不用担心，我不会因为这些不三不四的人和你离婚的。”

他说：“人分三六九等，我心里清楚，你也清楚，你怕什么？”

他还说：“杨薇，你不就是喜欢金钱和名利吗？金钱你有了，名利你有了，权势你有了。”

宋哲走到杨薇面前，拍了拍她的肩膀，笑着说：“所以，不要那么小气，嗯？”

杨薇没说话，嘴唇颤抖着，抬头看宋哲，眼泪模糊了她的视线。

宋哲愣了愣，有些不解地抬手抹过杨薇的脸颊，动作小心又温柔，像是在调情一般：“呀，怎么哭了呀？这么伤心啊？”

听到这话，杨薇没忍住，一把推开宋哲，冲到厕所开始干呕。

他们就是从那天开始分居的。

杨薇一直在医院里照顾赵阳兰，宋哲在外面“逢场作戏”，结婚三年，外界甚至不知道有一个宋太太，而他的绯闻一个接一个。

杨薇一开始还难过，后来慢慢就平静了。她就是每天熬着，等着，等着赵阳兰离开。

后来赵阳兰走的时候，是杨薇在身边，赵阳兰拍着她的手，沙哑着嗓子说：“薇薇啊，是妈错了，人活一辈子，还是要对得起自己。”

赵阳兰说：“我不求你其他事，只要小哲安稳了，你想怎样，就怎样吧。”

杨薇愣了，那一刻她才知道，她自以为隐藏得完美的三年苦楚，赵阳兰早已知晓。那种感觉像是被人生生撕开了外面的一层皮，露出内里，鲜血淋漓。

杨薇一手操办了赵阳兰的丧事，赵阳兰一死，宋家那些亲戚全部反扑，恨不得把宋哲给吃了。好在宋哲稳得住，和这些人对抗了大半年，终于查出他二叔的把柄，把他送进了牢里，这一场争夺战才算结束。

昨天宋氏集团发布了董事会的人事变更决议，宋哲任董事长兼执行董事，这表示他真真正正、彻彻底底成为宋家的掌权者。

杨薇用了十三年明白，宋哲要的天鹅，她永远成不了。宋家的环境，她永远待不惯。

车到大楼门口时，雨也彻底停了。守在门口的律师沈凡走上前来，替杨薇开了车门，恭敬地说："太太，小心。"

杨薇点点头，拿着文件往前走。

杨薇很少亲临宋氏集团，进去的时候许多人都不认识她，只看她走向高层专用电梯，便窃窃私语："这位是不是空降啊？"

"长得这么年轻，不像是空降，倒像是来找宋总的。"

"这要是武小姐知道了还得了？"

这些话让韩小葵听见，她气不打一处来，涨红了脸，进电梯后急切地说："他们……"

"宋哲的锅。"

杨薇果断开口，韩小葵愣了愣，杨薇淡笑："宋哲不这么做，他们会这么以为？"

韩小葵顿时哑口无言。

电梯开了，杨薇进入大厅，便看见宋哲的助理在等她，她被领进了会议室。宋哲似乎才刚开完会，他低头看着文件，揉着眉心问："有什么事要特意跑过来说？"

说着，宋哲抬起头，看见杨薇身后带着沈凡，不由得愣了。他有种不好的感觉，忍不住皱了皱眉。杨薇慢慢地走到长桌另一头落座，和他遥遥相对。

杨薇神色平静，助理给她端上茶，她坐在位子上，从指尖到头发丝都散发着一股从容优雅。她抬眼看宋哲，眼如映照秋日的湖水，清明中带了几分温柔，有一种恰好到处的距离感，既不会过分亲近，又不会太过高冷。

“我今天过来，第一件事，是来特意同你说声‘恭喜’”说着，杨薇温和地笑了起来，“升任董事长兼执行董事之后，许多事你也就放心了。”

听到这话，宋哲靠在椅子上，他凝视着杨薇，抬了抬眼镜，戒备地笑了：“你要说什么，不用拐弯抹角，直接说。”

“第二件事……”杨薇抿了口茶，轻轻扬了扬下巴。沈凡走上前去，将两份离婚协议铺在宋哲面前。

杨薇握着杯子，声音温和，似是闲话家常：“我是来和你商量一下，咱们离婚这事。”她瞧着宋哲，手放到桌上，身子微微前倾，“你看哪个方案更好些？”

听到“离婚”两个字，宋哲的脸色变了。

在场的人除了韩小葵和沈凡，都如同听到了什么可怕的消息，面上霎时惊诧万分。

杨薇垂下眼眸，抿了口茶。宋哲没说话，好一会儿，他才笑起来，一副了然的样子：“哦，我明白了，你是说武纶的事。”

这话让其他人神色缓和了一些，宋哲摆了摆手，同其他人说道：“你们先下去。”

大家识趣地离开，韩小葵和沈凡看了一眼杨薇，杨薇点了点头，他们才转身离开。

所有人走了，宋哲斜靠在椅子上，脸上带了些趣味：“我以为你不会生气。”

“我没有。”

“那你带这些东西来威胁我？”宋哲扬了扬下巴，没有半分害怕，将这当成了一场闹剧，杨薇没说话，让宋哲继续表演。

宋哲瞧着杨薇，毫不在乎：“行了，你的意思我明白了，我保证以后外面不会再有什么花边新闻。”

杨薇没说话，宋哲张了张嘴，本想多解释一句，又将话吞回喉咙里。

没什么好说的。

他们之间的关系，哪里轮得到杨薇来对他的生活指手画脚？她要的不过就是宋太太的位置，他给了，那就够了。她今天来闹，也不过是觉得失了颜面。

宋哲笑得温和：“之前太忙，也没好好陪你。现在有时间了。这样吧，我让他们订票，我们出去旅游好不好？你想去哪里？我陪你。”

杨薇一言不发，宋哲有些不耐烦了，可他依旧微笑着漫不经心地说道：“还不高兴？那这样吧，下周有一个拍卖会，我带你去……”

“我们分居将近三年了。”杨薇突然开口。

宋哲皱起眉头。他对女人一向宽容，也愿意哄，可是“哄”这件事是有限度的，他不喜欢女人恃宠而骄，尤其是杨薇。

宋哲看着杨薇，她平静地开口：“三年前我就在外面租了房子，这会成为我们分居的证明。其实你不需要拖延，我如果起诉，我们一定能离婚。现在协议离婚，对你伤害小一些，你还是和我认真谈一下比较好。”

听到这话，宋哲忍不住笑了。他终于失去了耐性，靠在椅子上，解开衬衣扣子，冷笑：“杨薇，你是不是觉得我不敢和你离婚？”

“我理解你的顾虑。”杨薇立刻开口，“你现在能够控制宋氏集团，主要是因为你在股份上的优势。可你一旦离婚，财产分割之后，你就会迅速失去对集团的控制权。所以离婚协议我写得很清楚，这些股份，包括你母亲给我的百分之五，我一分都不会动。”

宋哲听着杨薇的话，慢慢平静下来。他终于意识到，对面的人不是心血来潮。他听她冷静分析：“我给你的协议有两份，一份是我净身出户，除了我的婚前财产，其他东西都属于你，条件是你现在就签署这份离婚协议，下午我们去办理离婚登记。”

“另一份呢？”宋哲面带嘲讽。

杨薇静静看着宋哲，他似乎生气了。

宋哲面容精致，桃花眼里总带着几分莹润，就连生气的时候，都会让人觉得格外漂亮。只是他的面部棱角分明，那份英气将精致压下去，金丝框眼镜一带，俊美儒雅，温润如玉。

杨薇将目光移开，继续说：“另一份协议你可以慢慢考虑。如果你不同意协议离婚，我会去起诉。我会分割你百分之六十的财产，包括现金、股份、房产。因为你是出轨过错方，所以法院会有一定程度的倾斜。而你母亲留给我百分之五的股份，客观来讲，属于我的婚前财产，我将不赠予你，这些股份我才是实际股人。”

宋哲听到这些话，眼中全是冷意，面上却挂着他一贯的笑容，温和儒雅，带了几分贵气。

从他的眼神来看，杨薇似乎不是他的妻子，而是他的敌人。

杨薇丝毫没有受到影响，继续平静地叙述：“说实话，因为我们有长达三年的分居证明，所以你败诉的概率近乎百分之九十。我不仅会划分你的财产，必要的话，我甚至愿意将这百分之五的股份卖给宋明，这样一来，宋明就会成为宋氏集团里持股最多的人，对于刚刚控制宋氏集团的你来说，这不是一个好消息。除此之外，我还知道你在刻意做空大米娱乐的股价，意图收购。你今天不签这份协议，明天开始我就会做多大米娱乐。”杨薇吐字清晰，强调道，“用你的钱。保证你前阵子投入的十几亿元，全部打水漂。”

“杨薇。”宋哲终于出声，他笑了，“我母亲一定没想过，真正捅刀捅得我毫无还击之力的人，会是她亲自挑选的好儿媳。”

“刀在你手里。”杨薇神色平淡，一如她每天清晨坐在阳台边喝茶的模样，音色清朗，“你可以选择不递给我。立即和我离婚，你不仅不会遇到这些问题，还会多出百分之五的股份，何乐而不为？”

“我很好奇，”宋哲含笑，“当年结婚时候，你和我母亲承诺过的话是真心的吗？”

杨薇微微一愣。这件事情她记得。结婚前一晚，赵阳兰曾经把她叫到房间里，叮嘱她，希望她以后能好好帮着宋哲，陪他到老。

那时候杨薇还年轻，对宋哲，还有愿意付出一切的热情。于是她告诉赵阳兰，她会永远爱他、陪伴他、支持他——到永远。

说这句话的时候，是真心的，只是这个答案，杨薇不想再告诉宋哲了。感情已经放下，就没必要再拿出来任人践踏。

杨薇轻声说：“阿姨已经走了，你也坐稳了宋氏集团，答应阿姨的事情，我都做到了。”

宋哲没有说话，他静静地瞧着杨薇，抬手撑住下巴：“所以，你谋划这件事谋划了多久？从我妈走的那一刻开始，还是从我们结婚那一刻就已经做好打算？”

杨薇不说话，她喝了口茶，神色平淡。她觉得内心被罩了一层玻璃，玻璃里是一个巨大的湖，湖中心是她自己。她在那湖里被人一次次按下去，她拼命挣扎，痛苦又绝望。

可是她感受不到外界的一切，她隔着那厚重的玻璃，连声音都听不到。

这仿佛是一种“保护机制”，让她时刻保持着清醒，她说：“追究这些没有多大意义，你有半个小时看这些协议，然后做决定。”

宋哲沉默不语，杨薇的态度并不算咄咄逼人，甚至还给了他仔细阅读协议的时间，可是他知道，她已经将所有路都封死了。

宋哲根本不需要抗争，他所有考虑过的路，都已经被她变成了绝路。一条康庄大道，一条人间地狱，他还有什么好选？

可是他开不了口。

宋哲不知道这样的犹豫是为什么，可能是因为他刚坐稳宋氏集团的位置，离婚对他来说会造成一定影响；又或者是他知道，杨薇是他母亲一手培养的儿媳，这辈子很难再找到一个像杨薇一样可靠又适合的女人；

还有可能是这种被逼着离婚所带来的屈辱……

总之，零散又复杂。除却这些冰冷的理由，宋哲看着对面那个女人，不可否认，有那么一瞬间，他脑海里突然闪过她年少时的模样。

杨薇那时候还不会搭配，总是穿得格外可笑，怯生生地跟在他后面，用校服遮住自己那身可笑的衣服，小声问："宋哲，我今天穿得好不好看？"

回想起那些画面，宋哲沉默了。他是一个骄傲至极的人，宋太太这个位置，他不认为其他人配得上。杨薇是他唯一认可并接受的人。他很难想象，除了杨薇，谁还有资格坐在自己身边。

一直没有得到宋哲的回应，过了好一会儿，杨薇轻轻开口："宋哲。"她轻笑，"其实从利益的角度来说，你没什么好犹豫的。可你这么不情愿的样子……"

她带着些不可思议的神色说："你不会喜欢我吧？"

喜欢？

这话让宋哲笑出声来。他看着杨薇，笑着说："杨薇，我第一次发现，你还挺幽默。"

"或许你未来会发现，我可以更幽默。"杨薇这句话说得平淡，仿佛只是在说一个玩笑。

宋哲站起身来，冷静地说："那就走吧。"

"嗯？"

"你都已经说了，这两份协议没什么好选的。我信得过你的人品，把字签了，咱们去民政局。"

宋哲双手插在裤袋里，笑着瞧她："你不会不敢了吧？"

"不会。"杨薇笑出声。她站起身，走到桌边，弯着腰把协议签了。

宋哲写得很快，似乎写慢一些，就写不下去一般。他甚至没看上面的条款，迅速签完之后，便将笔甩在桌上，转身走了出去。

杨薇签完协议之后，重重地舒了一口气，她拿着协议走出去。

韩小葵有些紧张地说："那个，宋总说他去开车，在门口等您，让我们别跟着。"

"嗯。"杨薇办完了事，心里舒坦，笑容完全抑制不住，点了点头，"你别担心，我过去就行了。"

杨薇拿着协议下了楼，站在宋氏集团大厦门口。宋哲开着跑车直接停在杨薇面前，冷声说："上车。"

杨薇打开车门，身后传来了小姑娘的惊呼声，她顿了顿，听见那小姑娘说道："真上宋总的车啦？"

"不会是新欢吧？"

杨薇抿了抿唇，笑着坐上车。

"你笑什么？"宋哲嘲讽，"离婚就这么高兴？"

"刚才听见她们说我是你的新欢，之前说武纶看见我会生气，我觉得挺好笑的。"杨薇的声音温和，听不出半分埋怨。

宋哲沉默了片刻，漫不经心地开口："武纶是武邑的妹妹，我们打小就认识，她要出道，要找个人炒作，我就是帮个忙。"

宋哲说得很快，说完他就有些后悔。和她解释这些干什么？他保持着微笑，一时也说不清自己是什么心情。

他觉得这情绪有点奇怪，不敢再随意开口，干脆假装什么都没说过，静静开车。

杨薇听完，似乎也不在意，轻飘飘说了句："哦，这样。"

宋哲却有些恼了。

"你这么云淡风轻的样子，我都快以为你真不生气了。"宋哲笑着激杨薇。

杨薇莫名其妙地看了宋哲一眼，又赶紧收回目光。她很想告诉他，如果这种事还能让她生气，她早就气死了。宋氏传媒旗下的女星，有几个和他没关系？

可是他们现在就要离婚了，杨薇觉得还是好聚好散吧，于是忍着没去触怒他。

杨薇不说话，宋哲觉得拳头打在了棉花上，一股气憋在胸口发泄不出去。他想到离婚后续的事情就有些烦躁，不耐烦地问："户口本带了吗？"

"带了。"杨薇平淡地说，"手续我都准备好了，我办事你应当放心。"

宋哲："嗯……"

以前就知道杨薇办事贴心，没想到能贴心到这个程度。

第二章　小姐姐，我喜欢你

和他离婚有这么令人期待吗？

宋哲想不明白。有那么一瞬间，他开始怀疑自己的魅力。可是他很清楚，杨薇喜欢他十几年了，十几年的感情会消失吗？

宋哲不相信。他更愿意相信，这个女人在得到了金钱和地位后，想要更多。

两人一起到了民政局，杨薇没想到宋哲会答应得这么顺利，到的时候离预约时间还有一个小时。两人互相看了一眼，杨薇有些犹豫地说道："在这里等？"

"不然呢？"宋哲连假笑容都懒得扯出一个，淡淡瞟了杨薇一眼，便往民政局的椅子上一坐，从容等待。

杨薇犹豫了片刻，像是隔离瘟疫一样，在长椅的尽头坐下来。

宋哲一看杨薇离他那么远，有些生气，但他也没说话，目光从对方身上迅速扫过，没有一丝停留。

杨薇在维持了短暂的几分钟优雅后，突然意识到——她都快离婚了。她一个快离婚的人，马上要离开宋家，也不再是宋家撑门面的人，在意什么形象呢？

想通这点后，杨薇轻松了很多，也没了平时那份架子，干脆用手撑着一边，斜着坐在椅子上玩起了手机，一副标准的现代网瘾女青年模样。只是这个网瘾女青年，长得有些亮眼。

宋哲斜瞟了杨薇一眼，嘲讽道："还没离婚呢，就这副样子了？等你真离开宋家了，得堕落成什么样？"

杨薇听到这话，愣了愣，片刻后，她淡淡"哦"了一声，继续低头玩手机，全然没有将宋哲的话听进去。

玩消消乐，时间很容易打发，一个小时很快就过去了，叫到他们时，宋哲想到后续的事，没办法维持一贯的风度了。他板着脸，脸色不太好看，杨薇拿着协议，笑着同对方说清楚情况，然后将所有材料递过去，签了字。

轮到宋哲签字的时候，他提起笔，顿了顿后，说："我建议你……"

"快签！"

杨薇这一句话把宋哲所有话全部怼回去了，他深吸了一口气，快速写完自己的名字，转身往外走。

拿到了离婚证，杨薇终于舒了口气。她带着证件走出来，看见宋哲站在门口等她，不由得有些疑惑："你还在这里做什么？"

宋哲被怼得一句话都说不出来，好半天才有些无力地说："你不回去？"

杨薇微微一愣，随后反应过来，点点头："哦，对，还有点东西要拿。"

这话锐利地划过宋哲胸口，泛起一丝疼痛，宋哲皱了皱眉头，突然大步离开。

杨薇看了一眼莫名其妙生气的宋哲，决定不同他计较，毕竟，离了婚就是好的。

两人一起回了家。杨薇去了自己的房间，这个房间是她中学时候待的，结婚后就没怎么住过，里面放满了她中学时候的东西。她去书架上翻东西，宋哲就跟在她后面。

两人从民政局走出来就没再交谈过，宋哲也开始慢慢冷静下来，试图做最后一次挣扎。

他看着她翻着东西，然后开口问："找什么？"

杨薇背对着宋哲，随意应了句："哦，几个笔记本。"

说着，她踮起脚尖去拿几本笔记本，宋哲打算帮她，她却已经将笔记本抽了出来，连带着落下一沓纸。

杨薇想伸手去拿，宋哲抢先接住了纸，纸上画着一个少年，是十四岁的宋哲。

杨薇学过一段时间的素描，因为赵阳兰说：“你可以不精通艺术，但要有那么点底子，懂得鉴赏。”

那时候的宋哲长得还很稚嫩，眉宇间带着些傲气，杨薇的笔法也不老练，整张画都带着青涩。两人的手搭在画上，气氛有些凝固。

宋哲静静地看着画，心里仿佛有根弦在拨动，过了好久，他将它折起来交给杨薇。

“我认真考虑过了，”宋哲低着头，平静地说，“我们不一定要离婚。这段婚姻你有什么不满，我们可以坐下来好好谈谈，你不需要这么极端。”

这话对宋哲来说其实很难得。在这段感情里，他从来没低过头，所以在杨薇说离婚时，他先是敷衍，对抗，最后是愤怒。他从没想过低头。

可是在看到这幅画的时候，宋哲突然觉得，夫妻之间，低一次头，也不是不可以。

杨薇却笑了，摇头说：“不用了，我想了很久，这个决定不是冲动。你看，你的路我给你想好了，咱们现在和平分手，对你几乎没什么影响，以前你也没对外宣布过我的存在，这事你不公告，也不会有什么。”

“而我的路我也想好了。”杨薇拿着笔记本，笑着说，“东西我都收拾好了，就是忘了这点东西，我这就走了。”

说着，杨薇起身走了出去，和宋哲擦身而过时，宋哲突然开口：“那你打算做什么呢？”

杨薇回头，宋哲神色平静，继续说：“你说你给我规划好了我的路，你的未来呢，你打算去做什么？你过惯了宋太太的日子，这么身无分文地出去，以后的日子怎么过？由俭入奢易，由奢入俭难。杨薇，你以后很难再找到一个比宋家更好的门第，你明不明白？”

杨薇听到这些话，轻轻笑了。

“咱们马上就要分别了，”杨薇的声音温和，“你和我说些好听的话吧？”

“好听的话？”宋哲嘲讽道，“难道我还要说祝你幸福快乐？这么违背良心的话，我说不出来。离开宋家，你不可能过得更好。”

宋哲把话说得很死，但他也知道，这话说得太没分量。他不太确定杨薇离开宋家会不会活得更好，但他能确定，他很难再找到一个杨薇这样的宋太太。

可这些话宋哲不能说。他冷眼看着她。

杨薇沉默了片刻，抬手拍了拍宋哲的肩。

“算了，”杨薇说，“你不和我说点好话，我却要和你说。宋哲，”她笑起来，“我祝你过得好，过得幸福。”

宋哲的手微微一颤，垂眼，不说话了。

杨薇静静地看着宋哲，他长得确实好看，就这么站着，就让人觉得有些心疼。

杨薇深吸了一口气，收回手，笑着说：“我很感激阿姨，也很感激宋家，你们给了我最优越的条件，让我学会了很多东西，也给了我更多的选择权。这些年多谢你们的照顾。”说着，杨薇朝着宋哲微微躬身，而后对上宋哲平静的目光，语气温和，“为此我努力了很多年，今天，我们终于两清了。”

“宋哲，”风从大门吹来，杨薇的发丝轻轻落在脸上，她的笑容轻松又柔和，她上前一步，轻轻抱住他，声音又轻又决绝，她说，“再见。”

说完后，杨薇就拿着手中的笔记本，迅速下楼离开。

宋哲静静地站在杨薇房间门口，感觉像是有一根针刺进了心里，那并不是一种剧烈的、让人难以忍受的疼痛，却让人无法忽视。

好久之后，林姨上楼，有些犹豫：“先生，太太她自己出去了，不让人送，你们是不是吵架了？”

宋哲回过神来，点了点头，没有多说。

宋哲转身回了房间，进了浴室，站在洗手台前，把水泼在脸上，让自己慢慢冷静下来。

他觉得自己今天的情绪太奇怪了。一直以来，他都觉得，自己是讨厌杨薇的，可是当她真的决定离开，他居然开始回想她最初的样子。

明明都已经长大变了那么多，还总是想起那些时光做什么？

宋哲让自己冷静下来，助理高林敲门走了进来，报告了接下来的行程，然后打量了宋哲一眼："先生，您的状态看上去不是很好，要不就推了吧？"

"我没事。"宋哲从旁边拿了帕子，擦了擦脸，平静地说，"都是小事。"

他抬头看了高林一眼，询问道："太太去哪儿了？"

高林愣了愣，宋哲冷淡出声："你没让人跟着？"

高林反应过来，忙说："我这就让人去找。太太是一个人出去的，她走不远。现在去追，来得及！"

"谁让你去追了？"宋哲立刻打断高林，"去查清楚她后面的行程，让人保护着。就算离婚了，她也是我们宋家出去的人，别让我不好和我妈交代。"

"是。"高林点了点头。

宋哲在镜子面前发了会儿呆，高林小心翼翼地说："先生，其实您也不用担心。太太也就是一时兴起，气您在外面那些谣言。太太的性格您也知道，平时就在家里养养花写写字的，也不会和其他人有太多交集，在外面自己过一段日子，吃点苦，自然就回来了。"

宋哲没说话，心里讥讽，高林说的是实话，杨薇过惯了精致生活，不是一般人家养得起的。她平时也不喜欢和人说话打交道，出去过上几天又没钱又世俗的生活，就知道日子难过了。

她用了那么多年让自己飞上枝头，突然掉落下去，又怎么会甘心？

她早晚要回来。早晚她会明白，其实他们两个人，早就已经是"最适合"了。

宋哲忽略了心里的不安。

后面回想起来，宋哲才意识到——其实很久以前，他就很了解杨薇了，只是他一直不知道。

杨薇说再见，那就是真的告别。告别了过去，也告别了他。

他知道，但无能为力，所以只能自欺欺人。

杨薇走出宋家时是下午，她握着笔记本，觉得有几分不真实。她好像一个被关押了几十年的犯人，有一天刑满释放，重获自由，可这种自由让她有种莫名的恐惧，她站在车来车往的路口，有些茫然。

她和宋哲说规划好了自己的路，实际上她规划的只有一件事，那就是——做自己！做那个没到宋家的杨薇，干她想干的事，再也不受约束、规划，活得高高兴兴、自由自在。

一想到这样毫无规划的未来，杨薇就觉得有些激动，欢畅淋漓的感觉填充了她每一个细胞。

她想做些什么？想放纵，想倾诉，想去做以前所有想做却没做到的事！她现在很想找个人干点什么事，去宣告——她杨薇，自由了！

她大口吸了几口气，低头拿出手机开始翻通讯录。

她需要找个好朋友发泄一下。

这十几年来杨薇认识的人不少，但朋友没几个，尤其是这种时候能叫上的朋友。翻来翻去，她终于翻到了一个合适的人。

顾岚。

顾岚是她高中就认识的朋友，和她平时的圈子不太一样。顾岚家庭贫困，高中是靠着宋哲哥们江淮安的资助才读下来的，她在江淮安的帮助下读了中央美院，后来成了南城赫赫有名的设计师，不仅开了自己的工作室专门做游戏角色设计，还开始制作周边，是一个实实在在依靠自己能力拼出一片天的女人。

她们一直是好姐妹，顾岚这个人有一点特别好，活得真。

真得有那么些出格。高个，短发，一身中性装扮，迷妹无数。

决定好去找顾岚后，杨薇立刻打电话给她。对方似乎在忙：“你说什么，你要来我家，还有二十分钟？行行行，你直接来就行了。”

说完，顾岚就挂了电话。杨薇去周边便利店买了一袋啤酒、二锅头，随后上了出租车，直奔顾岚家。

杨薇有顾岚家的钥匙，开了门，提着酒，就兴高采烈地冲了进去。她听到顾岚似乎正在和谁说话，声音从卧室传出来。她大步迈进卧室，冲过去一把握住顾岚的肩头，高兴地说：“顾岚，我有个天大的好消息要告诉你！”

“啊？”

顾岚有些蒙，抬手去按了一下什么，杨薇也没注意她的动作，只是按着她的肩膀，眼中似是饱含热泪，一脸“农奴翻身把歌唱”的激动神情：“我离婚了！”

“啊？！”

“你不要惊慌，不要心急，也别想着跑路。”杨薇一把按住想要站起来的顾岚，认真说，“你放心，我和他是和平分手，没有任何争执，非常平静，我们临走时，还互相祝对方幸福。”

“他……他祝你幸福？”顾岚整个人是蒙的，她完全不能想象，宋哲这种人，居然能在离婚后祝对方幸福？

杨薇诚恳地点头，随后扶着顾岚坐起来，满脸感慨：“忍了这么多年，我终于迎来了这一天。改革春风吹大地，我们走向新世纪……”

说着，杨薇翻出自己提来的酒，递了一瓶二锅头给顾岚，认真地说：“好姐妹，走一个。”

“那个，杨薇，”顾岚忍住要哭的心情，哆嗦地握住杨薇的二锅头，“我这里还有一瓶八二年的拉菲，要不咱们开那个吧？比较符合你的气质。”

“气质？”杨薇叹了口气，“顾岚，你为什么这么肤浅呢？人生在世，能面对本心，才是最重要的。我此刻的本心就是……”杨薇拧开了二锅头的盖子，高兴地说，“二锅头，走一个！”

“今夜，我们要做这南城，最能喝的崽！”

顾岚不太擅长拒绝朋友，尤其是杨薇这种漂亮的朋友。

于是两个女人盘腿坐下来，一人一瓶二锅头。顾岚拿出手机点外卖，点的时候她有些犹豫：“我这附近没什么低脂、低糖、低盐……”

“不用，不用，”杨薇摆了摆手，“你随便点，先点一些鸡爪过来，我要酸辣的……”

杨薇靠过去，在顾岚的手机上比画，把她过去想吃但从来没吃过的美食全点了。

点完之后，两个女人各靠一边。这个房间很小，地上铺了地毯，两边是软沙发和柜子，随便一坐都很舒服。

小小的空间让人觉得很有安全感，杨薇舒服得叹了口气，随后才想起来：“你刚才在跟谁说话呢？”

“我在直播。”

顾岚抓抓头，有些无奈：“我一个朋友不是和我一起合作了一个原创品牌吗？现在要快到三八妇女节了，网上店铺要做活动，公司就让我直播，和粉丝互动一下。”

“你直播什么？”杨薇有些好奇。

顾岚叹了口气，放下酒瓶，拿起了一张优惠券，带了些英气的脸上露出激动的笑容：“亲！看到这个优惠券了吗？没有最低消费、没有限制，一百块，真金白银一百块！领了就用，来了就花！没有猫腻，没有虚假，这是我们品牌的赠礼，是我们品牌的热情！”

杨薇笑个不停。

顾岚喊完就泄了气，生无可恋地坐回去，开了瓶饮料：“就这样。我先提前告诉你，你要是哪天在网上发现了我这种视频，千万不要惊讶。”

“话说，”杨薇笑着问，“这种东西有人看吗？”

“有啊，”顾岚语重心长地说，“我和你说，你别天天盯着那些太高雅的东西，曲高和寡你知道吧？现在做直播，什么没人看啊？上次那小学生直播写作业，每次写作业还能有六十万人在线观看呢。”

六十万人在线观看。

这个数据听到了杨薇耳里，脑中迅速闪过各种变现手段。

杨薇点了点头：“是我太狭隘，老顾。”她举起酒瓶，认真地说，“我现在是净身出户，我之前也没有什么太多的生活经验，以后就要麻烦你多多照顾了。”

“什么？”顾岚震惊出声，“那个……”

“今晚我们不提他的名字。”杨薇叹了口气，抬手捂住自己的心口，“你不知道啊，我这些年，一听他的名字，就有很多复杂的情绪。现在虽然不喜欢他了，可是听着他的名字，我害怕啊。”

“行。”顾岚点头，“那我不说他。不过我还是得问，他一点钱没分给你？这不像他大少爷的作风啊。”

“可不是吗？”杨薇似乎也有点发愁，“我本来就是故作清高一下说我净身出户，我以为他会意思意思给点的……”

“行了，你别贫。”顾岚推她，皱着眉说道，“他家这种豪门大户，你就算不动他根基，也不能净身出户吧？”

杨薇喝了口酒，想了想，她转头看了一眼镜头：“你那直播关了吧？”

“关了。”顾岚摆了摆手，“刚才你来我就关了。”

杨薇点点头，放心了。

而这时候，直播间里已经刷满了“2333”。

“主播看上去好帅，以为好聪明，没想到傻成这样。”

“啊，说话的小姐姐真的好漂亮，太仙了！我有新的女神了！”

“小姐姐刚离婚啊……对方肯定是渣男！”

“要不要提醒她们一声？”

“安静听故事，大家别说话！！！”

“不行，我要去召集我的朋友们来看，这两个姑娘太有意思了……”

直播间里的人越来越多，那两个女人浑然不知。门铃响起来，两人低头划拳，决定谁去开门拿鸡爪。

杨薇输了之后，叹了口气，露出生无可恋的表情，哀叹："豪门贵妇沦落至此，是道德的沦丧，还是人性的缺失？"

"是你智障，赶紧去！"顾岚提脚要踹，杨薇赶紧跑了出去。

片刻后，这个飞踹的动图成了表情包开始默默流传。

论坛也有了帖子，帖子里是一张直播截图，里面有两个女人，一个美丽如仙，一个英俊帅气，各自拿着一瓶二锅头，抱着一个皮卡丘。

帖子主题："豪门贵妇离婚秘闻，现场直播，大家速来！！！"

对网上发生的事情，两人浑然不知。

杨薇端着鸡爪回来，坐在地上，又开了一瓶二锅头，叹气："我和你说，其实离婚这件事，我还是挺愧疚的。你也知道我的情况，当年我家里出事，是他妈把我捡了回来，还把我当亲生女儿一样养大。你说阿姨养我这么大是图什么，不就希望以后有人能帮帮他吗？是我辜负了阿姨的希望，我也不好意思从他家再带走什么，所以他们家给我的，我都还给他了，我和他们家也算两清了。我想要财产不是难事，甚至我直接扳倒他也不是难事。不是因为我多厉害，而是因为他们家上下，从阿姨到他，都没一个人防着我。利用别人的信任捅人家刀子，这事我做不出来。"

"也是。"顾岚点点头，但她还是觉得不对，"可我总觉得，这大少爷一向大方，就算你不要，他不可能真的不给你钱啊。"

"依我对他的了解，"杨薇撑着脑袋，认真分析，"他有百分之九十的概率在等我哭着回去求他。你想，我是他妈花了这么多年给他培育出来的好队友，失去了我，他真的再也找不到这么好一个太太了。"

这么自信的口吻让顾岚差点把鸡爪子在喉咙里，但她也不能否认，杨薇说这话是有资本的。从高中到现在，杨薇就有股狠劲，什么都要做到最好，凡事都要第一，这种人骨子里就自傲。尽管这种自傲或许与自卑并存，甚至就是从自卑中衍生出来的，但杨薇优秀，这是不争的事实。

“那你现在身无分文咯？”顾岚想了想，问了个比较实际的问题，“要不行的话，你来我这儿干活吧？”

“算了吧。”杨薇摇摇头，“婚前我自己也赚了些钱，婚前财产我都带出来了，节省一点，这几年基本生活没问题。现在我想先休息一下，缓一缓。”

“你带了多少钱出来？”顾岚的关注点在庸俗的金钱上。

杨薇淡淡瞥了她一眼，说：“我不能告诉你。”

“为什么？”

“我怕你借钱。”

“呵……”

“你那个原创品牌才刚刚开始运营，正是砸钱的时候。我怕哪天你亏损了或者钱不够，来找我借钱，我已经不是一个可以借钱给你的阔太太了。”

“小薇啊。”顾岚叹了口气，语重心长地说，“在你心里，我就是这样一个人吗？”

“你是。”杨薇说得很肯定，“你是一个缺钱的时候会厚着脸皮一点也不犹豫，哭着和我借钱的人。”

顾岚：“呃……”

这朋友没得做了。

在两人沉默的时候，直播间里的人越来越多。

“不行，我笑疯了，看见岚哥这么被怼，我太欢畅了，哈哈哈……”

“能给岚哥借钱的女人，一定是豪门！”

“小姐姐怼人水平今年最佳，我服气了。”

“我压岚哥会反击。”

顾岚无言片刻后，她决定转移话题：“那你打算怎么办？是去找个工作还是开个公司？”

“都不想。”杨薇摇了摇头，“我想做点以前没做过的事，这些都不想做。”

顾岚点点头，杨薇在嗨劲过去后，开始恢复平静了。两人喝着酒，吃着鸡爪，有一搭没一搭地闲聊。

杨薇从十三岁后就没吃过这些东西，这种重口味的东西乍一入口，还有些不太习惯。但是吃着吃着，倒也有几分滋味。

两人聊着聊着，就说到了以前，顾岚有些感慨：“其实你们结婚的时候我还挺高兴的，觉得你们总算修成正果了。你等到了头，他也看明白了自己。”顾岚抬头看了杨薇一眼，“说真的，高中的时候，我一直以为宋哲挺喜欢你的，只是他性子傲，喜欢也不说出来。”

“不可能。”杨薇摇了摇头，“他一直讨厌我。”

“不是。”顾岚争辩起来，一脸认真，“我是有证据的。我给你举个例子，你记不记得上学的时候，十四班有一个男生，晚自习老堵你送情书那个？”

“记得。”杨薇点点头。

顾岚赶紧说：“当时你不是觉得很烦吗，后来有一次我就遇见他在和那个男生打架，他眼镜都歪了，指着那男的说，再来找你，见一次打一次。”

杨薇愣了愣，酸涩中混杂着酒味，以前听到这种事，她总是心跳加快，现在听到了，她居然觉得……其实也没什么。

以前看不明白，现在长大了就懂了。

“他那不是喜欢我。”杨薇苦涩地笑了，“他这个人爱面子，我挂着他家的名，他怎么可能让人欺负我？你看，他和他那两个兄弟，别看他斯斯文文，少爷脾气最大的就是他，凡是和他有点瓜葛的，哪个他不管？你说这些事，好多我也知道，就是因为知道，所以才会喜欢他。”

“谁无缘无故喜欢一个一直对自己不好的人啊？”

杨薇喝了口酒，叹了一口气：“不就是因为，那时候年纪小，他这么突然护你一下，就心动了吗？心动了后才发现，其实你和别人没什么不同，他对谁都这样。于是就动心又死心，死心又动心，来来回回这么多年，最后终于明白了。”

“顾岚啊，”杨薇觉得酒意有些上来了，撑着下巴，笑着说，“他喜欢的就不是我这样的。他家是真世家，上百年的传承了，他骨子里傲得不行。而我呢？就是一个无意中混进去的小鸭子，我把自己伪装得再好，假贵族就是假的，一辈子也让他看不起。他都看不起我，更别提喜欢了。”

“你为什么觉得他看不起你？”

“我和你说，我第一次进他家……”

杨薇开始絮叨她在宋家的生活，开始说起宋哲的不是，倾诉起一个普通人进入这种富贵家庭后的压抑人生。

直播间里的人默默听着，泪点低的，已经脑补了一出豪门虐心大戏。

“我居然哭了！”

“太不容易了，仙女姐姐真的太不容易了。”

“说真的，我爱死这个姑娘的这股韧劲了。今天我宣布，这个姑娘，我粉了！”

“上来就虐粉！太心痛了，神仙姐姐我为你送飞机！你不要难过，放弃那个人渣，我爱你！”

直播间里的人越来越多，来干什么的都有。有的是为了体验这种蹲墙角的刺激感，有的是为了两人的颜值，有的是为了听故事，有的是被这种普通人接触不到的豪门细节所吸引……

总之，因为这个瓜信息量太大，所以人越来越多，来了之后，不管是因为喜欢她的脸，或者因为喜欢她的性格，又或者因为同情她的遭遇，不到短短两个小时，杨薇居然拿下了一堆亲妈粉。

这批粉对杨薇的情感就只有两个字——心疼。

“我超级心疼我女神，我要用金钱安慰她！”

于是直播间里刷了许多礼物，弹幕和礼物齐飞，看得人眼花缭乱。

杨薇和顾岚聊到半夜，两个人都醉了，抱在一起开始自我检讨。

杨薇也不吐槽宋哲了，开始漫无边际地吐槽自己。

这时候，顾岚的手机响了，她迷迷糊糊接起来，喊了声：“喂？”

“顾岚。”对面传来了合作人夏啾啾的声音，“那个，你……你直播完了吗？”

“完了啊。”顾岚有些不明白，“都几点了我还直播啊？夏老板你有点人性吧，不要被金钱蒙蔽了双眼！”

“不是！”夏啾啾有些着急，“你直播完了要关摄像头啊，现在你直播间都七十万人了！”

听到这话，顾岚猛地清醒了。她惊讶地叫道：“我没关摄像头？！”

而直播间里——

“她终于反应过来了。”

“哎呀，谁打的电话啊……”

“小姐姐要过来了，大家准备刷屏！”

“摄像头？”杨薇迷迷糊糊抬起头，起身点开了休眠模式下的电脑，然后就看见刷满了屏幕的弹幕疯狂映入眼帘。

“小姐姐我爱你！！！”

“我爱你，我爱你！！！”

“小姐姐你是我见过最美丽的人。”

“小姐姐嫁给我吧，踹掉渣男，我陪你一起追周文！！！”

这如同被病毒入侵一样的电脑屏幕让杨薇皱起眉头，她扭过头去，指着屏幕说：“顾岚，你电脑坏掉了！”

顾岚挂了电话冲过来，急急忙忙问：“哪儿坏了？！”

“你看它……”杨薇眯着眼，仔细辨认上面的字，认真又迷糊地说，“它在对我表白。”

“你看，它说，”杨薇指着窜过的弹幕，一个字一个字地念，“小姐姐，我爱你，踹掉前夫我们在一起……”

“哎呀，不需要啦！”杨薇摆了摆手，高兴地说，“前夫嘛，踹掉的才叫前夫啦。”

顾岚看着面前高兴得飘飘然的杨薇，脑子还有点缓不过来，认真思索着杨薇在高兴什么。

片刻后，她看见杨薇读出上面的字：“小姐姐会不会跳舞？想看小姐姐跳舞。”

不等顾岚反应，她就看见杨薇退了一步，跳起了很多年前中央电视台少儿频道的经典舞蹈……

“左三圈，右三圈，脖子扭扭，屁股扭扭，早起早睡我们做运动……”

杨薇一跳，屏幕顿时就被各种礼物占满了，顾岚看了一眼屏幕，她咽了咽口水询问：“我跟着跳有礼物吗？”

“有有有！！！”

群众的热情已经被激发了。

于是，两个人从《金龟子畅想》跳到了《我们的祖国是花园》，最后还领着大家做了一套中学生广播体操，一直闹腾到半夜两点，顾岚撑不住，倒下就睡了。而杨薇在大家的教导下，终于搞明白了怎么和大家说话，于是有一搭没一搭地和大家聊天。

“小姐姐，你还喜欢那个前夫吗？”

“喜欢？朋友，我和你讲，一个坑你跳第一次是情有可原，第二次还跳，那就是在给国家上缴智商税了。你看我是这种人吗？”

“仙女姐姐，那你以后打算怎么办？”

“怎么办？”杨薇撑着脑袋，“我也不知道啊。我想过新生活。他们家教了我十三年，我其实也不知道离开了要干吗。要不你告诉我？”杨薇眼睛一抬，仿佛对面就是和她坐着说话的人，她认真地问，“你觉得我干什么比较好？”

杨薇离镜头的距离刚好，不远不近，可以看清楚她纤长的睫毛。她似乎完全没有觉得摄像头是个冰冷的物件，含着水光的眼睛注视着摄像头。

杨薇本来就是个长得很美的人，不仅美，更重要的是，她身上还有股说不出的，需要沉淀才能有的仙气。她抬眼这么一望，眼睛如水般清澈，一瞬间，守着电脑陪她聊天的一堆人，无论男女，都感受到了心跳加速。

屏幕瞬间被刷爆。

“小姐姐，留下来当主播！从此我们陪着你，我们爱你！”

“小姐姐，当主播。”

“小姐姐，我们陪你走下面的路！”

“我愿意一生一世，当你的粉丝！”

杨薇看着屏幕上的话，愣了。

醉酒后的情绪似乎被无限放大，她静静看着屏幕上的字，感觉有一股热流涌进了心里。

一个人要抛弃过去十几年，本就需要极大的勇气，等于斩断了她的根，逼着她前行。从十三岁后，她的人生就是宋家和宋哲，突然斩断了所有，她就像飘在水上的浮萍，不知道该去哪里，也不知道自己还有什么。

而此时此刻，看着屏幕上的字，看着屏幕上那么多人在说：“小姐姐，我好喜欢你。”

“小姐姐，我没有见过比你更好的人啦！”

杨薇的一生从未有过这么多人承认她，喜欢她，安慰她。她忍不住伸出手，放在那不断变换弹幕的电脑屏幕上。

屏幕没有什么温度，可人心有，哪怕萍水相逢，也能温暖内心，就如同走在沙漠中的人，一滴水也是甘霖。

她的喉头被什么哽得有些疼，好久后，她笑了笑，说：“好。”

杨薇睡的时候，已经不知道是几点了。她就趴在电脑面前睡的，睡之前还有一堆人在提醒她盖被子，嘘寒问暖，简直比男友还贴心。

她已经头脑发昏到完全看不清字了，趴了一会儿后，迷迷糊糊往地上一躺，就和顾岚抱着睡了。

三月并不算暖和，好在顾岚家中央空调一天二十四小时不间断供暖，两人也没有觉得特别冷，只是第二天早上醒来时，两个人头痛欲裂。

杨薇是最先醒来的，她的生物钟不允许她太放肆。她醒来后扫了一眼周围，发现自己和顾岚两个人睡在一堆酒瓶里，她捂着头爬起来，“嘶”了一声：“不行了，不行了，肯定感冒了。”

说完这句，杨薇突然意识到一个问题。

等一等！昨晚她们……干了什么？

杨薇愣在原地，马上反应过来，冲到电脑面前。直播间还开着，她看见上面的弹幕拼命地刷新着。

“啊啊啊，小姐姐出现了。”

“小姐姐素颜也这么美！”

“早上好啊，小姐姐！”

直播间上的字和昨晚的记忆重合在一起，杨薇呆呆地看着这个完全不熟悉的屏幕，摄像头的死角刚好是她和顾岚睡觉的地方，她踹了踹顾岚。

“顾岚。”

“哎呀，别吵。”

顾岚翻身抱住抱枕，捂着耳朵说：“我要睡觉。”

“别睡了。”杨薇摸索着关了直播间，但她还是有些不放心，又找了块帕子把摄像头盖住，随后捏住了顾岚的肩膀，“别睡了啊！快起来确认一下这直播间到底关了没有？！我一世英名就毁在你这里了！”

“直播间？”顾岚迷迷糊糊睁开眼，她定定地看了杨薇一会儿后，突然睁大眼睛，大喊一声，“完了！”

第三章　太太不太好

喊完后，顾岚赶紧起来，一边打电话给夏啾啾，一边打开自己的直播间看情况。

“对，我昨晚上喝醉了。那我本来也没怎么做过直播啊。”顾岚说，“先不管这些了，你过来？行，那你过来吧。”

顾岚挂了电话，扫了一眼屏幕，当场就愣住了。昨天晚上，她们收到了三十万元的礼物。

这个数额把顾岚惊呆了，她站在原地，一句话都说不出来。

杨薇叹了口气，拍了拍顾岚的肩：“行了，兵来将挡水来土掩，先搞清楚昨晚的事对你们品牌有没有负面影响，去查一下有没有录播……”

“不是……”顾岚咽了咽口水，转过头来，定定地看着杨薇，认真地说，“杨薇，我们发了。”

“嗯？”杨薇自然不会因为三十万元就觉得她们发了。

但是对于顾岚这样的投资者来说，她太清楚一晚上三十万元，代表着怎样的变现能力和流量。她挑了挑眉，高兴地说：“可以啊！这也算因祸得福。”

“行了，”杨薇端了个杯子，转身，“我们先去洗漱、吃东西。”

“等一下有人要来。”顾岚赶紧开口。

杨薇一边往浴室走，一边大声问：“谁啊？”

“夏啾啾。”

杨薇顿了顿，夏啾啾是江淮安的老婆，江淮安是宋哲从小玩到大的兄弟，和夏啾啾扯上关系，等于变相地和宋哲扯上关系……她犹豫了片刻，最后还是觉得，随缘吧。她应了一声，进了浴室。

顾岚和杨薇漱完口之后，顾岚叫了份外卖，两个人在客厅里，放着电影，吃着外卖，点评电影里的演员。

没过多久，门铃响了起来，顾岚赶紧去开门。而后杨薇就看到一个看上去不到一米六的女生站在门口，有些不好意思往里面看了一眼。

这姑娘长了张娃娃脸，穿了件大衣，打扮倒是二十五六的样子，但那张脸，说是中学生都有人信。

“夏老板，赶紧进来，老熟人了。”顾岚让了位置，一脚踹了双拖鞋过去。

杨薇笑了笑，看上去十分温和。

夏啾啾似乎有些紧张，她走到杨薇面前，主动伸出手，磕磕巴巴地说：“好久不见了……”

“是啊，”杨薇笑起来，“上次见还是宋哲带我去你们家。”

夏啾啾有些尴尬点了点头，似乎顾虑在这个时候提起宋哲。这样的照顾让杨薇顿时有些喜欢这个姑娘。

顾岚招呼道：“行啦，都坐下。啾啾，你这么火急火燎过来是打算做什么啊？”

“是这样，”夏啾啾赶忙拿出了文件，“你们昨晚那个直播效果特别好，昨晚公司市场部连夜商量了一下，我们希望能把这个直播做下去。”

这话让顾岚和杨薇都呆住了，夏啾啾继续说：“我们昨晚分析过了，以前吸粉主要靠你的颜值，现在我们要换这个模式……”

杨薇没说话，听着夏啾啾分析了一会儿后，她突然开口问：“有没有昨晚的视频？”

夏啾啾愣了愣，随后点头：“市场部那边有录播。”

杨薇让夏啾啾把录播拿出来。她打开电脑，开始搜索昨晚所有相关信息，她认真看了一会儿后，拿了视频和纸笔，开始一边看一边记。

顾岚和夏啾啾完全不知道杨薇在做什么，但她们也不敢说话。杨薇静静地看完整个录播视频后，皱着眉问：“这个视频会在网上流传吗？”

“很少有人录了完整的。”夏啾啾立刻说，“你要是觉得这个视频内容不合适流出去，我会想办法联系人把视频删掉。”

杨薇点了点头。她自然知道夏啾啾是仗着江淮安的后台，不然就凭她们那个小破女装品牌，根本不可能做到删网上的视频。

杨薇想了片刻，随后说：“我说句实话，其实昨天晚上的观众和你们的消费群体并不是一个群体，就算你让顾岚和我继续把这个直播做下去，对你们的品牌变现并不会有什么帮助。你们的品牌是一个中低端原创品牌，在这种直播平台发打折券，其实不是一个好的选择。”

顾岚和夏啾啾互看了一眼，顾岚点点头：“我觉得她说得对。”

夏啾啾立刻应声：“嗯，我也是。”

杨薇看了她们一眼，继续说：“我记录了整个视频过程中弹幕爆发的时间、礼物刷屏的时间点以及弹幕最多的词汇，可以看出，其实昨天晚上的观众留下来的理由主要是四个——喜欢我们的颜值，对豪门弃妇这个身份的好奇，对我本人性格的喜爱，以及偷听别人秘密的快感。前三条都和我相关，第四条很难复制。我是这么想的，如果你们想留下昨晚的流量，甚至制造更大的流量，最好的方法就是我当主播，我拥有粉丝，然后我来穿你们的衣服，利用粉丝效应吸引大家去购买产品。不要在平台上直接送优惠券，你们要做好产品，吸引别人过来。”

“那问题是，”夏啾啾有些犹豫，“你愿意当主播吗？”

杨薇愣了愣，随后认真想了想：“我也不知道，我既不了解这个行业，也不清楚要做什么，你问我要不要当主播，我也不知道啊。”

“哎呀，那无所谓了。”顾岚摆了摆手，“你就先像我一样卖货算了。你们这些人就是想得太多，和我一样想少一点，快乐一点，不好吗？”

这话让杨薇有点发蒙。

夏啾啾转头看着杨薇："杨薇，你既然离婚了，就告别过去，不要像过去一样什么都想。你学学顾岚，"夏啾啾指着一个劲开心点头的顾岚，"傻一点。"

顾岚的表情僵住了，她面无表情地回头，看着夏啾啾，纠正道："这是开朗。"

"两字之差。"夏啾啾笑眯眯地开口。

顾岚捂住额头："夏啾啾，你和江淮安真是夫妻。"

杨薇看着夏啾啾和顾岚互动，一时有茫然，最后她捋了捋头发，叹了口气："行，反正我也没事干，我帮你们做一下带货主播。白天我去找工作，找到工作我就不干了。"

"好，好，好。"顾岚高兴地说，"就这样，你先好好休息和找工作，晚上我带你直播！"

说着，顾岚撩起头发，甩出一个自以为帅气迷人的眼神："宝贝，我带你飞，带你浪。"

听到这话，杨薇朱唇轻启，优雅地说出一个字："滚。"

和夏啾啾、顾岚聊了一会儿后，杨薇去洗脸，顾岚在旁边看着她涂涂抹抹，叹了口气："女人，真是可怕。"

"你一个设计师，脸糙成这样，"杨薇看了顾岚一眼，"这才叫可怕。"

杨薇走到顾岚面前，摸了一下她的脸。

顾岚对自己的脸一向有信心，和杨薇那精致细腻如白瓷的脸比起来，顾岚头一次觉得，天啊，她真糙。

杨薇看见她的表情，嗤笑一声，走了出去。

顾岚下意识地摸了摸自己的脸，走到洗脸池边，拿起了杨薇的护肤品，看了一眼外面，又看了LP（莱珀妮）鱼子酱，她小心翼翼打开，涂了自己一脸。

杨薇完全不知道顾岚在做什么，她拿出电脑敲敲打打。敲了片刻后，她感觉自己内心有点沉重。

自己的简历，非常漂亮，是一个高学历的综合型人才，但是她的工作经验……

她的起点太高了，她大学期间就跟着赵阳兰，是赵阳兰的助理，明面上的助理，暗地里的副总。赵阳兰不方便做的、不太好做的事，都是她出面解决。她没任何实际的管理职位。赵阳兰的职权，更多的是作为一个投资人做决策。赵阳兰教给她的所有技能，是做一个管理者，并不适合做一个员工。宋哲归国之后，赵阳兰退位，她退居到宋哲身后，默默当起了贤内助。

一个富家太太去职场打拼，当一个女强人，会让人笑话宋哲无能。她要做的，就是照顾好宋哲的家庭，打理好宋哲的资产，替宋哲参加公益晚会、酒宴。如果她愿意，可以抽空去做点高端原创品牌，比如鲜花、珠宝、红酒等不拉低她格调的生意，但这些生意只能是投资，不能投入太多时间。

所以和宋哲结婚后的三年，她的简历一片空白。

这样一份简历，如果是基层岗位，她没有任何经验，不适合做。如果是管理岗位，谁也没有胆量给她一个毕业就结婚当豪门太太的人做。

以杨薇的学历，小公司庙小不敢要她，大公司又看不起她的工作经验。她唯一的出路，就是联系以前圈子里的人，让他们投资，她直接创业。她有能力，这一点了解她的人都知道。甚至在宋氏集团内部，她也有自己的人，这是赵阳兰给她的要求——不能当一个花瓶太太，要做在宋哲落难时能起宋氏的那个人。

创业不是不可以，甚至是她最好的路，可问题是……

杨薇抿了抿唇，她既然离开了宋家，就不想再回到那个圈子。

宋哲被她按着头签下离婚协议，现在怕是想按着她的头让她回去，所以她得离开这个圈子。

杨薇思前想后，最后吐了口气，把自己的简历修修改改，除掉了与宋家的关系和前豪门太太的身份，改成了一个学历超高、技术全能就是工作经验少了一点的人。她一次性投了很多家公司，等忙完的时候，已经是晚上了。

三个人吃饭时，夏啾啾对杨薇十分殷勤，她感觉有些蹊跷，忍不住多看了夏啾啾几眼："江太太，你对我这么热情，我总觉得你别有所图。"

"没。"夏啾啾涨红了脸，有些结巴，"我……我……我就是想和你做更好的朋友！"

这句话让杨薇嘴里的一口饭差点喷出来，她看了一眼长了张中学生脸的夏啾啾，忍不住说："你想和我做更好的朋友就直接说，你为什么要这么对我？！"

"我怎么对你了？"夏啾啾有些不解。

顾岚低头吃着饭，闷声说："她以为你喜欢她。"

杨薇开始认真思考，顾岚是怎么活到现在的。她很想和顾岚探讨一下这个话题，但是顾岚没给她这个机会。

三个人吃完饭后，顾岚就拖着杨薇去了她房间，她先教杨薇注册了账号，给她取了个名字，叫"sweet（甜）薇薇"。

接着顾岚带着杨薇进了直播间，教杨薇一些基础操作，杨薇学得快，很快就搞清楚了。

顾岚转头和杨薇说："等一会儿我们轮流着来，一个穿衣服一个卖货，直播两小时，时间一人一半，一会儿你先来。"

杨薇点点头，有些紧张："等一会儿我没穿好怎么办？"

"没关系。"顾岚认真地说，"我们凭颜值已经赢了。"

就是这么自信。

等到了直播的时间，夏啾啾已经把要卖的衣服都拖了过来，堆在一边，杨薇坐在屋子一边穿衣服，一边看着夏啾啾忙活："江太太，顾大设计师，我说你们两个人，看上去人模人样，你们现在忙活的样子，和我小时候在批发市场看到的店老板没什么两样啊。这些小事，你们让下面的人搞不行吗？"

“没伞的孩子要努力奔跑。”顾岚坐在一边，把手搭在脑后，叹了口气，“杨薇，你这种人，不懂我们……哎哟！”

顾岚话没说完，就被夏啾啾敲了一下脑袋，她叉着腰愤怒地说：“你没看我在这儿忙活呢？快过来！”

“行，行，行，老板说了算。”顾岚站起来帮夏啾啾，杨薇则在她们指点下化妆。

顾岚虽然吊儿郎当，但审美还不错。她指挥杨薇化好妆，夏啾啾已经准备好了衣服。过了一会儿，顾岚突然转头：“等一会儿你别害怕……”

“你要做什么？”

“Ladies and （女士们和）乡亲们，大家晚上好！”顾岚突然大喝了一声，杨薇顿时就蒙了，随后就看见顾岚激动地和粉丝互动。她先给大家唱了一段 rap（说唱），搞得杨薇差点跟着节奏点头。

夏啾啾看着旁边一脸震惊的杨薇，小声说：“你现在知道我们公司为什么要推她出去直播了吧？”

杨薇点点头，转头看着夏啾啾，一脸认真：“这种人才，实属罕见。”

唱完 rap 以后，顾岚低着头做了一个“love and peace（爱与和平）”的手势，然后平静下来，喝了口水，对着摄像头说：“我今天给大家介绍一个人，就是我搭档，她叫薇薇，今天晚上我和她一起直播。她的直播间房管发一下，明天开始我们分开直播。”

“对，就是昨晚那个。你们这些人，要不要这样啊！我长得不帅吗？为什么要这么差别对待？”

顾岚把杨薇喊过去，杨薇看见屏幕被弹幕淹没了。

“仙女姐姐，啊啊啊！”

“这件衣服超好看，是卖的吗？！”

杨薇看着上面的弹幕，一开始的拘谨减少了很多。顾岚把她拉到边上来，小声说：“你放开一点，别这么拘谨。”

杨薇点点头，然后就看见顾岚开始卖货了。

顾岚的直播风格就是嗨，特别嗨。

她语言浮夸，动作幅度很大，一件衣服她能夸上天：“你们看见这件毛衣没有？羊毛的毛线！绝对保暖，绝对舒适，穿上去贵气逼人，你出去绝对有面子！只要一百八十八元，一百八十八元！这件毛衣你领回家！哦，还有代金券！”

“你们看这条裤子……”

杨薇听着顾岚浮夸的直播，一套衣服一套衣服地换，顾岚吹得口干舌燥，把杨薇形容得貌若天仙，杨薇的心态已经彻底崩了。过了一个小时，顾岚喝了口水：“我喊不动了，这次换薇薇来给你们直播。”

杨薇黑着脸坐在了电脑面前，这些衣服的促销方案和材质，她已经背熟了，她都不知道夏啾啾为什么这么了解她的能力，知道她背东西这么快。

顾岚去换衣服，她在电脑面前沉默了。

观众看着杨薇，尴尬气氛弥漫在房间里，过了好久后，她才慢慢地说了句：“ladies ……”

“仙女姐姐开口了！！”

弹幕瞬间爆发。

杨薇突然发现，网友们比她想象的热情太多了，她放松下来，轻咳了一声，有些不好意思地说：“那个，大家好，我是 sweet 薇薇，等一下我要来给你们讲一下这个衣服。出于对于消费者的尊重，我必须纠正几点。刚才一百八十八元那个衣服，不是纯羊毛，里面包含了百分之四十三的腈纶成分，这个衣服你穿上去既不会贵气逼人，也不会闪闪发光……”

顾岚进来的时候，就看见杨薇在一本正经地揭短，顾岚的表情裂了。

粉丝笑疯了：“不行，我看见岚哥的表情了……哈哈哈……”

“薇薇太可爱了，我不行了，哈哈哈……”

“我知道啊，薇薇姐，我们爱的只是岚哥啊！”

杨薇很认真给大家解释完毕之后，转头说："我们现在来看一号搭配，我习惯标号，大家也习惯一下。一号搭配其实是很甜美的一套衣服，穿在岚哥身上虽然有了不男不女的风范，但是大家千万不要被这个表象误导，这套衣服一米五五以下会穿出萝……萝莉？我这里导词好像错了……"杨薇皱了皱眉头，看了一眼旁边已经彻底石化的夏啾啾和顾岚，见她们没有反应，又转头看导词，"大概是萝卜风，反正是一种非常甜美可爱的风格……"

"萝卜风……"

"哈哈哈，萝莉要疯了……"

"太太，你以前是做什么的？"

"我感觉到了时代的碰撞！"

杨薇一边注视着屏幕，一边继续介绍。她用做 PPT 报告的语气，犀利地评价衣服，不经意间还说些段子："这件衣服岚哥穿一点违和感都没有，哦，这是件男装。"

"这件大衣是某位太太很喜欢的风格，貂毛柔软的质感大概能给女人心灵的安慰，让女人为了自己的和平与爱厮杀疆场，× 太太，听说明年您要担任动物爱好者协会会长了，加油！"

"这件衣服叫女人的战袍，为此它设计了很大的腰围，这里面是给你们放武器的，绝对不是用来放小肚子的……至于它后面的披风……我猜是为了让你们在台风天更好地飞翔。"

一场直播下来，顾岚和夏啾啾心力交瘁，直播间里观众却笑疯了。冷幽默也是一种幽默，杨薇平静又认真的嘲讽方式有种高级幽默感，和一众喊麦的搞笑主播泾渭分明。

等直播完毕后，顾岚关掉直播间，咬牙切齿地说："杨薇，你这么对我，你会后悔的！"

"哦。"杨薇淡淡开口，"请你让我后悔吧。"

等第二天开直播的时候，顾岚关了灯，在杨薇登场的瞬间，就放了一句：“丑八怪……能否别把灯打开……”

杨薇没说话了。等过了一会儿顾岚换衣服回来的时候，她就听见杨薇在放《单身狗之歌》。

“母胎 solo（单身）。”被催婚的顾岚当场崩溃了。

杨薇悠悠回头：“粉丝推荐的，好听吗？”

顾岚没说话，她满耳朵都在回荡——

“雌雄双兔傍地走，你还没有男朋友。一江春风向东流，你还没有男朋友。”

杨薇叹了口气，温柔地说：“岚啊，你什么时候有男朋友啊？”

“啊啊啊，我和你拼了。”

“主播崩了崩了……”

“心态崩了，哈哈哈……”

杨薇很快熟悉了直播，第二天也开了自己的直播间。她们的直播间都在猫猫平台上，杨薇和顾岚每天就在直播间互相伤害。

白天顾岚还有其他工作，杨薇等着找工作，没事就开着直播聊天。

这时候她的粉丝还不算多，她每天就窝在顾岚家里，和人天南海北到处聊。她和人聊自己去过的地方，吃过的东西，见过的事情。

伤痛是有一个愈合期的，杨薇感觉直播这件事可以很好地消磨时间，不用想太多。这些人也很温柔，会给她很多安慰。

每个主播都会有几个金主，杨薇的粉丝里给她砸礼物最多的就是一个叫“文哥是你哥”的用户。他不太爱说话，也不经常在线，但只要来了，杨薇说几句话，他就砸钱。

壕得杨薇想当场给他跪下。

粉丝大多都是“游客”，来看几天就走了。有几个人，从杨薇第一次直播到现在，一直跟着，比如说“文哥是你哥”。

这批人熟悉杨薇，知道她是一个刚离婚的前豪门太太，杨薇也熟悉了他们的 ID（账号）。他们小心翼翼地和她说话，安慰她，让她觉得这个世界特别温暖。

杨薇的简历都石沉大海，好不容易终于有一家公司给了她电话，却问她："那个我想问一下啊，你有孩子吗？"

杨薇愣了一下，说："没有。"

对方沉默了片刻，干笑着："好的，那我们再想想。"

杨薇挂了电话，心情有些沉重。其实对方的犹豫她明白，她这个年纪如果还没有孩子，肯定是要赶紧结婚生孩子的，说不定进去就休产假，这对于企业来说是负担。

又过了两天，终于有一家公司给了杨薇电话，让她面试。杨薇刚应下来，但当天下午，这个公司就给她电话："那个不好意思啊，我们突然发现你有点不合适……"

杨薇皱了皱眉头，挂了电话后，才反应过来。

按照宋哲的性子，必然是不会让她好过的。她苦笑了一下，有些无奈地扶额。直播的时候，她看上去兴致不太高，所有人变着法子哄她高兴。

"主播，你笑一笑啊。"

"主播，你有什么不高兴你和我们说啊。"

"主播，来来来，你不给我们讲笑话，我们给你讲笑话！"

看着屏幕上的问候，杨薇突然说不出话来了，她感觉有什么哽在喉间，难言又温暖。

过了一会儿，她看见屏幕被文哥用礼物刷满。

"别难过，"文哥说，"我们都陪着你，人生没有过不去的坎。"

杨薇呆呆地看着那句话，好久，她才哽咽着开口："可是我……有点不知道路怎么走下去。"

她深吸了一口气，在这个空荡荡的房间，看见来来往往的人和不断变化着的人数，她突然生出一种倾诉欲，让她忍不住撑着笑容开口："我本来以为告别了过去，我会过得很开心。可我真的告别过去后，我发现，其实我自己也不知道自己要做什么。"

“做你没做过的事吧。”

文哥加红闪亮的弹幕弹过：“去把过去你所有想做，但没做过的事做一遍，然后你就知道，自己想做什么了。”

杨薇愣了愣，片刻后，她深吸了一口气，点头说道：“你们说得对。”

说着，她站起来，在镜头前，认认真真地鞠了个躬，同他们道谢：“谢谢你们。”

“真的，”杨薇温和出声，“谢谢你们陪着我。”

在人生最艰难的这段路上，陪伴她。

杨薇开始回忆她的人生愿望。她已经自律很多年了，但骨子里她不是一个真正自律的人。她喜欢看小说、漫画、动画片，喜欢喝可乐、吃薯片。

简单讲，杨薇骨子就是一个肥宅。

她曾经最大的一个梦想就是待在屋里不出门，一天到晚放纵自己。于是她和夏啾啾请了假，自己回家直播。随后去超市买了一堆垃圾食品，又买了一些菜，提着重重的塑料袋回了家。

这是杨薇读初中时赵阳兰用她父母的遗产替她买的一套房，一百一十平方米，三室两厅，地段好，治安好，有烟火气。

杨薇早在一年前就装修好了这套房子，屋子里一应俱全，有阿姨定期打扫，拎包就能入住。

杨薇辛辛苦苦把东西提回家后，将它们分类放进了冰箱，然后去厨房里做菜，好多年没有做菜，生疏了很多，她一边做菜，一边直播。

直播里的人看着杨薇做菜都很着急，东一句西一句指点着，她和他们一边聊一边做，结果搞出了一大锅莫名其妙的东西。

她看着那一锅奇怪的东西，叹了口气：“你们这是要加害本宫啊。”

“文哥是你哥”发了一串“哈哈哈”，随后连发了十个潜水艇：“点个外卖吧。”

杨薇看见这种土豪，赶紧说：“谢谢文哥！”

对方听到这话，瞬间又来十几个潜水艇。

杨薇差点给他跪了。她忙打开手机，她的手机里很干净，只有一些办公软件。她在粉丝的指导下，下载了软件，点了外卖。

这样的生活很开心。杨薇每天喝着快乐肥宅水，在粉丝指导下看电影、打游戏、看动漫、看小说。她一边做这些，一边向粉丝吐槽。她的吐槽很犀利，就像在听相声一样，粉丝把截图一做，做成了搞笑视频。

看小说的时候："我和你们讲，这个人绝对要死，这种睚眦必报的人太不善良……"

一个小时后："我去，这是主角？！"

"这个游戏我不会玩，一看画质就差，三分钟我就退出来了……"

三分钟后："这游戏其实将就着能玩，但有点脑残，天天看着这个青蛙有什么意思？我一分钱都不会花！"

最后："我要让我儿子成为最富有的崽！！！"

直播不到七天，杨薇就收获了网友为她倾情献上的"真香打脸"合集，她也被评价为脸最疼的女主播。

杨薇直播得很高兴，她一点都不寂寞。一连在家里待了七天，她欢快无比，完全没有出过门。

而宋哲加了七天班。他在公司里有一个小公寓，他几乎吃住都在那里，一直没回过家。

高林看着宋哲疯了一样往自己身上揽事，忍不住劝了一句："先生，要不您还是给自己放个假吧？要紧的事其实都处理得差不多了，后面的事早一天晚一天也没什么……"

听到这话，宋哲抬了抬眼皮。连着七天没有休息，他其实也有点吃不消，这种疲惫让他没有太多思考的能力，不用想太多，这让他觉得很有安全感。

宋哲也说不清是哪里来的空虚感，只是他觉得自己特别想忙起来。

宋哲点了点头："行吧，那回家休息一下。"

高林将行程全部推后，宋哲上了车，坐在后排椅子上闭上眼睛休息。

他还是忍不住开口问："找到杨薇住哪儿了吗？"

"找到了，"高林赶紧说，"太太……"

话没说完，宋哲冷眼看过去，高林赶紧改口："杨小姐虽然没有拿走婚后财产，但婚前她名下的财产还是带走了的。其中包括一套在润和花园小区的住宅，她现在就住在那里。"

"一个人？"

"一个人。"这次高林学聪明了，"我已经让两个保镖守在那边了，杨小姐就算一个人生活，也不会有安全问题。"

"她找到工作了？"

"那个……杨小姐差点找了一个传销公司的工作，我们怕她被骗，就先警告过了……"

宋哲应了一声，他转头看向窗外，过了好久，他突然问："她过得还好吗？"

这话问出口后，宋哲有些纠结。他说不清自己要一个怎样的答案。

片刻后，高林斟酌着："杨小姐……看上去不太好。"

"嗯？"

"她七天前进了屋子就没再出来过。"

宋哲猛地回头。高林立刻解释："但有外卖送进去！我们伪装成送外卖的去看过，杨小姐没事！"

宋哲放下心来，点了点头。

高林舒了口气："杨小姐看上去精神不太好。"他揣测着，"可能……是太伤心了吧？"

宋哲听到这话，心里莫名一阵愉悦，又带了几分担心，他自己也说不清楚是什么情绪，只点了点头："嗯，好好注意着。我妈以前就心疼她，虽然和我离婚了，但也不能出事。"

高林连忙点头："先生说得是。"

"离婚总是要伤心一阵子。"宋哲平静地说，"等她想明白了，自然就回来了。”

“先生说得对。”高林附和，“给杨小姐一点时间，她就想通了。”

这时候，他们以为正在“伤心”的杨薇刚刚在网友推荐下购买了一套专业主播设备，经过这一阵子的学习，她已经充分了解了主播要怎么当。

她的主播技能满点，日常就是以给网友讲段子为主，今天她和网友打赌输了，要唱一首点播歌曲。

于是她拿着话筒，站在摄像头面前，高兴地说：“来来来，老铁们，游艇飞船刷起来！今天，我给大家带来一首歌——你就像那冬天里的一把火！熊熊火焰，温暖了我心窝！”

第四章　回家吧

杨薇唱歌唱到晚上八点，然后就和大家有一搭没一搭地聊天，第二天早上醒来的时候，她觉得嗓子有点哑。

这才早上七点，直播间里只有一个人。

网红就是这样的，流量来得快去得也快，大半个月过去，大家对她也没了新鲜感，剩下的都是些铁杆粉。她没有签约平台，也没有经纪人，自然不会有什么流量推送。

杨薇喝着牛奶喊了一声："文哥，早啊。"

"早。""文哥是你哥"开了口。

杨薇本来以为他只是挂机，没想到他真的在，她有些惊讶："这么早就在我房间里蹲着啊？"

"刚下飞机，没事干。"

"那正好，"杨薇笑了笑，"我也没事干呢。"

"吃过早餐了吗？"

杨薇摇摇头，随后习惯地问："你说吃什么？"

"自己做点吧。"周文劝她，"煮个粥。"

杨薇这半个月来几乎不拒绝粉丝的要求，别人说什么她做什么，于是她拿着手机进了厨房，开始直播自己做饭。

杨薇做饭的技能停留在十三岁以前，做得慢，但也将就着能做。周文静静地看着，好一会儿，突然开口问："为什么当主播？"

杨薇瞧着这句话，忍不住笑了：“这不没事干吗？也不知道该去哪里，做什么，就干脆当一下主播。”

她低头切着姜丝：“其实挺有意思的，他们说的好多事，我好多都没做过，体验过了，也挺新奇。”

“打算体验到什么时候？”

“我也不知道。”杨薇想了想，“随意吧，其实没有计划也是一种体验。”

杨薇将米和菜放在锅里，拿着手机一边和周文聊天，一边进了屋。

路过书房时，周文突然问：“你会拉大提琴？”

“你怎么知道？”杨薇有些诧异。

周文解释：“我刚才看到了。”

杨薇的步子停在书房门口，看见书房里放着大提琴，便走了过去，笑着说：“我学了十年。”

“拉得好？”

“非专业人士，就是随随便便拉一拉。”

说着，杨薇突然反应过来：“你想听？”

“给你刷礼物。”

“不要，”杨薇十分大方，“我给你个专场。”

杨薇说完，就将大提琴带到阳台，然后找了个位置把手机放着。

将近四月，南城已经很暖和了。她今天打算出门，就穿了条白色的长裙，墨发披散下来，晨光落在她身后，看上有种莫名的温柔。

她抬头看向镜头，笑着问：“想听什么？”

“随意。”

杨薇想了想：“那拉个通俗的吧。”

说着，她的琴弓落在琴弦上，缓慢悠扬的旋律随着晨光一起流淌。

她拉的是《You Raise Me Up（你鼓舞了我）》。

大提琴声低沉优雅，似乎能抚平人心上所有伤痕。杨薇拉着曲子的时候，抬眼看向镜头。

她很上镜，看着镜头时候，她的眼睛很亮，她的笑容似乎携着晨光，从冰冷的网线一路传递过去。

周文静静地拿着手机，心弦似乎被人轻轻拨动。他的目光凝视着手机里的女人舍不得移开，听着为他独奏的旋律，感觉自己的心随着旋律飘到这个女人身边。

助理薛尤在他前面开车，一边开一边说："我说他们就是不安好心，和你说什么直播。你一影帝要真去做了直播那就是自降身份，人设不保。你说你就是去了解了解，你看你现在是了解的样子吗？"

周文没理会薛尤，他看着屏幕，嘴角含笑，低头在屏幕上点送礼物。

"谢谢。"

"今天一天的心情都会很好。"

"那就好。"杨薇笑起来，"我今天打算出去玩，你说去哪里？"

"看电影吧。"周文想了想，"《再爱我一万次》上映了，你去看吗？"

说完这句话，周文就有些后悔了。但杨薇已经看到了，她的眼睛亮了起来。

"啊，你是说我爱豆那个新片？"杨薇高兴地说，"我当然要去看啊，今天就去看！"

周文勾起嘴角，有几分高兴："好啊，祝你观影愉快。"

"还有，"周文想了想，"直播适可而止，人生毕竟是你的人生。"

杨薇愣了愣，片刻后，她笑起来："我知道。"

周文下线后，杨薇也觉得没有了什么趣味，她放下大提琴，去喝了粥，然后去刷周文主演的《再爱我一万次》。

周文今年二十八岁，但他走红的时候，只有十五岁。他以歌手的身份出道，却在二十岁以演员的身份封帝。如今十三年过去，和他同期的明星大多过气了，只有他扶摇直上，成了一棵常青树，完成了从流量小生到实力派演员的完美转变。年龄虽然不大，但在影视圈里辈分不小。

杨薇十三岁的时候就喜欢他，只是追星这事在大多数人眼里总和脑残挂钩，于是一直以来她都是偷偷追。一转眼，过去这么多年。现在她终于能光明正大地追星，光明正大地支持爱豆，她很高兴。

她把影片看了三遍，直到饿了才兴高采烈地回家。刚到家，就接到了一个陌生电话。对方热情地说：“您好，请问是 sweet 薇薇小姐吗？”

sweet 薇薇是杨薇的主播名，她愣了愣，说：“是我。”

“我是猫猫直播平台经纪部的经理向维，是这样，您还没有签约经纪公司吧？”

杨薇听着向维的话，猜出了对方意图，她应了一声：“嗯，没有。”

“我们非常看重您的潜力和才华，想和您签一个经纪合约，您意下如何？”

“你先把合同发过来吧。”杨薇有几分犹豫。

向维高兴地应了声，挂了电话后，赶紧加了 QQ，把模板合同给杨薇发过去。

杨薇没有立刻打开合约，她犹豫了一会儿。

其实现在当主播，杨薇就是偶尔弄一弄，小打小闹，一旦要签下这份经纪合约，就意味着她将把它当成一项事业。这条路是她要选的吗？

她开始慎重思考。哪怕此刻，她内心已经有了答案，可多年的习惯告诉她——面对任何重大的决定，都一定要三思、三思、再三思。

杨薇思考了一会儿后，感觉到饥饿，于是点了一锅椰子鸡。

这一次开门之后，外卖小哥递了一排娃哈哈 AD 钙奶给杨薇，杨薇有些疑惑，对方讨好地笑着：“那个，因为您升级成我们的高级客户，所以特意赠送一排娃哈哈 AD 钙奶给您，祝您用餐愉快，天天开心。生活没有什么过不去的坎，您要加油！”

这一串话把杨薇说蒙了，外卖小哥似乎很怕她，把椰子鸡端给她，转身就跑了。

杨薇端着椰子鸡，提着娃哈哈，有些摸不着头脑。她忍不住思索，她看上去活得这么惨吗？连这位经常给她送外卖的小哥都对她产生了恻隐之心。

她有些茫然，把椰子鸡放到桌上，打开锅盖，拿了碗。

今天杨薇没有开直播，她鲜少吃饭不开直播。她将饭盛到瓷碗里，准备开吃的时候，突然看到桌面上的娃哈哈。

杨薇小时候很喜欢喝这种饮料，以前她妈每次打完她就买来哄她。后来到了宋家，赵阳兰觉得这种饮料糖分太高不健康，于是她再没喝过。直到有一次……那次她偷看小说被赵阳兰撞到，虽说也不是什么大事，赵阳兰甚至什么都没说，可她就是觉得很忐忑，很害怕，羞愧与后悔的情绪交织在一起，于是在上学的时候她哭了一路。

旁边宋哲被她哭烦了，抬眼瞧她："多大点事，你能不能不哭了？"

杨薇不敢说话，只能压抑着声音哭。宋哲把手里的书"啪"地一下合上，让人停了车，然后下了车。她把眼泪擦干了，一个人回了教室里，坐在第一排背书。等上课铃快响起来的时候，宋哲单肩背包，大摇大摆走到她面前，把娃哈哈往她面前一放，不耐烦地说："给你的。"

那时候杨薇都吓傻了，小声地说："阿姨说我不能喝……"

"想喝就喝！"宋哲打断她，语气里全是不耐烦，"想那么多做什么？先把喜欢的事做了。"

杨薇愣了愣，宋哲瞧了她一眼，转身走向最后一排。她看着面前的娃哈哈，小心翼翼地剥开了塑料膜，小口小口地喝了起来。

后来杨薇每次难过哭泣，宋哲就给她买娃哈哈，仿佛是他无言的安慰，哪怕后来她不喜欢喝了，宋哲递给她，她还是会觉得高兴。

打从宋哲出国之后，他就没再给她送过娃哈哈。

想到这里，杨薇心生感慨。虽然不知道为什么商家今天突然做活动，但是这娃哈哈就像某种暗示。

杨薇既然没有太多规划，就不必想那么多，现在她找不到其他事做，做主播，她也很开心。她享受那些人带给她的温暖，喜欢那些人因为她说的话而感到喜悦的那种心情。

她喜欢别人因为她而开心，这比她买对了股票、创建了公司，都让她更有幸福感。

做自己想做的事，这就够了。就像当年宋哲说的——想那么多做什么，先把喜欢的事做了。

于是杨薇吃完饭，回到了桌前，打开了向维发给她的合同。她一边批注一边看，看完合同后，她拨通了对方的电话。

“喂，向经理，我是 sweet 薇薇。”

“嗯，对，我是来谈合同的，我有意和你们签约，但是你们看，这合同有些条款能不能修改一下……”

向维给杨薇的合同是猫猫平台提供的统一模板合同，对于主播而言，公司总会在他们还没有红起来时尽量压低他们的价值，扩大自己权利范围，让他们签下一份不太平等的合约。猫猫平台的合同分成 S、A、B、C、D 五个等级，S 级是千万年薪主播级别，A 级是五百万级，B 级是百万级，而 C 和 D 则是百万级以下，经纪人可以有小范围内的自主决定权。

杨薇第一次直播就很不错，后续虽然因为推广不利等问题并没有保住流量，留下来的粉丝却是死忠粉，打赏起来十分豪爽，变现能力很强，所以向维发给杨薇的是百万级别的合同。如果是普通人，肯定立马就签了，可对杨薇来说，这份合同的限制太多。

比如，它要求代理杨薇所有的文化类产出，无论是演戏、唱歌、参加综艺、甚至出书、授课、做翻译等等，全部属于他们的代理范围。可作为一个直播平台公司，他们并不具备这样多的合作平台，用一百万提前把多余的资源握在手中囤积起来，杨薇太清楚这些产出的长远价值，她不可能接受这么一份合同。

于是杨薇反复同向维讨论合同细节，向维也有些头疼：“杨小姐，这合同都是模板，你修改条款后我们还要再走一遍法务部门，真的没有必要。百万年薪加提成不少了，你一个主播，什么出书、授课、翻译、演戏离你太远了，你先看好现下。咱们签了B级合同，公司对你的推广力度不会少……”

“向先生。”杨薇看着条款，直接问道，“那您能不能给我指条路，我怎么样才能修改这条款？”

向维被杨薇说得有些烦了，这个合同她已经磨了快一个小时，向维喝了口水，说：“你现在拿的是B级合同模板，主要是你流量没到这分上，你这个月在礼物排行榜上是第四十七名，但你每天直播间平均人数排名在三百名开外，我给你开这个百万级的合同，也是看你的粉忠诚度高，实际上你只是勉强够这个水平。你要是想谈具体条款，如果你能把你的综合数据，不仅是赠送礼物能力，还包括吸纳充值会员能力、每日直播间观看人数、点赞数等等都能做一个提升，全部提升到前五十名，那么我就破例帮你向老板提，成不成看老板，你说行不行？”

“行。”杨薇一口应下。

向维舒了口气：“那好，你考虑一下。杨小姐，月末见。”

挂了杨薇的电话，向维抬头看向对面和自己一起加班的同事徐州。

徐州笑着问：“是谁啊？和你说这么久。”

“准备签的一个主播。”向维抓了抓头，“底子好，稍微捧一下就能红，就是事太多。现在和我约定要把每一项数据月底时候冲到前五十，没有官方推荐和团队，我看她怎么冲。”

向维转头看向屏幕：“话说，你说这次宋氏集团要是收购了咱们公司，咱们会不会被开除啊？”

“我们这些小虾米不会。”徐林淡定地说，“咱们是干实事的。”

向维看了看周边，见没人，往前探了探，小声说：“我听说宋氏集团这次是冲着董总来的，要是董总被开除，让咱们站队，咱们怎么办？”

徐林没说话，过了一会儿，他抬眼：“谁发我工资我站谁。”

向维听了这个答案，觉得有道理，点了点头：“行，我也这么干。”

杨薇挂了电话后，就开始思索如何冲数据。现在离月底只有半个月，要把各项数据冲上去，一定要有一个爆发式的增长。这些数据都是计算平均数，也就是说，哪怕有一天冲顶，数据上都会很好看。

杨薇思索了一会儿，她现在没有流量，最好就是从其他平台上引流，要是能有一个身份标签，就更好了。

她翻了翻最近各种比赛的广告，刚好翻到一档语言娱乐类的栏目正在海选，但已经错过了报名时间。她有些遗憾，叹了口气，又去想其他办法。

现在网络的发达程度早已超出了她的想象，哪怕她过去有过一定了解，但其实只懂皮毛。

过去的她真的不懂为什么会有人盯着别人看两个小时，也不明白为什么有人刷短视频能刷一天。

当杨薇刷了一天短视频和直播后，她发现，她真的能一脸痴汉地盯着小姐姐笑一天。

杨薇研究了一天各种媒体平台，累得快要趴下，可她还是坚持着上线开直播。

每天九点到十一点在线上直播，是杨薇的习惯，现在要冲数据，就更不能休息了。她晚上先给大家直播化妆，一边吐槽一边化，化完之后才开始正式直播。

杨薇翻开了她的小本子。

有那么一瞬间，她有些感激在宋家的这十三年。尽管这十三年她活得压抑又自卑，可是给了她很多的选择权。比如说，当她决定选择主播方向的时候，她发现自己有诸多技能可以展示。

杨薇开始尝试把直播当成一场脱口秀来表演。

她收集了今天的新闻，和大家一边聊一边吐槽。

“今日六岁男孩驾三轮车带爸爸回家被交警拦下，我就好奇这个交警是打算怎么管这个男孩，无证驾驶吗？”

“今日……”

按照以往的生活，她十一点就该睡美容觉了。这半个月虽然醉生梦死，但是基本上她还是生活得十分有规律，十一点睡这件事雷打不动。

今天晚上她决定熬夜了，因为只有十五天了，她得争分夺秒。她明天就要开始准备，拍摄一批短视频去引流，今天她得把段子写出来。

她把事情规划好，然后一件一件执行。

杨薇忙着直播的时候，宋哲被他的好哥们叫出来玩。他坐在酒吧里，同江淮安有一搭没一搭地聊天。

这家清吧是会员制，人不多，清净。武邑去另一边和女孩子摇色子，就留下宋哲和江淮安喝着酒。

江淮安喝得不徐不疾："听说你把大米娱乐收购了，你是看上了他们家的平台？"

"嗯。"宋哲点点头，"我想把控几个宣传平台作为影视下游，未来不至于太被动。"

江淮安点点头。武邑和女孩子嘻嘻哈哈玩了一会儿后，端着酒过来，手搭在了江淮安的肩膀上："你们出来玩，就这么静静坐着？"

"你想死，我不想。"江淮安瞥了武邑一眼，冷淡地说，"我家十一点门禁，你别给我找麻烦。"

"嘶。"

武邑做出一副牙酸的样子往后退了退，随后转头看向宋哲："哲哥，咱们别学他这种妻管严。我知道薇姐脾气好，过去走一个？"

听到这话，宋哲的面色起了波澜，他笑了一下，端着杯子就要起身，江淮安一把拉住了他："我有点事要和你说。"

宋哲顿住脚步，摊手："你看，不是我不去啊。"

武邑看了看江淮安的神情，知道江淮安是有正事要和宋哲聊，他摆了摆手，说了声"没劲"，便自己回了美女堆里。

宋哲坐回位置上，笑着说："江哥，你别不是自己寂寞，拉着我在这里陪你喝酒吧？"

江淮安没说话，过了好久，他才开口："我听啾啾说……你好像离婚了。”

听到这话，宋哲愣了愣。片刻后，他的目光落到酒上：“她怎么知道的？这事我可没公布出去啊。”

话说完，宋哲就想起来：“哦，对，你媳妇和顾岚关系挺好的。”

江淮安沉默着，犹豫了一会儿后，他才说：“就这么……离了啊？”

宋哲没说话，想保持笑容，但在江淮安面前，也没必要。这是年少时的兄弟，没必要防备。

他沉默好一会儿，才嘲讽地说：“怎么可能？”

“我妈把她按照宋太太的标准养了这么多年，她好不容易坐上这个位置，怎么可能真和我离婚？”

“阿哲，”江淮安皱着眉头，“没有什么不可能。”

“她和我离婚，”宋哲冷声道，“这就是不可能。”

江淮安被宋哲的态度惊到了。

宋哲虽然傲慢，但不冲动，说话的时候总是带着笑，就算不高兴也是嘲讽居多，他还是第一次这样冷着脸和江淮安说话。

江淮安握着酒杯，思索再三，说：“阿哲，其实我不明白，对你来说，杨薇到底是什么样的存在。你清楚你对她有什么感情吗？”

“她是我的妻子。”宋哲平静地开口，冷静得令人有些心寒。

他说：“仅此而已。”

“阿哲，”江淮安叹了口气，眼里带了几分担心，“‘妻子’两个字，怎么可能是仅此而已？”

“阿哲，”江淮安语气里带着惋惜，“这么大的人了，喜欢还是不喜欢，还想不明白吗？”

“这么大的人了，”宋哲抬眼瞧着江淮安，漂亮的眼里带了几分嘲弄，“还谈什么喜欢不喜欢啊？你以为都是你和夏啾啾？”

江淮安一时说不出话来。

宋哲转过头去，端着酒杯喝着酒，神色平静：“年纪小的时候是动过心。可我这人吧，其实也有些没心没肺，她那时候喜欢我，我看得出来。时间久了，多少有点感情，觉得既然她这么喜欢我，那回馈一些也不是不行。”

江淮安点点头，举杯和宋哲碰了一下。宋哲将酒一饮而尽，让调酒师重新调了一杯：“可后来吧，我让她陪我出国，她却要待在我妈身边，我就明白了，她对我的那份感情，感激大过喜欢，她对我妈的感情，比对我深多了。”

“我觉得她要是喜欢我，就得一心一意、全心全意地喜欢我。这种包含了太多的喜欢，”宋哲嗤笑，“算个什么东西？”

江淮安沉默着，宋哲主动和他碰杯，抿了一口酒后，宋哲接着说：“不过这也不能怪她，是我幼稚。后来出了国，人也长大了，慢慢就明白，喜欢这种事虚无缥缈，太难了。大家年纪都不小了，就别玩什么纯情。两个人过日子，”宋哲脸上满是无所谓，“合适、能过就行了。她为了我妈和钱嫁给我，而我也觉得，她各方面都不错，两个人就像盟友一样合作，如果比盟友多些什么……嗯，”宋哲想了想，接着说，“大概还多了层床上关系？”

宋哲笑了：“盟友加繁衍，这就是她作为妻子的全部意义了，不就是‘仅此而已’吗？不是每个人都有你和夏啾啾这样的运气，能遇上对的人，大多数人，都是凑合着过而已。”

这一番话让江淮安有些说不出话来，好久后，他垂下眼眸，淡淡地说：“如果不喜欢，还是互相放过对方吧，对谁都好。”

宋哲直接笑出声来，换作其他人说这话，他早就怼了。是江淮安，就算了。

各有各的路，他也不多说。

放过杨薇？不可能。他的妻子，哪怕他不喜欢她，也不容别人染指。

他十几岁时候就想，杨薇会是他妻子。或许是已经揣测到母亲的意思，也可能是因为内心多少有点喜欢。

二十多岁时他想，杨薇该是他妻子。她最合适、最能让他接受，她就是为宋太太那个位置定向培养的，没有人比她更合适。

宋哲花了很长时间接受杨薇是他妻子，这么久以来，他从来没想过有第二个人能当他的妻子。这时候和他说，杨薇不当宋太太了？

谁都不能说这句话，江淮安也不能。杨薇是他宋哲的妻子，这辈子都是。

可不知道为什么，宋哲莫名其妙地喝多了。

大概是因为江淮安和他聊了一会儿中学的事情，他一边说一边喝，难免多喝了几杯。

江淮安家里有门禁，早早地走了。武邑扛着宋哲回去，直接扔在了沙发上，打了声招呼就走了。

宋哲一个人躺在沙发上，过了好久，林姨才换好衣服下来："先生，您怎么醉成这样回来了？"

宋哲眯了眯眼，应了一声。

林姨有些焦急："先生，您是要先回卧室，还是要先喝碗醒酒汤？"

宋哲没说话，他觉得今晚的林姨太吵了。

以前也不是没醉过。但那时候他十分舒心，有人扶着进房间，有人帮着擦脸擦手、宽衣解带，有人给他喂水喂醒酒汤，怎么今天晚上什么都没有？

宋哲忍了半天，终于忍不住，皱着眉说："你去睡吧，我自己上去。"

说着，他起身，一边咒骂武邑重色轻友跑得太快，一边扶着扶手上楼。

走到房间里，他感觉喉间翻涌，忍不住直冲到厕所，吐了。吐完了后，他觉得累极了。他突然很想杨薇，很想她过来，像以前一样扶他一把，给他倒水，用温热的帕子擦着他的脸，轻轻埋怨他："下次别喝这么多了。"

一瞬间，宋哲好像听到了杨薇的声音，他以为她真的来了，可是一眨眼，又什么都没有。

他逼着自己清醒一点，站起来去浴室冲了澡，然后躺在床上一动不动，疲惫不堪。

床冰冷冷的，没有一丝温度。

其实宋哲和杨薇差不多已经分居三年了。

结婚第二年，杨薇就搬去照顾他妈，偶尔回来，她也是躺在床上，背对着他，一言不发。她说她累，总在拒绝，还开了个单子给他，说她身体不适合做这些。拒绝得太明显，他也不是会勉强别人的人，她不愿意，那就算了。毕竟她要照顾他妈，而且她身体也不好，他也可以理解。那时候他也忙，他就想着，等以后不忙了，他们都空闲下来了，再从长计议，好好调养，生个孩子。

虽然没有做什么，但她在，有个人在身边，这床，总是暖的。不像现在，一点温度都没有。

他躺在床上，想起来。以前那些什么都不用想的时光里，杨薇在。

那杨薇现在呢？

宋哲有些回不过神来，躺在床上，皱着眉头，认真思考许久后，迷迷糊糊地拿过手机，翻到了杨薇的电话，打过去。

杨薇正看着自己统计的数据时，手机突然响了起来，让她有些暴怒，甚至都没看是谁，就接了电话。她下意识地认为，现在还会给她打电话的，不是顾岚，就是夏啾啾。

她怒喝："这么大半夜了，还打电话来做什么啊？！"

对方没说话。

宋哲听着杨薇的声音，其实他都没听清楚出杨薇在说什么，但是听到她声音的一瞬间，他突然觉得，这一晚上让他不愿睡下去的理由，似乎找到了。

"回家吧。"宋哲含糊地开口，听着对方的呼吸声，困得再也睁不开眼睛。

杨薇愣了愣，她没听清，可多年训练出来的敏锐让她第一时间意识到，这个吐字不清的人，是宋哲。

离婚这么久了，杨薇第一次接到宋哲的电话，心里就像狂风突然吹过大海，掀起滔天巨浪。她握着手机没说话，电话里是对方的呼吸声。

杨薇犹豫了片刻，终于开口："宋哲？"

对方没有说话，只是呼吸声慢慢转匀，杨薇想了想，觉得是宋哲按错了。以宋哲的脾气，怎么可能离婚后大半夜主动打电话给她？

杨薇突然发现，对于宋哲，在没有约束的时候，她始终有几分贪恋。

十三年来，追逐、倾慕、渴望、期盼，她所有的情感和时间都倾注在这个人身上，她以为自己是一个干净利落的人，直到此时才发现，她不过是个普通人。

杨薇知道宋哲可能是醉了，也就只有醉了他才能干出这种事来。她握着手机，听着他的呼吸，好久后，她闭上眼睛，深吸了一口气，挂了电话。

她在黑夜中靠着椅子缓了一会儿，随后轻轻笑了。

"算了。"

杨薇看着自己桌上记录着各种数据的纸页，开始继续奋斗。可她心绪有些乱，于是又开了直播，这时候已经没有几个人在线上，观众零零散散来了又走，她一边分析着数据，一边说："大半夜心里烦躁，开个直播和大家聊天啦。"

说着，她抬头扫了一眼，发现屏幕突然就被礼物刷满了，"文哥是你哥"的名字出现在屏幕上。

"开心点没？"

杨薇呆了呆，她看着那满屏幕的礼物，抿了抿唇，悄悄私聊了文哥。

"来，文哥，给个微信号。"

周文没想到杨薇会主动要他的微信，愣了。他一直以为，他和这个女主播的关系，只是维系在这个直播平台上。他喜欢她的直播，因为他能从她身上看到自己的影子。他喜欢这种，曾经奋力爱过一个人，然后硬拽着自己，一步一步走出来的模样。

所以他鼓励她，陪伴她，就是希望她能彻底走出来。而其他的，他从来没有想过。看着屏幕上那个私聊对话框，他犹豫了很久，才输入了自己的私人微信。

杨薇赶紧加了周文的微信。没多久，周文收到了十万元的转账。

“文哥，”皮卡丘头像的对话框显示，“这些日子您破费了，谢谢您的鼓励，我很开心。”

周文看着这十万元，忍不住笑了。也不知道为什么，内心突然就安定了不少。他抿了抿唇，突然问了句：“晚上为什么不开心？”

“文哥，你有没有试着努力喜欢一个人，然后放下他？”

杨薇犹豫了片刻后，慢慢地输入：“然后你会发现，你用尽了所有的理智克制住自己，但是骨子里好像已经习惯了去爱。这让我觉得很挫败，感觉这份感情好像太难斩断，可我又必须得斩断它。”

周文没说话，他脑海里闪过一个人的影子，他转过头去，看着落地窗外如银河一般的霓虹灯，好久之后，他低下头回复：“所有的习惯都是养成的，薇薇，你习惯喜欢他，你就会习惯失去他，再习惯身边没有他。培养一个习惯很难，改掉一个习惯，会比你想象中容易。”

杨薇没说话，静静看着那些字，突然就想起了她和宋哲的三年婚姻。

她发现了自己和周文骨子里有点相似，他们对感情，都有自己的高傲，哪怕是再喜欢，他们也有自己的底线。他们会清楚地记得对方给自己的每一次伤害，然后以这些伤害为刀，一点一点削掉自己那份卑微的爱意。

杨薇削了足足三年，她每一次容忍，每一次退让，每一次沉默，她都清楚地记得，然后一步一步地逼自己放下对宋哲的感情。

“我也喜欢过一个人，然后离开了她。”周文想了想，说，“一开始很难，后来发现，放下远没有你想象中困难。你在这个阶段，只需要克制自己，你不要怕面对他，甚至你要习惯以一个外人的身份面对他。”

“你已经和他离婚，你们没有任何关系，习惯了这一点，也就没什么了。”

杨薇没说话，她看着周文的话，哪怕她不认识这个人，可是她就是相信他。

周文给了她勇气，让她预见有一天，她终究会从容地面对宋哲，哪怕撞见宋哲和别人在床上，她也能礼貌地说一句“抱歉”，然后平静地离开。

她放下心来，周文再次发来文字。

“而且，你比我好多了。”周文说，“这条路，我们会陪你走过去。”

“你知道我为什么一直陪着你直播吗？”他说，“因为我心疼你。”

心疼过去的周文一个人走过这条路，所以现在愿意陪着这个像极了他的姑娘，走完这条告别的路。

第五章　投桃报李

有了周文的鼓励，杨薇奇迹般平静了下来。她把心收回来，放在自己的事业上。她开了语音，周文也不说话，只打字。杨薇和他说以前与宋哲在一起的事，周文和她说他以前喜欢过的人。

一样喜欢了一个高不可攀的人，一样付出真心，一样伤痕累累，一样不肯回头。

周文成为指引杨薇的灯塔，她觉得未来有一天，她也会像周文一样，云淡风轻地说起过往。

晚上杨薇做了一个梦，梦里是年少的宋哲，他站在阳台上，借着月光看着书。年少的他面容干净精致，在月光下显出一种独特的温柔。她在院子里抬起头，看呆了，他察觉到她的目光，抬眼看向她，皱起眉头，似乎有些不悦："看什么？"

年少的杨薇红了脸，扭过头去，有些紧张地说："没什么。"

然而宋哲似乎看穿了她，他静静盯了她一会儿，随后嗤笑："傻子。"

那时候杨薇从来摸不透宋哲的心，他似乎不太喜欢她，总说她傻，嫌她不好。可他又总让她跟着他，偷偷带她吃烧烤，在江淮安和武邑逗她的时候一个个怼回去。有一天凌晨他们一起等日出，那天有点冷，他们坐在教学楼顶，他破天荒地把衣服给了她，自己却冻感冒了。

于是杨薇总是想，宋哲是不是喜欢她，就在她以为他喜欢她的时候，他又会让她觉得，他很讨厌她。

杨薇以前梦见过宋哲无数次，梦里总是有一些很极端的场景，宋哲要么太好，要么又太坏。唯独这个梦境，她体会到了一种少有的平和，梦里最后是宋哲离开宋家出国。

那时候她拒绝了宋哲，这大概让他很生气，于是他偷偷走了。她追过去的时候，他已经进了候机厅，她连背影都没看到。

然而这个梦里她发现自己站在门口，他拉着行李箱，身形却是现在的模样。

他静静看着她，神色复杂，仿佛是告别，又似乎带了几分留恋。好久后，他说："我走了。"

她看着他，张不了嘴，许久许久，才低低应了一声"哦"。

杨薇醒过来的时候，已经是八点半了，她在床上缓了一会儿，发现眼角泪湿了。她起来，迅速给自己洗了脸，上了妆。清晨的阳光落在她脸上的时候，她想，没事了，都过去了。

这个时候，夏啾啾的电话打了过来。

"薇薇，你之前是不是想参加那个《玩转文字》的海选活动啊？"

"嗯？"

杨薇有些头痛，揉着额头，听着夏啾啾说："你赶快去海选的地方！我打听了一下，他们早上九点选手统一签到，如果有没到的，那个名额可以现场报名补进去。"

听到这话，杨薇猛地清醒了，她立刻说："行，我马上过去！"

杨薇迅速扎了个马尾，穿了套休闲装，就朝着楼下狂奔。她一边跑一边打车，还给夏啾啾发了一条信息："你在现场吗？帮我守住，我马上就过来！"

杨薇一路狂奔，冲出小区。这时候正是老太太带着孩子遛弯的时候，她一个没注意，旁边岔路有个孩子骑着滑板车冲了出来，狠狠地撞到她的腿上。她疼得眼泪都出来了，那孩子也被撞翻在地，哇哇大哭。

杨薇倒吸了一口凉气，赶忙把孩子扶起来，忽然听到一个女人暴怒的声音："你把我孩子怎么了？！"

"你好，"杨薇说，"你孩子刚才冲出来把我撞了。我现在忙就先不计较，这个名片你留着，等我回来我们再谈。"

"站住！"

那女人不依不饶："你把我孩子撞在地上你还敢跑，有个三长两短你赔吗？"

杨薇一听这话就知道，这事一时半会儿处理不好，她干脆不理会那女人，转身就跑："我晚上再回来和你们说清楚！"

那女人哪里能让杨薇跑了？孩子奶奶上前把孩子一抱，那女人就追了过来，杨薇拿着手机给司机打电话，扫视着路边："对，对，对，我穿一运动衣，你白色的车，是吧？好，我马上……"

那女人在杨薇后面紧追不舍，杨薇看见一辆白色的轿车朝着她的方向开过来，她慌乱中没看是什么车，立马拉开车门冲了上去，和司机说："师傅，盛兴广场，对吧？"

追杨薇的女人已经跑到了车边，拍打车门。

杨薇赶紧说："师傅快跑……"

她话刚说完，就看见前面的车窗摇了下来，一道冰冷的声音传了出来："滚！"

这一声"滚"让所有人都安静了，杨薇也僵住了。反应过来后，她想下车，结果前面的人把车一锁，问道："刚才那女的是做什么的？"

"路……路过的。"

"你腿怎么了？"

"那个宋哲，我现在有急事，"杨薇看了看时间，一脸焦急，"我叫了滴滴，你让我下去，有事我们回头说。"

"我问你……"

"对，就是他！"外面又响起了那个女人的声音，这次她带了个男的，朝着宋哲的车冲过来。夫妻俩气势汹汹，老太太抱着孩子跟在后面，那女的大声说，“就是坐在里面那女的，把我们家宝儿撞在地上哇哇大哭！”

杨薇一看见他们，就苦了脸。结合杨薇和那女人的反应，宋哲明白了。

“你的腿是那小孩撞的？”宋哲回头瞟了杨薇一眼，眼神平淡，甚至还带了几分笑意。可杨薇知道，这事没法善了了。

她痛苦地捂住了脸：“我求你了，我真的有事。”

“坐着。”

宋哲说完，拉开门走了出去。

杨薇深吸了一口气，给夏啾啾打电话：“啾啾啊，我可能迟到十分钟……”

“对，我遇到了一点事。我遇到宋哲了。”

“他在做什么？”杨薇抬头看了一眼外面把那个一米八的壮汉按在车玻璃上的人，壮汉的脸压在玻璃上露出扭曲表情，她赶紧扭头，“他还在打架。”

夏啾啾无语，真是少年江淮安附体。

宋哲一动手，高林就领着人从一边跑过来了。不到三分钟，宋哲把车门拉开，那大汉肿着眼睛和杨薇说：“对不起，我家孩子不该撞你！”

杨薇要跑，宋哲眼疾手快把她往里面一推，然后将门再次关上，锁好。

杨薇痛苦地说：“宋少爷，你放我走吧，我感激你，我真的有很重要的事。”

“盛兴广场，是吧？”宋哲恍若未闻，“我顺路送你过去。”

杨薇听到这话愣了片刻才反应过来，不管怎么过去，能到就行。于是她赶紧道谢。宋哲没说话，他从后视镜里看她，一时也不知道该说什么。

宋哲本来该去公司的，但是在出门的时候，他突然觉得特别累。高林和他说杨薇这两天愿意出门了，他突然就很想来看看她。

江淮安的话像一根针一样刺在他心里，令他不舒服。她离开这半个月，他不是不想她。每天让人盯着她的门口，送 AD 钙奶，他也觉得没出息，但又能怎么办？他低不下头，也开不了口。向来是她低头，低了那么多次，这一次也不该例外。

可是江淮安的话让他觉得惶恐，他夜里一个人躺在床上，想着她的好的时候，就觉得，低头也没他想象中那么难。

来看看她，也好。

或者也不看，就从她门口路过也好。来了他又觉得，要不就再等两分钟，休息一下。

然后就等到杨薇被人追着跑出来，一瘸一拐的，看上去狼狈极了。

宋哲看了一眼穿着休闲装的杨薇，嘲讽着："怎么穿成这样子？离了婚，日子也不过了？"

杨薇不说话，她其实很想回嘴，但是她怕刺激到宋哲，导致宋哲跑偏了路。于是她想了想，拿出了手机，打开宋哲的对话框，发了一个黑人问号，配文：老子活得这么好，怎么就不过日子了？

见杨薇不回应，低头看着手机，宋哲有些心软："自己在外面过这么多天，感觉怎么样？"

杨薇还是不说话，发了一个熊猫叼着烟手握雪碧的表情，下面配上文字：我的快乐，你无法想象。

"我听说你没找到工作，一个人在家待着。这么待下去也不行，"宋哲憋了半天，终于说，"回来吧，离婚这件事我不计较了，你以后改过自新就行。"

杨薇接着发：哟，哟，哟，可把你能的。

见杨薇完全不回应他，宋哲皱起眉头："我说话你听到没有？你要玩你那破手机到什么时候，地老天荒？"

杨薇终于抬头了，她看见了盛兴广场的标志，这里人山人海，夏啾啾和顾岚在路边公交站等着她，因为颜值高异常显眼。

杨薇一看见她们，赶紧说："啊，我到了！"

宋哲看见夏啾啾，皱了皱眉头，还是停了下来。杨薇解开安全带就要下车，宋哲却不开门："我刚才说什么了？"

“听到了，听到了，要我回来，你不计较了。”

“不是我要你回来，是我看你可怜……”

“知道，知道。我会认真考虑的，你快开门！”

后面堵成一片，夏啾啾和顾岚也注意到了宋哲的车，以及在里面拼命拍打着玻璃窗的杨薇。她们走过来，宋哲也不好再关着杨薇，于是解了锁：“我只给你一天的时间考虑，晚上十二点前不给我回复，你就不要回来了。”

杨薇没回应宋哲，下了车，准备关车门时，她突然严肃地说：“宋哲，你知道吗？”

宋哲抬头看她，皱了皱眉。杨薇说：“其实我是斗图八级专业选手！”

说完，杨薇就关上了车门，给宋哲发了最后一个表情——铺天盖地的药丸如同机关枪扫射一样冲向画面上的小人，下面黑色大字写着：有病吃药。

杨薇冲到夏啾啾面前：“怎么样，怎么样？”

“有好几个没来，你刚好可以补位，赶紧去。”

顾岚和夏啾啾送她到人群里，杨薇报了名，拿到了自己号数，开始等号。

这个节目就是玩语言，可以演讲，可以脱口秀，可以说相声，只要是语言表达，都可以参加。无论是煽情还是搞笑，都可以。

杨薇完全没有准备，只能临时抱佛脚。其实任何一种艺术表达，都和情绪息息相关，杨薇慎重思考后，决定表演一个脱口秀，主题是“怼人的艺术”。她刚才在车上没敢怼宋哲，心里窝着火，于是把火全发泄在稿子上。她修修改改，等了一个上午，终于叫到她。

海选在一个简陋的房间里，旁边有一个摄像头，三个老师面前一人一盏灯，听不下去就按停。

杨薇进去之后，轻咳了一声，随后说：“其实我特别紧张，因为我看见今天参赛的选手，有拿快板的，有提二胡的，大家都带着武器，就我没有，我特心虚。我就想着，要有个唢呐就好了，我一吹，全场都得安静。”

这话让工作人员也笑了，杨薇说话自然带着股魅力，平平淡淡的一句话，也说得格外动听。

杨薇看了周边一圈，接着说：“其实这个行为就是怼了。所谓怼人，就是你说了句话，我想个办法让你闭嘴。你们说怼人最好的办法是什么？”

杨薇顿了顿，笑起来，做出了相应的动作：“对，就拿个胶布给把那人的嘴封起来。当然可能不太现实，大多数人只能拿语言当武器，然后像用马桶塞捅马桶一样怼到对方嘴上去。所以我相信，怼人厉害的，洗厕所也造诣颇深。”

“例如我的前夫——哦，不，他不是洗厕所的，他就是怼人特别厉害……”

杨薇说得妙趣横生，长得也漂亮，光站在那里就让人觉得赏心悦目。可这样的长相对脱口秀来说绝不是优势，很容易因此被看作花瓶。此时此刻她却展现出一种莫名的魅力，让人完全忽视了她的长相，注意力都集中在她的话上。

“刚才他送我过来，我深知他的功力，完全不敢怼他。后来我想了个办法，我说话怼不过他，我用表情包啊！”

“他问我，你过得好吗？我赶紧给他发个‘我的快乐，你无法想象’的表情。”杨薇把表情包真人演绎了一番，全场笑崩。

杨薇花了五分钟说完她准备的内容，老师们都没有按停。等出来的时候，其他候场选手都看着她，有一些还拿出手机，正大光明开着直播。

杨薇笑着朝拿手机拍着她的人打招呼，随后温和地说：“猫猫平台sweet 薇薇，等你们来和我相会！”

拍杨薇的主播一脸黑线，瞬间把镜头移走了。

来接杨薇的顾岚大笑出声，三个女生手挽手笑着走出去，旁边一个主播低声说道：“笑这么嚣张做什么？”

这话被杨薇听到了，她顿住脚步，一脸严肃：“朋友，你知道我们这是一种什么情怀吗？”

对方有点蒙，杨薇认真地说：“仰天大笑出门去，我辈岂是蓬蒿人！”

说完，她拉住顾岚和夏啾啾，三个人“哈哈哈”大笑三声，走了出去，背影潇洒中带了嚣张，颇有几分周星驰喜剧风格。

在场人的全部蒙了。等走出去后，杨薇转头看着夏啾啾：“刚才你让人拍了吗？”

夏啾啾点点头，立刻说道：“拍了。从你进去到出来，我都让员工拍了。”

于是，当天晚上短视频平台三十秒火热视频之一，就是杨薇说着那句“仰天大笑出门去，我辈岂是蓬蒿人！”哈哈大笑走出去的片段。

宋哲送了杨薇，也来不及看她要做什么，就被公司催命一样的电话催了回去。他一进公司，高林就把报告一一呈了上来。

“前天我们以十点零四的股价增持了大米娱乐之后，已经成了他们第一大股东。罢免董高的通知我昨天已经发出去了，现在大米娱乐内部反弹得很厉害，您看是不是缓一缓？”

董高是大米娱乐的CEO（执行总裁），也是大米娱乐原来的第一股东，宋哲要收购大米娱乐，主要是看中了大米旗下的猫猫直播和三十秒短视频两个平台，想将它们作为宋氏传媒布局点之一。董高和他的理念严重不和，加上董高在大米娱乐内部声望太高，宋哲不可能留下董高。这次大米娱乐收购进行得异常艰难，就是因为董高的对抗。现在终于走到了最后一步。要把董高清理出局，董高自然是不惜一切开始反抗。

这样的反抗对宋哲来说却没有什么影响，他看着屏幕：“再发个通知，罢免董高是董事会的决定，谁要是有异议，谁就跟着董高一起滚。”

“可是……”高林有些犹豫，“怕的不是他们直接反对，怕的是新上任的CEO管不住他们。”

花了这么多钱，总不能买个烂掉的公司。大米成为战略部署的重要部分，是因为它有价值，没有价值的公司，也就没有意义。

宋哲沉默了片刻，问："还没找到合适的人选？"

"还没有。"高林硬着头皮说，"如果是现在的局面，之前物色的人可能都不太适合……"

宋哲想了想，转头看了一眼屏幕："董高一定要走，他留下变故太多。你先找接任的人，在找到之前，大米娱乐……"

宋哲犹豫了片刻，说道："我来管。"

宋哲的这个决定让高林有些吃惊，但他还是点了点头。他把其他事问完，便准备出去，临出门前，他突然问："先生，今天和太太聊得怎么样？"

高林已经把称呼换成"太太"了，宋哲却没有发现。他淡淡地说："我亲自去问她了，她还能怎样？"

"那太太很快就会回来了吧？"高林笑起来，"我让林姨去准备？"

"嗯。"宋哲应声。

片刻后，他叫住高林："给我准备一束花。"

高林应道："明白。"

宋哲吩咐完高林后，才拿起手机，打开微信后，就发现杨薇给他发了信息。他下意识地勾起嘴角，心里有几分得意。杨薇终究还是要向他低头的，他想。然而打开对话框之后，他有些蒙。

宋哲的脸越看越黑，最后看见那个动态喂药的图片，他就算不太理解这些图片，也能感觉这绝不是什么好话。

他想打电话问杨薇这是什么东西，但是又觉得在杨薇面前问这些图片有点丢脸。他有些焦躁地来回踱步，片刻后，他把图片发给了江淮安。

江淮安正在看报告，看见这一串图片后也有些蒙。

除了夏啾啾，他们这一圈人都很少发表情包。他愣愣看着按照贵族精英培养长大的宋哲发来的这一串表情包，下意识地回了个写满了问号的猫，随后问："干什么？"

“江哥，”宋哲憋了一会儿，终于忍不住打电话过去问，“你知道斗图是什么考试吗？”

江淮安也一脸问号。

“杨薇发了这些给我，然后和我说，她是斗图八级专业选手，这是什么意思？”

看到这句话，江淮安一口水喷了出来。他下意识地回了句：“对不起。”

一定是夏啾啾教会杨薇的。

江淮安费了很大的力气，才让宋哲明白了表情包、动图等东西，并赠送给宋哲一套家传表情包用于斗图。

用了一个下午搞清楚这件事后，宋哲放心了，他终于可以再次和杨薇一个频道了。

晚上，宋哲特意推掉了所有事情，把花放在车上，悄悄地来到杨薇家楼下。他觉得这件事有点丢脸，就谁也没说。

宋哲坐在车里，拿出手机，翻出杨薇的微信。他心里有点别扭，总觉得自己做这件事有些丢脸。可是一想到杨薇晚上会回来，他又觉得高兴。

虽然杨薇没有直接回答他，可他觉得，按照杨薇的性格，她不可能真的离开宋家。

宋哲思考过杨薇为什么要闹：或许是他这三年太忙了，冷落了她；也可能是这三年他绯闻不断，她心里介意；或者是他脾气太臭……

他想了许多杨薇离开他的理由，思前想后，他觉得自己可以让一步，杨薇毕竟是他的妻子……

想到这里，宋哲垂下眼眸，眼神中带了几分温柔。他看了一眼旁边位子上，烫金黑色盒子里的玫瑰，抿了抿唇，压住了笑意。

杨薇自己给自己做好饭菜，吃过之后，就坐在屋子里开了直播。

直播间今天涌进了很多新人，这和今天《玩转文字》节目组的宣传有关。今天虽然只是海选，但有很多人在直播，好几位选手的视频流出去，开始走红。杨薇这种优秀的种子选手，早在刚开始直播的时候就有了各种截屏。

脱口秀是一件很消耗能量的事，杨薇白天说过一场脱门秀，晚上有点累，于是她就这么坐着和大家闲聊。

她没有化妆，头发散披着，穿了带着兔耳朵的睡衣，看上去很干净。

她拿了尤克里里，直播学习尤克里里。她学了十年大提琴，尤克里里对她来说很简单，没一会儿就上手了，弹的曲子从《一闪一闪亮晶晶》，慢慢变成了《小情歌》。

杨薇在屋里唱歌，宋哲在楼下等着她。

夜色笼罩在这座城市，人群散去，时间流逝，八点，九点，十点……

宋哲的心情从一开始的期待，渐渐变得不安、烦躁起来。

他点了烟，坐在车里，不知道为什么，就想起出国前的那一幕。

他红着眼，咬着牙问杨薇："你跟不跟我走？！"

杨薇站在赵阳兰身后，平静又冷漠："我要陪阿姨。"

"你要陪阿姨，"他克制着情绪，提高了声音，"你就不陪我吗？"

——你知道我一走就要很多很多年吗？你知道我可能在外面再也回不来吗？你不会想念我，不会想要陪伴我吗？

他有那么多的话想问，高傲却只容许他问一句："你走不走？"

——你不走，这辈子，我都不原谅你。

那时候他是这么想的。

一份不够纯粹，掺杂着那么多杂质的感情，他不要。

长大后宋哲才明白，这样的想法多么幼稚可笑。大约是少年时的感情总让人刻骨铭心，哪怕时隔这么多年，再想起，仍旧能感觉到那份疼痛还在胸口。

宋哲似乎是从那个时候开始不敢喜欢任何人。他怕自己全心全意地喜欢，最后会被狠狠辜负。

他一直待到晚上十二点。

杨薇正唱着最后一首歌，宋哲碾碎了烟。

如果是以前，宋哲可能会打电话过去问一句："你为什么不给我打电话？"

他今年二十五岁，他只会捏紧方向盘，把车开到垃圾桶旁边，把花扔进去。

这时候，杨薇正在唱："可你曾经那么爱我干吗演出细节，我该变成什么样子才能配合出演，原来当爱放下防备后的这些那些，都有个期限……"

第二天杨薇醒来后，看了一下数据，昨天晚上的数据很漂亮，全部到了前五十，算是完成了向维的指标。她赶紧给向维打了电话，认认真真地推销了自己。她又分析了直播平台的情况和市场，向维似乎在做什么其他事，心不在焉听她说了十几分钟，终于忍不住说道："行了，我知道了，资料你发我邮箱就行。"

说完向维就挂断了电话，杨薇倒也识趣，她将自己的数据整理成册，像做一个项目一样做了个 PPT（演示文稿），一起给向维发过去。

向维挂了电话就转头看向徐州，小声说："你说宋氏集团的老总亲自接管我们？这怎么可能？！"

"今天下午就到任了。"徐州压着声说，"我听说了，这位宋总成为咱们公司第一股东之后，直接下通知让董总走人。董总就联合高层一起使坏，宋总直接把上面全清了。现在暂时没有适合的 CEO 人选，宋总就亲自到任，今天下午估计要走一大批人。"

"咱们不会有事吧？"向维战战兢兢。

徐州叹了口气："我怎么知道？不管怎么样，先准备述职报告吧。"

两人说着话的时候，宋哲的车已经到了大米娱乐的停车场。他在车上休息了一会儿，才慢慢睁开了眼睛。昨天晚上他没睡好，有些难受。

高林看着宋哲的模样，叹了口气："先生，其实董高留一阵子也不是不行，等我们物色好合适的人选，再让他走不是更好吗？"

"不行，"宋哲起身，平静地说，"留他会有很多幺蛾子。"

宋哲进了大米娱乐，先召集了所有高管迅速地开了会，该开除的开除，该奖励的奖励。

不过两个小时，散会之后，就看见一批高管走出来，开始收拾东西走人。

向维有些紧张地看了徐州一眼，咽了咽口水："徐州，要是我被开了，我能和你借钱……"

"滚。"徐州冷冷地开口，向维的话被堵在嘴边。

清理完人后，自然要升一批人上去，宋哲早就已经将大米娱乐员工的简历都扫了一遍，他把选中的人都叫进去聊了一遍。

大家看见一个一个同事被叫进去谈话，气氛十分紧张。这种气氛持续着，快要下班时，高林突然叫了向维过去。向维咽了咽口水，赶紧将自己的资料整理好，进了宋哲办公室。

在对待公事上，宋哲一直有一种超乎常人的平和冷静，哪怕已经经历了一整天的高强度工作，他面上也不见疲惫。他端起手边带弧度的玻璃杯喝了口水，朝向维说："坐。"

向维悄悄抬眼看了宋哲一眼，下意识地从职业角度考虑，觉得他的气质长相，要是愿意做主播，就算凭脸也能战出一片天地！

宋哲没有注意到向维的打量，他翻看了向维的简历，随后聊了一会儿，又问向维对平台的认知和规划。

宋哲今天是突袭，向维完全没准备好，这个问题砸下来，他一时也有些蒙。情急之下，他想起杨薇的PPT和她说过的话，镇定了一些："我对我们平台的定位，其实是传媒行业的下游。"

"嗯？"宋哲抬眼看他。

向维继续说："其实直播行业这几年算是新生行业，吃的是行业红利，但黏度比较低。目前直播类节目黏度都比较差，只有游戏类等相对专业的项目有生存空间。这是直播这种形式本身的特点决定的。直播形式的特点就是互动性强、节奏快，节奏快的东西想要保持高质量内容输出其实十分困难，这也就造就黏度低的问题。所以我想，未来我们平台就是两个方向，第一是作为传媒行业的下游，比如说作为明星或其他平台的网红等本身带流量的人与普通民众的接触空间，因为这种互动能为他们提供一定程度的固粉渠道。第二就是做专业，做小众，直播技术类项目，在此基础上再培养娱乐类主播作为补充……”

向维把杨薇的话拼起来，宋哲静静地听着，不时地点头。向维看着宋哲脸色，就知道宋哲满意这个说法。

等向维说完之后，宋哲点头：“我很欣赏你的想法，我的确是这样考虑的。宋氏集团的核心是传媒行业，我们有一个完整的产业链，所以我希望你能明白大米娱乐的定位。你是挖掘主播的经纪人，所以在寻找人才的时候，也要有考虑方向，不要一味追求流量。如果是比较好的人选，你当作明星培养也行，你以前当过传统的明星经纪人，应该明白我说的意思。”

“明白，明白。”向维点头，暗自舒了口气。

宋哲又同向维聊了两句新人的状况，随后说：“你们部门总监今天走了，最近这两个月，就由你暂时代替他的位置吧。”

升职来得莫名其妙，但能升职，向维还是很开心的，他连忙点头。

“哦，还有，”宋哲吩咐，“把最近你们经纪部的情况给我整理一下，下周一下午，我会专门抽空了解一下平台主播的情况。”

“好。”向维点了点头，他想了想，说，“宋总，有个事我想请示你。有个百万级的主播，其实挺不错，但是她一直坚持要修改合同，我能……”

“只要合适我们的企业风格，”宋哲果断地说：“五百万以下级别的主播，你自行裁定。”

向维得了这话，立刻笑起来，转身离去了。走到长廊上，向维弹了弹纸页。

“谢谢您嘞，”向维高兴地说，“我给您投桃报个李吧。”

第六章　我喜欢这个人

向维第二天就给杨薇打了电话，杨薇有些吃惊。她没想到向维这么快就同意了她的合同，她忍不住问了句："那个，向经理，你为什么突然转变得这么快啊？"

"我升职了。"向维颇有点得意，他高兴地说，"行了，我看见你也在南城，要不下午你就来公司签约吧？"

杨薇点点头："行。"

杨薇早上写了一下脱口秀的稿子，下午准时去了猫猫平台。到了猫猫平台大楼，她看见上面写着"大米娱乐"，不由得愣了。片刻后她才反应过来，猫猫平台是大米娱乐的。

如果她没记错，她走的时候宋哲正在试图收购一家公司，就是大米娱乐？

杨薇进公司前，给向维打了电话，向维特意来公司门口等她，远远就看见一个女人打着电话走了进来。

她个子中等，穿了一身白裙，低头打着电话的时候，带了股江南的女子独有的风情。

等对方抬起头来，朝他笑时，向维整个人蒙了。

主播大多都开了美颜滤镜，利用浓妆和各种设备让自己的颜值高了好几个档次。所以在网上看到杨薇好看，向维也没有对她抱太大希望，此刻看见她，向维都惊呆了。他领着杨薇往大厦里走，时不时回头看她一眼："那个，杨小姐，你平时没开美颜啊？"

"嗯？"杨薇有些迷茫，"开那个做什么？"

向维顿时懂了，杨薇完全是一个宝藏主播，这个价格签她，不亏！

向维把杨薇带到自己办公室，和杨薇细细聊了一会儿后，两人就把合同签了。签约之前，杨薇突然问道："你们被宋氏集团收购了？"

"哦，对！"向维点头说道，"以后我们会有更好的资源和更大的平台。"

杨薇点了点头，想了想，其实也无所谓。

大米娱乐对于宋氏集团是无足轻重的，宋哲也不会和她有太直接的交集，她在猫猫平台已经奋斗了一段时间，也没必要为了规避宋哲特意离开。她很看好猫猫平台的运营模式和前景，而且向维给她的条件也算优越。尤其是看过其他平台的合同后，她觉得，猫猫平台真的很不错。

杨薇签完合约，向维轻咳了一声："我们这里有专门的直播培训和直播室，第一个月你先过来接受培训，每天早上九点报到，从九点到下午六点是培训时间，晚上八点直播。你在公司直播室会比较好，设备齐全些。不过，你家也行。每天直播一个小时，我们会专门给你安排房管和粉群管理，我是你的经纪人，以后有任何问题你可以直接联系我。"

"嗯，好的。"杨薇点点头。

向维问："还有什么问题没有？"

"没有了。"

"行吧，"向维点头，"我找个人带你熟悉一下环境。"

向维叫了一声"阿南"，一个穿着卫衣的小伙子探出头来，看见杨薇后，他眼睛一亮，赶紧起身跑到向维面前，高兴地问道："哥，什么事？"

"以后他是你的房管，"向维转头向阿南介绍道，"这是主播 sweet 薇薇，希望你们以后合作愉快。你先带她熟悉一下公司吧，我还有事。"

得了这话，阿南兴高采烈地领着杨薇去熟悉公司环境。

阿南话多，对直播十分熟悉，他上一个合作的主播是个娱乐主播，但那个主播在直播的时候为了礼物有点出格，于是被封了。

“别人都以为做我们这行靠脸，实际上行业现在越来越规范，靠脸不长久的，薇姐，您这长相当明星都可以，可千万别犯傻。”

杨薇明白阿南的意思，她笑了笑：“你放心，不会的。”

阿南带着她熟悉了公司，又见了几位老师。这些老师是专门教主播如何做直播的，有的教仪态，有的教说话，有的教才艺，杨薇和他们聊了一会儿后，发现这些人和自己的认知差别很大。比如说教服装搭配的，她不仅仅是教你如何穿得好看，她还给杨薇打开了一个新世界，比如说——汉服、cos（角色扮演）、洛丽塔……

“不同的服装有特定的受众群体，你换一套衣服，就会发现群体的差别。”

第二天杨薇就换上了一套汉服，当天的直播主题也变成了“女人的衣柜”。

杨薇直播前一天，先专门录制了一个大概十分钟的一边演一边说的段子，吐槽女人买衣服的心情，放在了微博和公众号上，然后将脱口秀剪辑成了一分三十秒的金句合集，放到了短视频平台上。向维给她做了一小波推广，一夜之间，短视频的点赞量就过了八十万。

第二天晚上，杨薇穿着汉服开始直播她的衣柜时，流量几乎比前一天翻了一倍。

向维开始推广杨薇不到一周，杨薇的数据就一路暴增，整个经纪部都在恭喜向维捡到宝，向维也乐得不行。

等到周一时，向维特意将杨薇作为重点新人放在了汇报的PPT里，还准备了一堆杨薇的剪辑资料，等着宋哲过来。

宋哲两点准时到了会议室，他行程安排得很满，一切讲究高效。向维先给宋哲介绍了几个目前已经红起来的主播，每个主播都有详细的背景介绍和相应的视频。宋哲一个个看过去，时不时点点头。等介绍完当红主播后，宋哲说：“我有一个疑问。”

“宋总，您说。”

“刚才你给我看那些主播，有去了美颜滤镜和卸妆后的照片吗？”

“有的，有的。”向维赶紧给宋哲调出视频，为了让宋哲全方位了解这些主播，向维准备的都是视频，方便他三百六十度看这些主播的长相。

宋哲靠在椅子上看向维打开视频，第一个视频出来的时候，宋哲就僵了。他看着面前化着浓妆，脸上带了点赘肉的女人，脸色不太好：“这是哪一个？”

这个和刚才那一批女人中的哪一个都不一样！

虽然刚才那些女人都长得很像，但是这个和那些人中的任何一个都长得不像。

向维看出宋哲压抑着不满，赶紧解释：“宋总，这个主播和明星还是不太一样，要是三百六十度无死角早就当明星去了，是吧？”

向维小心翼翼地调出最初的视频：“是这个，叫小茉莉。”

宋哲认真看着两个动来动去的女人，好半天，才从眉眼间分辨出来是一个人。他憋了半天，才说：“你们美颜技术很好。”

“还好，还好，”向维赔着笑，“还算够用。”

“就没有一个美颜前后差距不那么大的吗？”宋哲皱眉，“这么多人，不至于吧？”

“有，有，有，”向维赶紧调出一个女主播出来，“这个叫姚美，ID是‘甜心baby（宝贝）’，是我们平台的一姐，她美颜前后的区别就是皮肤状态而已，其他没差！”

宋哲看着那个“甜心baby”，终于缓了口气，点头：“嗯。”

向维打量着宋哲的神色，看见宋哲并没有其他想法，他也舒了口气，这才调出杨薇的视频道：“还有一个，这个叫“sweet薇薇”，真名叫……”

宋哲低着头写字，听见杨薇的ID后皱了皱眉头，抬头说：“你们女主播的名字怎么都是这么腻味……”

话没说完，他就愣住了。屏幕上是杨薇的PPT资料，上面写着她的名字和简历，附带一张艺术照片。

这张照片说是艺术照，实际上就是顾岚帮忙拍的，杨薇坐在阳台上拉大提琴的照片。顾岚作为一个设计师，审美好，加上杨薇本人长得美，在无滤镜无 P 图的情况下，随手一照，就如一张艺术照。

杨薇穿着白色的连衣裙，头发用一根蕾丝发带随意束在身后，几根头发落下来，一手持着弓弦，怀里抱着大提琴。

那温柔的模样带着几分圣洁，与他记忆里的姑娘重叠在一起。

向维看见宋哲发愣，立刻就紧张了。

不能怪向维紧张，外界对这个行业有很多误会，当然也的确是因为有很多女主播品行不端。比如这个姚美，能坐到一姐的位置，就是因为当初上了董高的床。这件事大米娱乐人尽皆知。这次宋哲过来，一开始向维不敢放杨薇，就是担心宋哲看上杨薇。杨薇这脾气看上去和姚美不太一样，估计是个不肯弯腰的，到时候他可是两头不讨好。

他先放了姚美的照片测试一下宋哲，见宋哲眼睛都不带瞟的，觉得宋哲是个正人君子，这才把杨薇的照片放上去，结果杨薇照片一放，宋哲的眼睛都不打转了。

向维心里有些着急，过了好半天，他看见宋哲回过神来，转头看他："这也是你们的女主播？"

"呃，对……"向维艰难地说，"刚签约的，还在培养，她潜力很好……"

宋哲听着，脸色有些不好看。向维不敢看宋哲，硬着头皮继续说："她主要是以搞笑吐槽为主，和姚美不太一样……"

"你把她播的内容给我播一下。"宋哲冷着脸出声。

向维点开了片段节选，里面都是杨薇来猫猫主播平台后的视频，各种风格都有。

有她冷静讲段子的，有她和顾岚合唱《冬天里的一把火》的，有她搞户外直播给大家看她用铁锅炖自己的，还有她在老师指导下尝试穿了一次 cos 装甜甜地喊"文哥哥"的。

宋哲的脸越来越黑，他捏紧了拳头，强忍着怒气。

向维偷偷瞟了宋哲一眼，完全不知道宋哲为什么满脸被绿了的表情，只觉得气压猛地低了下去。

等视频放完后，宋哲冷声问："还有吗？"

"还……还有。不过时间挺长的……"向维小心翼翼地说，"我们已经把精华……"

"全给我传过来。"宋哲压抑着愤怒。

旁边高林已经做好备战准备，刚退了一步，就听见了宋哲愤怒地咆哮："你们的主播都这么低俗吗？！人家打赏就要说谢谢？还要叫粉丝哥哥？！还有那些衣服，都什么乱七八糟的，露这么多吗？！"

"那个是cos《海贼王》里的女帝……"

"我不管什么女帝女王，"宋哲冷喝，"以后这个主播直播时衣领口必须要在脖子以上，全部穿长袖！既然是搞笑主播就别搞这么花里胡哨！"

"是，是，是，"向维赶紧说，"我会回去和她说的，让她把握好尺度。"

"最好把脸也蒙上！"宋哲面色不善，"那些人不仅是冲着她身材，还是冲着她脸来的！"

向维无语。

"宋总，"高林有点听不下去了，轻咳了一声，"这个，杨小姐的事回去再谈吧，您该接着下面的行程了。"

这话让宋哲暂时冷静下来。杨薇作为他的前妻，跑去干直播，这件事暴露出来那是大家一起丢脸。

宋哲深吸了一口气，克制住自己情绪对向维说："你把她所有的资料发我，她一般是几点直播？"

"晚上八点到十点之间。"

"在家？"

"最近是在公司，等她业务熟练了会在家。"向维抹了把汗。

宋哲问道："今天也在？"

"在……"

"好。"宋哲点头，"今天会上的事你不要跟她说，后面该做什么做什么。她就是这次你要力捧的新人？"

"是，不过如果宋总觉得不合适……"

"我会考虑。你把她直播的房号告诉高林。"

宋哲回头看了桌子一眼，对高林吩咐："将杨小姐的资料全部拷上，还有她之前直播的视频也带走。"

说完之后，宋哲便头也不回地往外走。

向维昧着良心给了高林杨薇的房间号后，见他们走了，立刻冲出会议室，冲到才艺培训室找到杨薇。

杨薇正在跟老师学打快板，向维拉住杨薇，喘着气："快，你跟我来一下。"

"嗯？"

杨薇拿着快板跟着向维走，向维带着她到旁边办公室，紧张地看了看外面，确认没有人后，才小声说："杨薇，你以后可一定要记得我的好，今天我可是冒着丢饭碗的风险来和你说这事的。我问你，"向维咽了咽口水，"如果给你一个当猫猫平台一姐的机会，但是要潜规则，你接受吗？"

听到这话，杨薇愣了，她抬起头来看着向维，露出一个标准的嘲讽笑容："潜规则我？"

放着宋太太不做，来一个这几年才冒出来的平台找潜规则，当她傻吗？

向维看出杨薇的想法，他不敢直说宋哲看上她了，便拐着弯告诉她："那你这几天别来公司了，这阵子公司新换了老板。你知道外界对这个行业印象不太好，我看新老板可能是想潜规则几个女主播，你让愿意上的人上，你就别露面了。"

杨薇点点头："明白，那我这几天在家直播？"

“对。我会让阿南配合你。”向维缓过来，“这个老板看上去也是图个新鲜，过阵子应该就把你忘了，到时候我们再谈后续的事。”

“向经理，”杨薇不是个不识好歹的人，她笑起来，真诚地说，“谢谢你。”

向维看着杨薇骤然绽开的笑容，怔住了。他的心跳加速，扭头喝水冲缓了紧张，说：“没事，你现在就先回去吧。”

“行。”杨薇点点头，她拿着快板向外走去，突然又想起什么来。“对了，向经理，”她好奇地问，“咱们这次换老板了，老板是谁？”

“也不知道你认不认识，娱乐圈里出了名的圈外人。”向维摆摆手，“就当年那个老和明星炒绯闻的宋氏集团当家人，宋哲。”

“啪”的一声，杨薇手中的快板落在地上，她一下子说不出话来了。

宋哲在外面绯闻多，杨薇一直知道的。从她质问他的第一次开始，她就死心了。

她咬着牙准备离婚，又为了赵阳兰一直忍耐，忍到了赵阳兰离开后，宋哲先是守孝，后是为了争夺宋氏集团的掌控权和宋明纠缠不休，流言蜚语的确停了一段时间。时隔大半年，再次认识到宋哲的本质，她居然还是有那么一点心塞。

然而只是一会儿工夫杨薇就意识到，这与她无关。

宋哲想潜规则谁，他在外面怎么浪，都与她没有关系，只要别作到她头上来。

想明白这一点，杨薇深吸了一口气，去收拾东西，就回家了。

到家里后周文似乎也下班了，他给杨薇发信息：“吃饭没？”

杨薇回复：“没，正要做饭呢。你吃没？”

“吃了，领便当了。”

看到这话，杨薇笑了。之前和文哥聊天的时候，他轻描淡写地说自己是个演员，她猜文哥是一个小演员，估计演了个“炮灰”。把角色死亡说成是“领便当”让她觉得有几分喜感，她忍不住问：“便当怎么样？”

“一般吧。”周文想了想，又敲了几个字，“用于生存。”

“那你喜欢吃什么？”

“今晚想吃沙姜鸡。”周文闷闷地敲了一行字，“这里没有，突然觉得没有胃口了。”

杨薇见此，高兴地回复道：“哈哈哈，那我今晚上就做沙姜鸡！”

周文：“呃……”

报复，这绝对是报复。

杨薇为了刺激周文，特意开了直播，直播做沙姜鸡。

杨薇穿了一套普通的家居服，系着围裙，头发盘成丸子头，切菜的时候，温柔中带了几分俏皮。她一开播，直播间里就来了很多人，她一边直播做菜，一边说：“今天有人想吃沙姜鸡，但吃不了，我决定展露一下厨艺，让他看着，哈哈哈！”

“主播真坏。”

“主播是专门刺激男朋友吗？”

“不是。”杨薇看着弹幕，“就一个朋友。”

周文看着杨薇的笑容，忍不住笑出声。他的助理方淮给他端了茶过来，有些无奈地说：“周影帝，麻烦你能不能不要有空就看直播？你这样让我感觉很惶恐。”

“惶恐什么？”周文抬眼看向方淮。

方淮叹了口气：“我怕你在我不知道的情况下网恋，给我爆出一个大新闻。”

听到这话，周文僵了僵。方淮一看周文的表情，立刻举手：“我错了，你网恋吧。”

“嗯？”周文有些奇怪，“什么令你改变主意了？”

“比起让你沉浸在失恋的痛苦中，我宁愿你网恋。只要这次找个靠谱的，别再找慕小姐那样的人就好了。”

听到慕雪的名字，周文的睫毛颤了颤，仿佛有一把锐利的尖刀划过他的心，他慌忙将目光落到屏幕上。

杨薇正在切菜："我和你们讲，切菜是要看对象的，我切得慢不是因为我技术不好，是因为今天这只鸡有点顽强……"

周文的目光落在杨薇的脸上，有一种莫名的治愈感。他不想再多说什么，就静静看着杨薇做菜。

方淮看着周文的样子，叹了口气，比起沉浸网络世界的周文，他更怕还迷恋着慕雪的周文。

杨薇艰辛地做出了一锅糊了的沙姜鸡，有些悲痛欲绝，可她还是含泪吃了下去。

这时候宋哲已经开完会出来了："把后面的行程都调到其他时间了？"

"调整好了。杨小姐的视频也已经放在硬盘里保存好了，您回去就可以观看。明天您空出了一天的时间，应该……"高林看了宋哲一眼，小声说，"足够您处理这些事了吧？"

宋哲低低应了一声，闭着眼睛没有说话。等到了家以后，他看了看时间，刚好七点半。他让高林先回去休息，之后开了电脑。

他摸索着输入了杨薇的房间号，本来以为还要等一会儿，没想到杨薇已经开播了，她好像在家里，穿着睡衣，敷着面膜，正和大家聊天："我和你们讲，这个面膜真的挺不错，我敷完还有半个小时就要正式开播了……"

"觉得我这么随便聊也很好玩？"杨薇的目光落在屏幕上，笑着说，"随便聊也可以啦，不过还是要给你们准备点其他东西。"

杨薇说说笑笑的，和他记忆里那个在家里冷冰冰的人截然不同。

宋哲的第一反应是愤怒，他不明白杨薇怎么能穿着睡衣就出现在人前？还敷面膜？他都没见过她这么随意的样子，那些人怎么可以？！

然而在愤怒之余，他又生出了几分说不清的酸楚。他把这情绪压下去，试图让自己冷静一点，坐在电脑面前，冷冷地看着杨薇。

他想知道杨薇到底怎么当主播的，想知道他不在的时候，她到底怎么生活。

杨薇其实就是和大家闲谈，但是她很放松，一边聊一边化妆，网友大多数也还算友好，但也有些说话说得难听，说什么给她刷潜水艇，让她换件暴露的衣服之类的，看得宋哲怒火中烧，恨不得直接让杨薇关了摄像头。

可宋哲又想了解杨薇到底在做什么，只能把火都发泄在那些说话的人身上。他想打字去骂，结果刚要输入，就看见系统提示："根据相关法律规定，不允许非注册用户发言哦。"

那一串提示还带着表情，说得很萌，却让宋哲极度暴躁。他打电话给高林："高林，你马上给我注册一个猫猫平台的账号。"

"那个，"高林小心翼翼地说，"要不您用我的？我还是高级会员。"

"发来。"

过了一会儿，高林把账号发了过来。宋哲拿着账号登录之后，再回到页面，他终于可以怼人了。

宋哲觉得，自己这辈子都没这么无聊过。

他是喜欢怼人，但是他从来没和一群完全不认识的人吵过架。

"看直播就看直播，主播播的是内容，你们有这么 low（低级）吗？"

"好好听主播讲段子，谁讲荤话举报谁！"

"这个时间点还到一个搞笑主播的直播间来求人家换件衣服给你看，你一定没有对象吧？"

"看看你们的嘴脸，就知道你们现实得过得多惨，我真同情你们。"

在猫猫平台里，高级会员的特权就是弹幕都加粗加大并自带闪光，如果充值成为这个房间的高级会员，说话不受时间限制，一秒一条刷屏也可以。

为了骂这些人，宋哲特意以一秒一条的高频率，在弹幕里闪亮出镜。

杨薇化完妆默默地看着这个在直播间活跃不已的人，他的ID叫“最油亮的大猪蹄子”，杨薇轻咳了一声，实在忍不住：“那个，最油亮的大猪蹄子，谢谢你的维护。不过没关系啦，我们现在正式开始直播，大家不要关注这些小细节……”

杨薇这么一喊，宋哲就懂了，这时候他才发现，原来高林的ID叫“最油亮的大猪蹄子”。

宋哲沉默了片刻，他的审美不允许自己顶着这么一个名字，于是他开始研究怎么换名字。这个时候，杨薇开始直播了。

杨薇先点评了一下今日新闻，明显是准备过的，每则内容都很有笑点，一边和弹幕互动一边吐槽，让人觉得很轻松。

吐槽完今日新闻之后，她开始像知心大姐一样和观众聊天，一个接一个地解答观众的问题。她很有耐心，会给每个打赏她的人认真道谢。

宋哲静静地看着这样的杨薇，不知不觉就入了迷。

“下一个问题，薇薇姐你有没有喜欢过一个人，你为什么喜欢他？”

杨薇把这句话念出来后，似乎有短暂的失神，她赶紧笑起来：“喜欢过啊，我这个年纪了，怎么可能没喜欢过人啊？我喜欢的那个人比较奇怪。”杨薇认真想了想，“他脾气不好，说话特别难听。我第一次见他的时候，穿得不好看，他就直接说我真脏。”

这话一说出来，弹幕上全是——

“他怎么能这么说？”

“怎么有这种人？！太过分了！！！”

诸如此类。

宋哲听着这话，也有些失神。

宋哲记得他的确说过这样的话，他也记得那天的杨薇。当时她穿着带泥土的鞋子，看上去糟糕透了。她站在客厅里，抬头仰望他，一双清澈的眼睛里带着几分坚韧，有着他那个圈子、那个年纪少有的沉稳。

他想起年少的杨薇，听着杨薇讲述起过去，他的内心平静下来，从桌上拿了支烟，点燃，靠在椅子上，看着她。

“我一开始其实不喜欢他，可是因为某些原因吧，我必须得对他好。我每天想方设法讨好他，讨好很多人，当时压力特别大。每一件事我都想做好，那时候别人都和我说，要努力做好每一件事。有一次考试我没考好，我特别害怕，就不敢回家。我不知道怎么回家面对家人，所以我就离家出走了。”

说起那时候，杨薇忍不住笑了，似乎有些不好意思。

宋哲将烟圈吐出来，他记得那件事。

当时是杨薇来他们家的第二个月。他妈那个人，看着温柔，其实给人的压力特别大。她会一边说“随你，最重要的是你快乐”，一边又以身作则把所有事做好，做到极致。

一边同杨薇说“多吃点，吃你喜欢的”；一边又自己节食，告诉杨薇，体重是一个人自律的开始，不能控制体重的女人不足以控制人生。

他看不惯他妈那性子，而杨薇不一样，她把赵阳兰当成偶像，事事都想学她。

当时杨薇从一个小地方转到南城最好的初中，成绩跟不上，她拼命地学习，却还是达不到赵阳兰对她的期望。

赵阳兰和她说：“薇薇，我相信你，你一定是第一名。”

于是当她没考好，只考了第二的时候，她就不敢回家了。

“那天大家都在找我，我不敢回去，身上也没钱，就一个人躲在肯德基里坐着哭。因为是夏天，雨多，外面的雨下得哗啦啦的，他突然就出现了。我也不知道他怎么找到我的，哈哈哈。”杨薇抱着抱枕，脸上露出了些甜蜜的表情，“就是因为不知道，所以就会乱想啊。我就觉得他肯定关注我很久了，知道我天天馋肯德基里的肉却逼着自己吃草，难过了就要来吃肉。好吧，我其实到现在也不知道是不是真的，反正当时我信了。他身上都被雨打湿了，站我面前，我吓死了，怕他发脾气。结果他说，回家。”

其实杨薇没说错。

她来了宋家之后，宋哲虽然不喜欢她，看不起她，可是还是好奇，会偷偷观察她。她讨好他，帮他写作业，替他背书包，帮他做笔记，还帮他向赵阳兰撒谎。有一次他犯了错，她还主动替他顶包！他又不是铁石心肠，她做的事他看在眼里，自然会对她好点。

她离家出走，他就满城去找，他本来想发火，可是找到她之后，看见她坐在肯德基里哭，他突然觉得，算了，和一个小姑娘有什么好计较的。

“我不敢动，他就直接把我拉起来，然后他和我说，考不好有什么？你考得好我也不会觉得你好，你考不好我也不会觉得你差，考不好下次再考，回家去我看谁敢多说你一句，我替你挡着。”

杨薇面露微笑。

宋哲闭了闭眼，片刻后，他站起身，打开手机直播，提着外套就冲了出去。

他上了车，把手机放在车里的置物架上，杨薇还在说。

“然后他拉着我回了家，回到家其他人还没开口，他就挡在我面前和所有人说，他说我特别优秀，这次考了班上第二，超级厉害。他这辈子都没考过这么高的分，为了庆祝就带我去吃肯德基了。”

“就是那瞬间吧，”杨薇的声音里带着温柔，“他挡在我面前的那一瞬间，我突然就心动了，我就觉得……”

杨薇声音有些干涩，任何人都听得出来，那个句子，说得多么不容易。

她说：“我喜欢这个人，想一直，长长久久地，喜欢他。”

这话仿佛是一记铁锤，瞬间砸开了宋哲心上的坚冰。冰破开之后，剩下的就是如水的柔软。

其实离婚将近一个月，宋哲原本都觉得没什么，无所谓，但这句话让他突然觉得喉间被什么哽着，有些疼。

他突然觉得，他其实可以跟她道个歉。

他想要她回来，想要再听她说喜欢他。

宋哲的车开得飞快，杨薇已经切换到下一个话题。

杨薇说的话特别好笑，宋哲忍不住笑出声，他一路狂奔到她楼下。这时候杨薇的直播也快结束了，她开始了今日大冒险环节。这个活动是由房管统计今日礼物排行前十名，每个人提出一个合理范围内的要求，杨薇随机抽出一个进行实施。

这些要求会由房管筛选过，不和谐、不合理的要求都不会出现，基本就是一些常规大冒险。

杨薇喝了口水，看着房管用转盘抽出今日冒险内容——和手机联系人里第一个联系人，发重金求子的诈骗信息并借到一百块钱。

杨薇看到这个要求差点一口水喷出来，但这个要求不算过分，她清了清嗓子："好吧，那看看我电话里第一个是……"

她翻到电话的第一个，阿哲。

杨薇愣了。她才想起来，她当初把宋哲所有联系方式都置顶，连电话号码都想办法排在了第一位。

粉丝看着杨薇的反应，好奇地问："谁啊？"

"第一位是谁？"

"我猜是前夫！"

"啊啊啊！！！不是真的吧？快，骗他，骗他！！！"

"不……不要了吧。"杨薇看着宋哲的号码，想象宋哲收到这种短信的表情，她就忍不住打了个寒战，"不行，我会死。"

"哈哈哈，不会的。"

"气死他！快，用这个短信气死他！"

确认是前夫后，大家都兴奋了。

这时候宋哲也到了杨薇家门口，他看着直播里杨薇为难的表情，觉得有些好笑。

给宋哲发短信，杨薇是有些纠结的，她纠结的样子让大家更加兴奋，阿南悄悄提醒杨薇："薇薇姐，答应粉丝的最好还是做到，除非是真的有很严重的后果，不然这个游戏就没意义了。”

杨薇深吸了口气。她觉得阿南说得也没错，不就是给宋哲发个短信吗？

没问题。以后他是她老板，要面对他的情况多了去，不就发个短信吗？她不怕，真的不怕。

杨薇给了自己勇气，扬手大喊了一声：“来，我豁出性命陪你们来玩一场！”

“老铁们，”她调动着情绪，高声喊，“今天，我就用我的生命给大家直播如何哄骗自己的前夫！快，为我点赞为我嗨，轮船游艇刷起来！”

说完之后，屏幕被一片“666”给刷爆。

礼物在屏幕上飞来飞去，宋哲站在门外，脸色有些发黑。

他一想到自己成为所有人围观的对象，就觉得有点荒唐。然而他克制住情绪，想看看杨薇还能怎么刷新他的底线。

于是宋哲静静等着，顺便用自己刚才研究出来的流程给自己改名叫“前夫”。

这时候杨薇的短信发过来了。

“【重金求子】你好，我是一个想生孩子的女人，但因为丈夫没有生育能力，所以在此重金求子，只要你能圆我做母亲的梦，重金酬谢！我会给你五十万现金，决不拖欠！”

宋哲看着这句话，又好气又好笑，他看了一眼直播里撑着下巴等回复，还很嚣张和粉丝说着“我和你们赌一块钱他会叫我滚”的杨薇。

片刻后，他低头回了一个字：“好。”

杨薇惊呆了，粉丝拼命地问：“他说什么了？主播，他上当了吗？”

杨薇的心情跌宕起伏，她感觉宋哲的手机一定被人偷了。于是她立刻说：“但在此之前，你需要支付一百块钱的合同手续费。”

这次宋哲回复得更快：“好。不过给钱之前我想问一下，我什么时候可以圆你做母亲的梦？”

宋哲疯了！

杨薇的表情让粉丝疯狂好奇。

“说了什么？！”

“我好想知道，啊啊啊！！！”

“求你了主播，快告诉我们发生了什么！”

杨薇抬手：“你们等等，我遇到了点情况，我要认真想想。我觉得目前他不正常。”

过了一会儿，她开始继续回复：“对不起，其实我骗了你，我不是要重金求子，我是诈骗的。”

“哦。”

“离开你之后，我身无分文，走投无路，现在一顿饭都吃不起了。我想到你是如此纯洁善良，品性高尚，看在我们夫妻一场的分上，我就想问问，你能不能借我这一百块？”

“我什么时候能为你圆梦？”

“不用了，我养不起这个孩子。”

“我可以养。”

“谢谢了，你太高贵了，我配不上你。这个钱你借不借？”

宋哲和杨薇打了几个来回，觉得也该收尾了，他靠在墙上笑了笑，接着发信息：“我觉得你夸我的话让我非常舒心，你多夸几句，我可以考虑借你这个钱。”

瞬间，杨薇马屁精之魂苏醒，她感觉她现在能用彩虹屁给宋哲吹出一个银河系。于是她开始疯狂打字，用尽了她能想到的赞美之词，一边打字一边和粉丝说：“我和你们讲，我马上要借到钱了，等一会儿我就给你们直播我的战绩！让你们陪我嗨一嗨！”

能在这种情况下从宋哲手里借到钱，不管他是疯了还是傻了，都光荣。

说话的时候，门铃突然响了，杨薇也不记得自己是不是叫了外卖，一边低头打字，一边往门口走，她打开门：“外……”

话没说完，杨薇就愣了。

她看见宋哲斜靠在门边，衬衫的扣子散开，西服外套搭在手上，金丝边眼镜下的眸子波光流转，似笑非笑。

杨薇咽了咽口水，她感受到了一种莫名的心虚从心底冉冉升起，然后她就看见宋哲举着手机，上面是她的直播，而此时此刻，直播屏幕已经被一个叫“前夫”的人用潜水艇刷满了。

宋哲保持着微笑，摇了摇手机：“嗨吗？”

嗨。

杨薇想回答他——这种当着当事人的面说谎的体验，嗨爆了。

第七章　我可以和你约会吗

杨薇看着面前含着笑的宋哲沉默了很久。

宋哲放下手机，双手环胸："你是不是该请我进去坐一下，咱们好好'谈一谈'？"

"我可以拒绝吗？"

"我不介意去公司谈。"说着，宋哲嘴角微扬，"哦，你大概不知道，我现在是你老板了。"

"我知道。"杨薇点头，心情有些沉痛。

杨薇不仅知道宋哲是她签约公司的老板，她还知道他想潜规则几个女主播。

杨薇侧过身子："你先进来坐一下，我马上结束直播。"

杨薇走进里屋，宋哲自己在门口换了拖鞋，走进了客厅。

这个屋子和以前住的地方比起来可以说是个狗窝，沙发上胡乱搭着空调毯，桌面上乱放着书和没喝完的可乐，昏黄的落地灯开在沙发边角，让整个房间看上去凌乱又温馨。

宋哲皱了皱眉头，他感觉自己完全坐不下去。

杨薇迅速和粉丝解释了一下有客人后，出来就看见宋哲靠在沙发边上，没坐。

杨薇立刻反应过来："哦，你等一下，我收拾一下。"

她赶忙收拾沙发，手忙脚乱地给宋哲空出块地方。

宋哲静静看着杨薇做这一些，她被他看得有些发毛，被突袭的意外和被抓包的惶恐混在一起，让她有些不知所措。她迅速收拾好沙发，接着开始收拾茶几，宋哲握住她的手腕，平静地说："不用了。"

宋哲的手温热，杨薇僵住了。宋哲放开了她的手，坐到沙发上："倒杯茶吧。"

他吩咐得理所当然，杨薇沉默了片刻，来者是客，这样的要求并不会让她觉得太为难。

杨薇去给宋哲泡了茶，放在他面前，随后抱着抱枕，坐在茶几对面的沙发上，和他保持着明显的距离。

这么一段时间的沉默让她冷静下来，恢复了一贯的镇静。

宋哲抬头看了杨薇一眼："坐那么远干吗？怕我吃了你？"

"没，我这个位置好坐。"杨薇轻咳了一声，问，"你来做什么？"

宋哲扫了杨薇一眼："我来做什么你不是心知肚明吗？"

"您居心叵测，我不敢乱猜。"

杨薇下意识地回了一句，说完就后悔嘴快了——和宋哲怼有什么意思？

果不其然，宋哲的脸色不太好看，他静静地看着杨薇，片刻后，轻笑起来："你做主播这些日子变化很大啊。"

杨薇不说话，她就知道，宋哲是为了这件事来的。

宋哲看着杨薇的样子，冷静了一下，他反复告诉自己，这次不是来吵架的，是来和好的，就不要没事找事了。

见宋哲一直不说话，杨薇偷偷看了他一眼，见宋哲看过来，又忙把眼神移开。宋哲见她偷瞟自己，心里舒服了很多，笑了笑："算了，这件事我不和你计较。回去我会让向维和你把合同解除。"说完，他顿了顿，说道，"你回来吧。"

杨薇愣了。她抬眼看他，宋哲的样子有些别扭，他不敢对上她的目光，而是看着另一边，故作淡定："过去的就过去了，我不计较，你也别多想。

我对你还是有感情的，以后你有什么不高兴的，我们都可以商量。”

“你对我有感情？”听着这些话，杨薇忍不住笑出声来，“什么感情？”

宋哲没有说话了，杨薇捋了捋头发，坐直身体，含笑看他，眼中带了几分讥讽：“你喜欢我？”

宋哲听出这话里的嘲弄，这种口吻让他顿时火了。他宋大少爷顺风顺水了一辈子，从来没人这么和他说过话。他抬眼看杨薇，像一只被人踩住了尾巴的猫，嘲讽着：“你也配？”

“对，我不配。”杨薇点点头，她靠在沙发上，和宋哲对视，一脸平静，“你既然不喜欢我，又要我回去做什么？”

“你不回去，”宋哲冷笑，“在外面能做什么？你以为我不知道你的情况？你那简历能找什么工作？我妈是按宋太太的标准培养你的，你以为你考了名校，会拉大提琴，会打扮，会说三门语言，你就能过得很好了？我告诉你，你现在这样子出去找工作，那工资连一件大衣都买不起！”

杨薇静静听着，没有说话。宋哲的话尖锐犀利，刺得她生疼。

宋哲冷冷地看着杨薇：“杨薇，如果你不是宋太太，那你什么都不是。要不是宋家，你能拿到最好的学习资源，进最好的高中？你能哪科欠缺就找最好的老师给你补哪科，想学什么就找全国最顶尖的老师教什么？你能大学就拿着那么多钱这里投资那里投资，毕业就去沃商？你以为你所有荣耀是你自己挣的？”

杨薇身子一颤，她抬眼看宋哲。

宋哲被杨薇的目光看得愣住了。她那目光看似平静，但他知道，他再多说一句，她就能哭出来。

宋哲没有再说下去。他这个人说话向来口无遮拦，别人说他一句，他就要拿对方的致命弱点来来回回地戳。

宋哲知道自己说话伤人，可他一向不在乎。唯独在看见杨薇死死抱住枕头时，才有了几分慌乱，可他也说不出道歉的话，只能沉默着。好久后，他才说："你是我妈指定给我的妻子，我也没想过其他人能做我的妻子。过去我有什么不好的地方，你多担待，以后我可以试着改。"

"你回来，"宋哲艰难地说，"我是为你好。"

听到这话，杨薇轻轻笑了。

好久后，她说："不用了，我不需要你改，我也不需要你为我好，谢谢你了，你走吧。"

"杨薇！"宋哲提高了声音，"你别不知好歹！"

"我就是不知好歹！"杨薇冷声质问，"那又怎么样？！"

宋哲被杨薇吼蒙了。

杨薇冷冷地看着他，站起来，捏紧了拳头："你可以让向维和我解约，我去其他平台就可以了。虽然宋家家大业大，可你能把所有平台都收购了？如果为了让我走投无路而做到这一步，那行，我也不亏！"

"可你不会这么做，因为我不值得。"杨薇嘲讽地笑了笑，"你说得没错，我走到今天，是宋家给的，我很感激。宋哲你说我一无是处，你以为你就很好吗？抛开了宋家继承人的身份，你又有什么？！"

"宋哲你以为我不知道你的意思吗？"杨薇的眼神冷得让宋哲心里一颤，这样的杨薇他从没见过，让他忍不住想退后，想离开，想让她马上闭嘴。

可他不能在杨薇面前逃跑，更不能在她面前认输。于是他强撑着自己，听她说："其实我没这么差，你清楚，我是不好找工作，可是如果我去找过去的关系，找人给我投资，真的那么难找吗？"

"不难，"杨薇认真地说，"我要活得比一般人好，很容易。可你为什么要这么说？你就是想告诉我，我在外面活不下去，我该依附你，我该回去。"

"所以宋哲，"杨薇有些疲惫，她看着宋哲，似乎是在看一个长不大的孩子，"不是我离不开宋家，是你离不开我。"

"我离不开你？"宋哲嘲讽，"谁给你的自信和脸皮？"

“杨薇，你说来说去，不还是靠着宋家给你的资源吗？”宋哲坐在沙发上，端起茶，故作平静，“我今天和你说这些，我怕你后悔。”

“每个人都是在自己的资源之上生存的，”杨薇看着宋哲，“我从来不会那么傻，说自己要抛开资源，只凭借自己的实力。资源也是实力的一种，你以为我为什么嫁给你，为什么在嫁给你之后早就想离婚了还和你熬到现在？！

听到这话，宋哲的面色瞬间变了。

杨薇看着宋哲，平静地说：“就是因为我感激宋家，感激阿姨，感激你。”

“谢谢你们给了我这些，所以我愿意偿还。我用了这么多年，偿还你，我还够了吗？如果我还够了，那我得到的，是不是就是我的？”

宋哲没说话，他的手微微颤抖。他做出漫不经心的姿态，张了张嘴，想说些什么，却发现自己发不出声。

他也不敢发声。他感觉心脏处有点疼，他怕自己发出的声音带着沙哑，让杨薇见到自己的狼狈。

他好久才缓过来，假装随意：“行，都是你的，所以，杨薇，你想好了，你真的不回去？”

“宋哲，”杨薇疲惫地说，“我和你离婚，不是一个鲁莽的决定，这个决定我想了整整两年。”

宋哲紧咬牙关，逼着自己镇定。只听她说：“我不明白你为什么一直觉得我是在和你冷战、吵架，你该知道，按照我的性格，这么重大的决定，我不会当玩笑。”

“其实结婚第一年，我就想和你说这件事。可那时候阿姨生病，我不想刺激她。阿姨病故之后，我放不下你。”她叹了口气，“我不能让你一个人面对那种局势，我想陪着你。所以我一直等到现在……”

“那你为什么不陪下去？！”宋哲怒吼，“你放不下我，你为什么不陪下去？！”

杨薇看着宋哲。她突然发现，其实这话说出来没这么难。她从容且平静，注视着面前颤抖着身子，红着眼眶的男人，温柔地笑了。

“因为我放下了。”

宋哲呆呆看着杨薇。

杨薇温柔而郑重地说：“我放下了。”

“不可能……”

宋哲猛地站起来，喃喃地说：“你病了，杨薇，你在气我。我们不适合现在聊，我……”

“我放下了。”

相对于宋哲的状态，杨薇异常平静：“我喜欢了你十三年，宋哲。”她的声音温和，“可喜欢都有尽头，原先喜欢一个人，后来也会不喜欢……”

“我不信！”宋哲猛地打断杨薇，急促地说，“你骗我！你说谎！杨薇，我不会相信你说的话！”他咬着牙，“我一个字都不会信。”

杨薇有些迷惑：“宋哲，你既然不喜欢我，为什么不能放过我？”

宋哲咬紧了牙关，可牙齿仍在打战。他没有说话，转头抓起自己的外套，狼狈地往外冲去，临到门口，他背对着她，沙哑着声音：“杨薇，我不会放过你。”

“我告诉你，这辈子我都不会放过你。你要当主播，行，你当。你要做什么，我都让你做。可我告诉你，”宋哲回过头来，冷冷地看着杨薇，带了种摇摇欲坠的高傲，“你得喜欢我，这辈子，你都只能喜欢我一个。”

说完这句，宋哲拉开门走出去，又“砰”地关上门。他甚至没给杨薇说话的机会，似乎是怕她再说出什么伤人的话来。

宋哲匆匆下楼，奔进自己的车里，似乎怕她追来。上车之后，他捏紧了拳头猛烈地砸了几下方向盘。

然后他咬着牙扭过头，红着眼，不说话。他剧烈地喘息着，感觉内心像住着一只野兽，它咆哮着，挣扎着，似乎想要冲出去，将一切咬碎、砸碎。

过了好久，宋哲才慢慢平静下来。他感觉自己需要一个发泄渠道，他需要做点什么，所以他给武邑打了电话。

“你给我组个局，”宋哲深吸了一口气，“把人都叫上，我给钱。”

“行啊，”武邑高兴地说，“这事我擅长，哥你等着。要叫江哥吗？”

“随你。”

宋哲挂了电话，闭上眼睛。休息了一会儿后，他睁开眼睛，看着杨薇还亮着灯的窗户。许久后，他的手机亮起来，上面是武邑发过来的地址。

宋哲开着车直奔武邑定的包房，一进门，就被彩带喷了一身，只听见武邑大喊着：“Surprise（惊喜）！！”

宋哲站在门口冷眼一扫，全场的人就僵了，喷彩带的人下意识地躲到了武邑身后。武邑也有些害怕，清了清嗓子说：“咯，哥，我让大家给你制造个惊喜，来，出来玩放开点。”

听着这话，宋哲笑起来：“别紧张。”他拍了拍武邑的肩，“今天晚上出来玩，别紧张。”

一听这话，全场就嗨了。武邑将手搭在宋哲肩膀上，高兴地说：“看，我就说我们宋哥大气！大家今天随便喝随便玩，宋少包了！”

“宋少豪气！”

大家欢呼起来。DJ（音乐导播）放着节奏感很强的音乐，一群男女在里面摇头晃脑。宋哲被武邑拉着去了人少的角落，江淮安一个人坐在那里，静静地看着电脑。

宋哲看见江淮安，顿时舒心了许多。

其实宋哲不喜欢这种氛围，就武邑喜欢。但是现在他特别需要这种氛围，他坐下来，叫了一声：“哥。”

江淮安抬眼看他，笑了笑：“武邑说你组局子，我特意和老婆请了假过来看看你。”

江淮安将电脑合上，放进了电脑包里。武邑搭着宋哲的肩道：“你们俩今晚是喝干的是吧？要不要姑娘摇色子？”

“滚远点。”江淮安直接说。

武邑“嘿嘿”一笑：“我就知道，那我先走了，你们喝。”

武邑走了之后，江淮安抬眼看着低头坐着的宋哲，问：“怎么了？”

“没什么。”宋哲的双手枕在脑后，“出来玩，还需要什么理由？我专门空了一天出来玩。来，哥，”宋哲举起酒杯，“喝酒。”

“你是不是……”

“别问了，”宋哲倒了酒，“喝酒就行了。”说着，他将酒一饮而尽。

他什么话都不说，就一直喝酒，谁来敬酒，都是一杯干。

江淮安静静看着，忍不住皱眉。宋哲情绪高昂，他一杯接一杯地喝，脱了外衣和武邑勾肩搭背，让江淮安给他拍照片。

宋哲从来没有这样失态过，以往的酒局，他都是远远地坐在一边，似笑非笑地看着众人，要是有女人过来，他就嘴角一勾，指指武邑说：“去找他，我脾气可不好。”

他不喜欢喝醉，觉得太难看，所以一贯喝酒都只浅尝辄止，意思意思就够了。

反正他们这样的身份，也轮不到他们作陪喝酒。

宋哲不知道什么时候去了人多的地方，他和人摇色子，白酒、红酒混着喝，一开始还没人注意，没过多久，武邑就有些害怕了，他跑来找江淮安：“哥，你看阿哲这情况是不是不对啊？”

“废话！”江淮安的脸色难看。

江淮安从人群中挤进去时，宋哲正站在台上，在众人起哄下准备把一瓶酒灌下去。

江淮安推开周边的人，冲到台上，把酒抢下来，怒喝：“你这是在干什么？！”

“哥？”宋哲抬眼，笑着问，“我怎么了？”

“散了。”

江淮安面色不好，他和武邑说：“大家换个房间玩，都散了。”

大家看情况不对，都打算走，宋哲却突然冷声道：“站住！”

他靠在桌边，似笑非笑瞧着众人：“都来玩的，走什么啊？继续啊。”

“都散了！”

江淮安让武邑把人赶走，回过头的时候，发现宋哲还坐在那里喝酒。他神色很平静，谁也看不出有什么不对劲。

江淮安坐到宋哲对面，从兜里掏出手机，打开通讯录，翻到杨薇的名字，说：“有什么话打电话给她说。”

宋哲看着杨薇的名字，一动不动。

江淮安神色缓和了些。

“阿哲，”江淮安温和地问，“你是不是去找杨薇了？”

“哥……”宋哲看着那个名字，“她和我离婚了。”

江淮安怔住了。武邑走进来，听到这句话，蒙了。然后他们就看见宋哲去拿酒。

他没有吵闹，眼神中甚至有几分温柔。

他醉了。如果他清醒着，决不会露出这样的神色，他把酒一口接一口灌下去，毫无节制，喃喃着：“她和我离婚了。”

哪怕这是一个月前的事，直到今天，直到宋哲听到那句“我放下了”，她说“放过我”，她说和他离婚，她想了整整两年，他才终于明白，杨薇是真的下定决心要离开他。

他再喝酒时，江淮安和武邑都不去拦他。

宋哲将头埋进手里，声调没有半分变化：“我真的觉得她特别会骗人。”

“中学时大家都说她喜欢我，结果我要出国时，她却不愿意和我走。”

“结婚了，大家也都说她喜欢我，结果现在，她又和我离婚。”

“她当我是什么？想来就来，想走就走，她又当自己是什么？！”

“阿哲……”江淮安说，“杨薇对你是有感情的，你们好好谈过吗？”

“有什么好谈？”宋哲起身看着江淮安，笑着说，“我不在意。”

“她算什么东西？她以为我还会求着她？我不会。”宋哲认真地说，“我等着她来求我，我不会求她，绝对不会。”

“不是求她啊！”武邑着急了，“杨薇对你这么好，说不上心谁信啊？你就是太少爷脾气，换个人都受不了。你好好和她道个歉，女人不就是要你宠她、疼她、说句喜欢她吗？老宋，我和你说，”武邑把宋哲的酒抢了，“你这就是折腾自己，你这么喜欢她……”

“我不喜欢。”宋哲冷声打断武邑，“我不喜欢她。我就是觉得，她既然当了宋太太，就要有始有终。除非我不要她，不然她就不能离开我。”

听到这话，武邑整个人都呆了。过了许久后，他才说：“杨薇能忍你这么久也是够了。”

宋哲没搭理武邑，继续喝酒。

他一边喝一边翻刚才拍的照片。其中有几张是和几个很漂亮的小明星一起合拍的。他编辑着打算发朋友圈，但编辑到一半，他就感觉胃很疼，他下意识地抬手捂住胃，面色有些发白。

江淮安先反应过来：“阿哲！”

宋哲一口血吐在手机上，整个人开始出冷汗。

江淮安迅速让他平躺下来，武邑去打急救电话，宋哲握着手机，紧闭着双眼，一句话都不说。

他脑子里一直回响着武邑那句话。

“杨薇能忍你这么久也是够了。”

什么叫够了？哪里会够？

她和他在一起，就应该是一辈子，长长久久地在一起。她说过她喜欢他，说过想和他在一起一辈子，怎么能够了？

宋哲紧捏着手机，感觉意识有些模糊。周围似乎来了很多人。

人来人往，宋哲被人抬上了救护车，江淮安一直在他身边。

宋哲模模糊糊想起，自己刚回国的时候，有一年在酒桌上被宋明逼得喝到吐血。

他胃不好，喝多了就容易胃出血。他记得那天杨薇在他身边，她一直握着他的手，替他擦汗，和他说："没事，所有事办妥了。"

于是他没有半分担忧，就拉着她的手，感觉什么都没关系了。

那时候他还有心情和她开玩笑。

"你说要是我喝死了，你怎么办？"

"你要怎么办？"

杨薇一边替他翻看短信，一边询问医生他的情况，还要抽空回答他。

他瞧着她的侧脸，悠然抬手枕到脑后，笑着说："我要是喝死了，你不准改嫁，不准喜欢其他人，要一辈子记着我，念着我，守着我。我会在下面等着你，你是我宋哲的老婆，一辈子只能喜欢我一个人。"

听到这句话，杨薇脸上露出少有的笑意。她没有犹豫，立刻回答："行。"

一辈子只喜欢他一个人。

"杨薇……"宋哲迷迷糊糊地叫出她的名字。

"你说过的啊。无论宋哲多讨厌、多自私、多傲慢，你说过的啊……一辈子，只喜欢他一个。你说过的，杨薇。"

宋哲走后，杨薇几乎一晚上没睡。

毕竟是在生命里留下这么鲜明印记的人，这样猝不及防地撕破脸皮，又立刻愈合，这得是圣人才有的心态。

杨薇不是圣人，她受伤了会难过，只是她习惯了以平静的姿态面对所有的事，在暗地里一个人舔舐伤口。

杨薇彻夜难眠，第二天早上她和向维请假，向维怕宋哲看上杨薇，赶紧准了杨薇的假。

杨薇一个人坐在屋子里，发了好久的呆，收到了清晨的第一条信息。

"今天还是晚上八点直播？"

杨薇一眼扫过去，发现是文哥。文哥的信息将她从失落的情绪状态里拉出来，她呼出一口气，回复着：“今天不直播啦。”

“嗯？”

杨薇抿了抿唇，还是回复道：“昨天晚上，我前夫来找我了。”

或许是因为她和文哥不相识，所以聊天的时候，才会有种莫名的安全感。

宋哲的事情，她是不可能和身边人说的，既然已经分开了，她就不想再提起他。但那个人压在她心里，她又没有一个宣泄的渠道，于是她只能和文哥聊。

周文静静地看着她发来的一条条信息，时不时回应她一两句。

周文问杨薇：“所以，他会干扰你的工作吗？”

杨薇有些无奈：“不知道啊。以他那个脾气，真的干出什么太坏的事倒也不至于，但是找找麻烦倒是有可能。”

想起这个，杨薇也有些苦恼：“我可能要被平台开除另谋下家了。”

周文：“要不当演员吧？我有个朋友，是做经纪公司的。”

看到这话，杨薇忍不住笑起来。文哥自己还是个吃盒饭的小演员，就想帮她，她心里舒坦了很多：“你照顾好自己就行了，我有自己的路子。”

实在不行，她就出国读研，重新开始。

“有困难可以和我说。”

“知道啦。”杨薇看到这话，突然感觉自己身上有无尽的力量。虽然她也没有打算要文哥帮什么，但是他说愿意帮她，愿意陪伴她，那是一种难以言喻的温暖，让人突然有了面对未来的勇气。

“今天好好玩玩吧。”周文看着手机上似乎带了几分俏皮的‘知道啦’三个字，他温和地说，“给自己放个假。”

“也不知道去玩什么啊。”杨薇有些苦恼，“我感觉自己最近都玩废了，你说给自己放假，我都不知道要干什么才好。”

“你这个烦恼所有人都想要。”周文轻笑，他转头看了看窗外。他知道杨薇是南城人，此刻他在北方。北方的阳光和南城不太一样，干爽利落，周文静静看着窗外的阳光，突然回了一句，“我可以和你约会吗？”

“啊？”杨薇的心跳漏了一拍，她没想到文哥会突然提出这个要求。

周文知道杨薇误会了，便和她解释：“我今天也放假，我打算出去玩。”

“我好像没有正经和人约会过，”周文笑着说，“我就想问问，我们两个可不可以一起去打发今天？”

“怎么打发？”杨薇有些疑惑，“你也在南城吗？”

“没有，”周文躺在沙发里，阳光落在他身上，暖洋洋的，他慢慢输入，“我今天打算先去吃一顿椰子鸡，然后去看一场电影，再去游乐园，最后回家。我们可以约定在同一个时间去吃同一样东西，在同一个时间买两张票看同一张电影，再在同一个时间一起去游乐园，玩同样的项目。你可以给我直播，我可以和你聊天。”

周文的话带着暖阳一样的温暖，杨薇静静看着，她突然发现，周文的提议，似乎真的很不错。

和宋哲在一起这么多年，她从来没有正儿八经地约会过。

年少时他们没有，后来他们分开，毕业后就结婚，她从来没像一个普通的女孩子一样，和一个人约会过。

她看着屏幕回复：“好啊。”

说着，杨薇转头看了一眼自己旁边的晴天小猪，她抓过晴天小猪，用油性笔在它脸上写了一个“文哥”，随后她给它拍了照，传给文哥：“这个就是你啦，我会给你留位置的！”

周文看着照片笑了，他回到自己卧室，翻了很久，终于找出一只Kitty（凯蒂）猫，写上“薇薇”之后，也给杨薇发了过去。

“我也会带着你的。”

杨薇正喝着水，差点一口水喷出来。

文哥说过自己有一米八三，她一想到一个一米八三的壮汉带着一只Kitty猫招摇过市，就忍不住想笑。

“记得拍照。”杨薇嘱咐。

他们约定了一起吃饭的时间，杨薇想了想，认真地撸了个桃花妆，换了一身粉色系的衣服，随后抱上晴天小猪，找到了附近一家颇有名气的做椰子鸡的餐厅，落座之后，她给文哥发信息："我到了。"

周文开着车，看了一眼副驾驶座上的Kitty猫，用语音回复："我还有十分钟。"

周文头一次给杨薇发语音，杨薇看到的时候还愣了一会儿，等她点开之后，整个人都震惊了。

"啊啊啊，文哥，你的声音好好听！"

"你声音好熟悉，又熟悉又好听！！！"

"我知道了！！！"

周文走下车的时候，杨薇终于反应过来："你声音好像我爱豆周文的声音，啊啊啊！真的好听到炸裂！你多说几句，求你了！"

周文看到她发来一个八十八的红包，以及一个跪求的表情，不禁笑出声音来。

周文头一次觉得自己的声音好听也是种优势，他一边走一边发语音："你一个主播给我发红包，是不是太不划算了？"

"文哥，"杨薇豪气地说，"等我有钱了，我一定要让你C位出道，横扫华语歌坛！"

周文看着杨薇的话，笑得停不下来。

"我到了。"周文坐下来，将Kitty猫放在对面，然后拍了张照给杨薇。

他和杨薇商量着点单，最后点了一样的竹荪椰子鸡锅底，土豆片、煲仔饭……

两个人好像就面对面坐着一样，一边聊天，一边吃东西，一边和对方分享好不好吃。

接着他们一起去看电影，争执着要买薯条还是爆米花，最终决定都买。然后一人两个位看了同一部电影，最后走出来分享电影。

杨薇隔空约会的时候，宋哲在病房里，情况基本稳定了。

宋哲醒过来时，高林站在他旁边，有些担心地问：“先生，您感觉好点没？”

宋哲眼神有些空洞，许久后，他才缓过神来。他眨了眨眼，慢慢坐起来。高林赶紧来扶他，他问：“江哥和武邑呢？”

“江先生公司还有事，武先生守了一夜，现在去睡了。”

宋哲点了点头，他坐起来，沉默了片刻后，问：“我住院这事还有其他人知道吗？”

“消息我们第一时间封锁了，”高林立刻说，“除了昨晚上送您过来的人和我，没有其他人知道。”

宋哲垂下眼眸，应了一声：“哦。”

好久后，他小声地问：“通知太太没有？”

高林有些不明白，为什么一夜之间，宋哲对杨薇的称呼就从杨小姐变成太太。然而高林也不敢问，只好小声回答：“我现在去通知？”

“不用了。”宋哲闭上眼，有些烦躁，“就这样吧。昨天向维拷给你的视频带来了吗？”

高林点点头：“我随身带着，您现在要看？”

“嗯。”

“不过医生说……”

“嗯？”

宋哲抬眼看了高林一眼，高林咽了咽口水，忙说：“我这就给您播放。”

说完，高林便赶紧去给宋哲取电脑和硬盘。宋哲一个人躺在高级病房里，他觉得这个病房空荡荡的，总觉得……少了谁。

这个认知让宋哲僵住了，片刻后，他笑出声，也不知道是在笑自己，还是笑别人。

宋哲等了一会儿，高林拿着电脑进来，给宋哲调整了一个舒适的姿势后，把电脑打开，给宋哲戴上耳机。

杨薇的视频是从向维关注她以后开始录的，之前她和网友聊自己的私事没有录进去。

宋哲看着屏幕里的杨薇，一开始她还有些拘谨，像在宋家时那样，做许多事时还会犹豫。她一开始什么都不会，是网友教会她做很多事。教她下载外卖软件，教她沉迷各种氪金游戏，教会她使用表情包……

她的粉丝比其他主播的粉丝黏度高很多，这和她的“养成”的方式有关。对最早认识她的一批观众来说，这个主播是他们一手培养出来的，这些粉丝都是她的亲妈粉，在他们眼里，杨薇就和自己的孩子差不多。

宋哲注视着画面里的杨薇，看着杨薇一步一步转变，走出来，笑起来，他也忍不住跟着笑了。等后面杨薇开始真正经营直播，每天一个主题，他就发现了杨薇的幽默。

好多次宋哲都忍不住笑出来，但又碍着面子压抑了下去。

他感觉看杨薇的直播，像在看相声，就算要他买票，他也是乐意的。

不过，看着看着，宋哲也发现了不对劲。

那个叫“文哥是你哥”的ID出现频率太高了，宋哲心里有些不舒服，过了一会儿，他终于忍不住把高林叫了进来：“你帮我去查查，‘文哥是你哥’是谁？”

高林有些茫然，随后点了点头，片刻后，他还是忍不住说：“那个，先生，其实太太当主播，有几个喜欢太太的人打赏太正常……”

“你的话怎么这么多？”

一听到“喜欢”，宋哲顿时觉得更烦躁了。

高林察觉宋哲情绪不对劲，赶紧离开。等高林离开后，宋哲静静看着屏幕里的杨薇，忍不住勾起嘴角。

他抬手抚摸屏幕，小声说：“还挺好看。”

宋哲从白天看到晚上，眼睛有些酸疼。江淮安忙完公司的事情，带着夏啾啾来医院看他。

听到江淮安过来，宋哲这才关上电脑，伸了个懒腰，看着江淮安和夏啾啾走进来。

夏啾啾一贯不待见他，宋哲淡淡瞟了她一眼，随后笑着和江淮安说："你来就行了，还把老婆带来干吗？"

"啾啾关心你，"江淮说，"就过来看看。"

"哟，江太太还会关心我？"宋哲将手放在脑后枕着，挑眉，"我受宠若惊啊。"

"宋哲，你可闭嘴吧。"夏啾啾终于开口了，声音里带了几分童音，没好气地说，"你这张嘴让你吃的亏还少吗？"

"我吃什么亏了？"宋哲嗤笑，"你脑袋不大，想象力还挺丰富啊？"

"阿哲。"江淮安的声音有些低。

宋哲抬手摆出投降的姿势，忙说："好好好，你们人多，我惹不起，我不说了，行了吧？"

"我不和你说了，"夏啾啾闷声说，"你们自己说去吧！"

说完，夏啾啾转身走了。宋哲转头看向江淮安："公司的事忙完了？"

"嗯。"江淮安应声，"今天给杨薇打电话了吗？"

宋哲僵了僵，江淮安说："昨晚我没给她打，就是想着等你醒了给她打。"

"我给她打电话做什么？"宋哲笑着撩了撩头发，"又不是没人照顾，还指望她？"

"阿哲，"江淮安抿了抿唇，"你别逼她。"

听到这话，宋哲抬眼看向江淮安："什么叫我逼她？"

"我和啾啾聊过了，"江淮安斟酌着开口，"杨薇这次是铁了心要走，她离开后也过得很好。"

宋哲没说话，他垂下眼眸，下意识地将手放在电脑上。

江淮安接着说："你不就是希望她能活得肆意一点吗？"

"我什么时候……"

"那时候你同我说过，"江淮安郑重地说，"你说等你长大了，有了能力，就让她想做什么做什么，想怎么活怎么活。你看着她憋着性子被人压着的样子，就觉得心里烦。”

“她现在长大了，做出了选择，我希望你尊重她的选择。”

宋哲沉默着，脑海里闪过视频里的画面。江淮安知道他在思考，也不说话。过了很久后，宋哲突然说：“哥，你说我这个人，脾气是不是真的很烂？”

江淮安没说话。宋哲抬眼看他：“怎么不说话？”

“你在生病，”江淮安诚实地说，“我怕你被气着。”

宋哲乐了：“你怕我被气着，那你还来和我说杨薇？”

“我知道会气着你，所以我怕再说点实话，雪上加霜。”

宋哲被江淮安噎住了，他确认这位兄弟不是来安慰他的。他叹了口气：“行了，我知道你的意思，你就是怕我找杨薇麻烦呗。”

“我不是怕你找杨薇麻烦，”江淮安实话实说，“我是怕你作死自己。你要把杨薇真的惹毛了，她和你撕破脸皮，你又讨得了好？她当年跟着你妈打理宋家的时间比你还长，她转头投奔了你二叔，我怕你吃不了兜着走。”

宋哲满不在乎地笑了笑。

江淮安知道自己没说动他。宋哲这个人，是他们三个兄弟里看上去最讲道理的，但其实是最不讲道理的。他执拗得不行，说到就要做到。他说了不会放杨薇走，就不可能放杨薇走。

江淮安沉默了许久，才说：“那你之后打算怎么办？”

“就这样呗。”宋哲答得漫不经心，“行了，你也别操心了，我心里有数。”

“阿哲，你问我你脾气是不是不好，”江淮安语重心长，“作为兄弟你很好，可是作为丈夫，你真的不好。”

江淮安看着宋哲：“我实话实说，杨薇和你结婚这三年，换作任何一个女人都忍不下去。你对她从来没有耐心，也不怎么关心她，整天在外面传绯闻，想讨好她就去买点珠宝。可你觉得她缺那些珠宝吗？”

宋哲抿了抿唇，没有说话。

“杨薇是很喜欢你，这一点没错。可是感情会消磨的，你这么消磨了她三年，是个人都会受伤，受伤是需要时间去治疗的。”

“所以呢？”宋哲似笑非笑地看着江淮安，“你什么意思？让我放手，还是其他意思？”

“你该给她愈合伤口的时间。你该尊重她的人生，给她自己选择的权利。她选择离婚，你就不要过多干扰她。这么纠缠下去，太难看。如果你真的喜欢她，应该等她伤口愈合了，你再重新追求她。”

“你放心吧。”宋哲极其厌恶“纠缠”两个字，“我不会纠缠她，也不会追求她。”

“那就好。”江淮安点点头，舒了口气。

宋哲说：“你说的我都明白。”

他垂着眼眸，神色间带了少有的平和：“她就像一只鸟，关太久了，总觉得外面特别好。她要去就去，你一直关着她，她得挂念一辈子。

“她现在出去看看也好。”宋哲嘲讽着，“在外面经历风吹雨打后，就知道当宋太太的好了。”

江淮安静静听着宋哲的话，问：“承认自己对别人好有那么难吗？”

宋哲微微一愣。

江淮安看着他：“承认你想对她好，就这么难？”

宋哲没说话，两人静静对视。好久后，他的目光转向其他方向：“江哥，夜深了，你回去吧，我这儿没事。”

杨薇玩到晚上八点才回家，她去清吧喝了点小酒，一边喝一边跟文哥聊着天。

周文也去清吧喝了点酒，他很少喝酒，随便喝点就觉得头疼。

两人聊着小时候的事，回了家。

倒在床上的时候，杨薇突然说：“文哥，如果我现实中认识你，我们应该会是挺好的朋友。”

听到这话，周文一愣，随后笑了起来，低低应了声：“嗯。”

“文哥，”杨薇深吸了一口气，“谢谢你。等以后我们见面，我一定好好请你吃一顿。”

“好。”周文也没有推辞，“然后我请你坐过山车。”

杨薇把头埋在枕头里笑了。她感觉自己再次充满了能量。明天她就回公司，无论宋哲要怎么样，她都不怕。

第二天早上，杨薇化了一个颇有气场的妆容，企图从外表上给宋哲一点震慑。她准备好了一切，自信满满地来到公司。向维看见她，随意打了声招呼。

杨薇有些疑惑，忍不住抓住向维：“向哥，老板呢？有没有找我？”

“放心吧，”向维立刻说，“老板最近不会找你，你好好直播就行了。”

杨薇有些诧异。她本来以为，按照宋哲的性子，放了那样的狠话，今天她过来，估计就要收到一份解约通知。

难道……

杨薇皱起眉头，宋哲比她想象中更狠，打算不解约，雪藏她？

如果是这样的话……

杨薇冷笑出声，那他们就互相使绊子好了。

谁怕谁啊？

第八章　你不准再和他说话

杨薇警惕地直播了快一个星期，终于见到了宋哲。

当时在大米娱乐办公楼，她刚从电梯里冲出来，就看见宋哲从另一边电梯走出来。

他看上去脸色有些苍白，杨薇匆匆扫了他一眼，也没说话。

宋哲打小身体就不算好，自己又爱折腾，出国那几年把胃折腾坏了，看上去是个身体健康的青年，但时不时就感冒或胃痛，娇气得不行。

杨薇看了一眼，就知道宋哲估计又病了。只是她装作什么都不知道，朝他点了点头，便转身往培训室走去。

宋哲叫住她："站住。"

杨薇没搭理他，继续往前面走。

宋哲皱着眉头说："你等一下，我有话和你说。"

杨薇顿住了脚步。她知道这一天迟早会来，她准备很久了。她捏了捏手中的文件夹，深吸了一口气。其实今天她反而放松了，因为她看出来宋哲病着，所谓"趁你病要你命"，这个时候宋哲来找她谈判，就是给了她优势。

她微笑着转身："好啊。"

宋哲领着杨薇进了自己的办公室。助理倒了茶进来，又带上门出去了。杨薇坐在他对面，双腿四十五度斜放，挺直腰背，看上去优雅从容。

宋哲扫了她一眼，嘲讽着："我是照妖镜还是怎么的，一在我面前就这么装腔作势？”

杨薇顿了顿。

宋哲靠在椅子靠背上，直接说：“你的直播视频我都看了，你爱怎么坐怎么坐。”

杨薇听到这话，点了点头：“既然宋总这么说，我就不客气了。”

宋哲看见杨薇瞬间放松了很多，她一手撑着下巴，趴在桌子上：“你找我打算解约还是怎么样？”

宋哲沉默了片刻，才说：“虽然我们离婚了，但是我母亲是把你当女儿养大的，你就算不是我妻子，也是我的家人。”

杨薇怔住了，她很少从宋哲嘴里听到这么温柔的话。她呆呆地看着面前低垂着眼睛的宋哲。他神色平淡，翻开了她的合同：“所以，我会和你解约，然后给你另外安排一份工作。你想做投资，或者创业、开店，甚至你想要其他什么岗位，都可以。”

他看向杨薇：“但是，主播除外，娱乐圈也别进。”

杨薇没说话，过了好久，她说：“你要解约就解约，违约金付了就可以，不要说这么多。”

“杨薇，”宋哲的声音沉了沉，“我是为你好。”

“我过得很好，不需要你来为我操心。”杨薇一脸平静，“我在做什么，我很清楚，不需要你来为我指点迷津。”

“你就这么自甘堕落？！”宋哲骤然提声。

杨薇静静地看着宋哲，她太清楚他的脾气了，最初好声好气讲话已经是给足了她面子，对于她的“忤逆”，这样发火，才是他宋大少爷该有的模样。

她喝了口茶，没有出声。

宋哲愤怒地说：“你当个主播图什么？你努力这么多年，学这么多东西，就是来做这些的吗？你看看那些进你主播间的人，是来听你说笑话的吗？是来关注你的内在才华的吗？要不是你长了这么张脸，你真以为有谁愿意搭理你？！”

杨薇笑了笑，她垂下眼眸，看着杯子里的茶：“你继续说。”

“有些话我不想说得太难听，”宋哲缓和下来，他也不想和杨薇吵架，“可是别人会说得难听。杨薇，就算你离开了宋家，我也希望你自重。”

杨薇看着宋哲，好久后，她问他：“你觉得小丑低贱吗？”

宋哲一时不知该如何回答，然后就听到杨薇继续问：“你觉得明星不入流吗？你觉得网络小说上不了台面吗？你觉得口水歌降低了格调吗？宋哲，你是不是觉得人生来就该分成三六九等，一个高贵的人，应该生来就自律，看书就看名著，听歌就听古典乐，艺术家和草根有着天壤之别，除了你们规定的，其他都是垃圾？”

杨薇平静地说：“这世上所有的文化作品都可用于精神娱乐——当然，纯粹刺激感官的某些作品除外。人会因为生存环境、文化程度等的不同，产生不同的审美趣味。虽然更高级的作品的确可以引发思考，带来更深层次的愉悦，但是就愉悦人的精神而言，所有作品，有区别吗？”

“他们只是受众的区别。”这是杨薇和宋哲说得最多的一次，“他们服务不同的情景、不同的人，但是带来的精神愉悦是相近的，我为这个职业感到骄傲。对于只活在你们的世界里，只享受所谓的高雅艺术，却无法理解这个广阔世界的‘精英’，我只感到鄙夷。你们的狭隘和无知，令我觉得匪夷所思。”

宋哲皱眉，原本的愤怒被杨薇的话打散了，他的内心无比震惊。

杨薇的语气依旧温和：“我在绝境中感受过别人给予温暖的感觉，我给大家带来快乐的时候，我也觉得很快乐。这是我过去没有过的。你口口声声说你为了我好，可自由是一个人的基本人权，如果连选择一份职业的自由都不给我，谈什么为我好？”

“杨薇，”宋哲深吸了一口气，有那么几分动摇，“你是在和我赌气。那些垃圾说的话你没看见？他们跑来和你说话图什么，你心知肚明，你怎么能睁眼说瞎话？我不是要干涉你的人生，可我不能让你走在一条错误的道路上！解约合同的违约金我今天赔给你，主播这件事，如果你一定要做下去，”宋哲盯着她，突然笑了，“那我只能说对不起了。”

“宋哲，”杨薇看着宋哲，“我们不要把对方逼入绝境。”

宋哲动作一顿，抬起头来，冷冷地看着杨薇，片刻后，他嘲讽道：“你威胁我？”

“我不是威胁你，我只是在陈述事实。如果你不让我在南城当主播，我就到北方去，如果北方的平台不行，我就出国。”

宋哲捏着笔的手一紧，看着面前的人，他意识到，他真的无法再管控杨薇的任何事情。从她要离婚，要离开开始，他就再也无法干涉了。

这令宋哲有些难受，像是心脏被人攥在手里，死死捏着一般，透不过气来。他垂眼，不敢看她。

这是他第一次和杨薇说真心话，他想为她好，这是真的。想让杨薇的路好走一点，别那么难。

她那么优秀的一个人，在那个全是污名的圈子里，图什么？

“杨薇，”他的喉咙干涩，“我不明白。”

杨薇知道宋哲不明白什么，她突然间觉得，或许这一分钟的宋哲，是真想对她好。可宋哲永远是宋哲，他令她最痛苦也最无力的是，他永远不明白，对一个人好，是她想要苹果，就给她苹果。而不是她想要苹果，却硬塞给她一个梨。

杨薇可以原谅宋哲嘴贱伤人，却疲惫于他永远无法低头看一看别人要的到底是什么。

她失去了和他争执的欲望，转过头去：“我只是觉得，我可以因为我不喜欢而放弃一件事，但不应该因为别人觉得我做这件事不好，就放弃这件事。”

“我觉得做主播很好，除非我自己放弃，不然谁都不可以干涉、阻挠。”

这话说完之后，杨薇喝完最后一口茶，起身：“你把解约通知书给我，钱也一起打到账上……”

“等一下。”宋哲深吸了一口气，抬眼看杨薇，“我可以不干涉你。”

杨薇回头，日光落在他脸上。

宋哲捏着笔：“可是你得按照你承诺的那样，当一个做内容的主播。”

杨薇一怔。宋哲扭头，一边给高林发信息，一边说：“你不能化妆，不准穿暴露的衣服，简单讲，你不能把你本身外貌作为吸引流量的资本。如果你能在这个基础上，年终时拿下猫猫平台一姐的位置，”宋哲认认真真地说，“我保证，以后绝对不会干涉你。日后只要你愿意，宋氏集团的资源都会竭力满足你。”

杨薇没想到宋哲会做这样的让步，她呆呆地看着他，只听他继续说道：“这期间我不会干涉平台任何运作，也不会找你麻烦，你的一切资源由你的直属上司分配，我们之间没有任何关联。但相应的，如果年终你没拿下一姐的位置，”他的面色波澜不惊，好像只是在谈一场交易，没有任何额外的情绪，“这证明你不适合做主播，换一条路，别走这条。”

杨薇没有说话。

“现在直播圈里猫猫平台最适合你，它的合同宽松，而且平台流量正在增加。你当初签约这个平台也应该充分考虑过，不是一时冲动。我提的这些条件对你的发展只有好处没有坏处，直播平台不可能是你职业的最终归属，一旦你要往上走，你的形象不能有任何污点。”

宋哲说得没错，杨薇知道他的意思，她本来也是这个打算。

直播平台污名在外，她一个女主播，一旦有任何差池都会被人无限放大，加上她希望别人关注她的能力，所以她的确希望能够无限降低她的性别和长相所带来的影响。

但是杨薇不明白宋哲为什么要帮她。

“你也可以选择拒绝，但你不是这么冲动的人，婚姻也好，感情也罢，都不会影响你的决定。你权衡好利弊，我不会和你解约，这一点你可以放心，但也请你遵守公司规定，配合我们。”

如果宋哲不主动解约，也不违约，而是由她主动解约，那违约金就得由她负担了。

虽然杨薇搞不清楚宋哲的意图，但她还是笑了笑，点头答应：“行。只要你好好当老板，我希望合作愉快。”

杨薇从宋哲办公室走出来时就看见向维在门口晃悠。她有些奇怪：“你在这儿做什么？”

“那个，”向维看了里面一眼，问道，“宋总他……”

杨薇反应过来，她故作沉重地说：“他和我解约了。”

“解约了？！”向维提高声量，一脸震惊。

杨薇捂着嘴笑，向维这才反应过来：“你逗我玩呢？”

“逗你玩呢！”杨薇摊了摊手，“我这样完美的主播，没有任何一个公司会拒绝。”

听到这话，向维露出了嫌弃表情：“你真自恋。”

“因为我天生丽质吧。”说完，杨薇摆了摆手，“回见啦您。”

看着杨薇春风得意地离开，向维舒了口气，转身敲响了宋哲办公室的门。

宋哲听到敲门声，看着杨薇的合同，喊了声：“进来。”

向维进门之后，看见宋哲衣着整齐，面上也没什么情绪，他舒了口气：“宋总。”

“嗯，你来了？”宋哲看向向维，“刚好，有点事要找你。”

“嗯嗯，”向维立刻点头，“您吩咐。”

“就是杨薇这个主播，”一听这话，向维顿时打起了精神，随后就听见宋哲说，“你要注意她的包装方向。她本人条件很优秀，所以你不要降低她的格调。她未来该往主流上走，不要局限在直播这个平台上。”

向维一愣。宋哲的目光移到电脑上：“我会专门调一个影视圈的经纪人来和你一起打造她，资源倾斜度你可以自行安排，除了方向上不要有偏差，其他你只需要定期汇报，我不会过问。”

资源倾斜度任意安排……

向维转了转脑袋，明白了。杨薇现在的合同是B级，宋哲的意思是，哪怕他按照S级去包装也是没有问题。向维不明白宋哲为什么突然给杨薇这么大的好处："那合同需要重新签……"

"不用，"宋哲摇头，"这件事她不用知道，需要另外签合同的时候再告诉她。"

向维更蒙了，点了点头，也不敢多问，就杨薇包装的问题和宋哲聊了一会儿，他才离开。走出门后，他好久才反应过来。

宋哲……他是看上杨薇了？

向维看了一眼宋哲的办公室，想了想，如果宋哲只是追求杨薇，对杨薇也没什么坏处。他心里的石头落下去半分，这才往自己办公室走，打算去了解一下宋哲给他安排的合作伙伴。

和宋哲约定好之后，杨薇才彻底放心。

她在培训室待到下午，晚上就约了夏啾啾和顾岚去吃火锅。夏啾啾一边下毛肚一边问："宋哲没找你麻烦吧？"

"找了。"杨薇果断地说。

夏啾啾愣了，随后立刻站起来："我去找他！"

"别别别，"杨薇赶紧拉着她，让她坐下，"你别去找他。好不容易消停了，你千万别给我找麻烦。他今天给我送人头了，我没吃亏。"

夏啾啾看了顾岚一眼，顾岚正在埋头大吃，抽空回了她一句："她吃不了亏，你别担心。"

杨薇把和宋哲谈话的事给夏啾啾说了一遍，夏啾啾有些蒙，她憋了半天，才说："宋哲这是图什么？"

杨薇耸耸肩："不知道，脑子坏了吧。"

"说不定是被你的能力征服了。"顾岚低头吃着东西，闷声说，"毕竟你看上去是棵摇钱树啊。"

同样是做直播，顾岚的粉丝增长和杨薇完全不是一个级别。她看着杨薇轻松就追赶上她，还是有些羡慕："人和人真的不能比，你看看，你做主播后，简直是风生水起。"

"托你的福。"杨薇笑了笑。

一行人吃完火锅，江淮安来接夏啾啾回去，顾岚和杨薇两个人勾肩搭背一起回家。

夏啾啾坐在副驾驶座上，向江淮安抱怨了宋哲一阵。江淮安静静听着，好久后，他才说："你知道吗，我小的时候喜欢打架，阿哲其实不喜欢，因为他小时候身体不好，长得瘦弱，打架老输。有一次我和隔壁学校的人约架，他劈头盖脸对我一阵冷嘲热讽，当时我就嚷着要和他绝交。我叫了一大堆兄弟去和那些人打架，结果过去后发现对方人更多，好多人都跑了，最后我才发现，只有阿哲和小邑还在我身边。"

"他就一边骂一边陪我一起挨打，从那之后我就知道，他这个人吧，他要是不支持你做什么，他就使劲骂你，劝不住你，他就会陪着你。"

听到这话，哪怕愚钝如夏啾啾，也反应过来了。

宋哲和杨薇说这些，并不是真的在提条件，而是给自己找一个台阶。他想对她好，又不想让人看出来。

宋哲在医院看着杨薇的直播视频就已经犹豫了，但他仍旧抱着为杨薇好的想法和杨薇谈话，也许是谈话无果，又或者是杨薇言语间有什么打动了他，于是他决定退步。

宋哲打小就希望杨薇过自己的人生，又怎么忍心在她迈出步子的时候，断了她的前路？

可是宋哲放不下，也不能低头，只能像个孩子一样，幼稚又无聊地给自己找个台阶下去。

夏啾啾好半天才说出这么一句："你说他这个人……怎么就这么倔呢？"

"阿哲小的时候很乖。"江淮安淡淡地说，"我记得第一次见他的时候，他自己一个人坐在地上玩拼图，虽然不喜欢说话，但很乖巧。他父母都不喜欢说话，都很忙，两个人各自忙各自的事，阿哲和他们说话，他们要么都不搭理他，要么敷衍他。”

“直到有一天，他发现，尖叫比等待有用，讽刺一个人会让对方更快地回应他，于是他就一直这样和父母相处。”江淮安神色平淡，“大家都不喜欢他，他又是大少爷，就只能躲着。别人越躲他，他越希望别人回应。等长大了，他就告诉自己，他不需要这些人的回应，他已经不习惯好好说话了。”

江淮说：“我知道阿哲有很多不好的地方，可是没有人天生是这样。”

“可是，”夏啾啾认真地说，“很多人都会有悲惨的过去，别人能克制，为什么他不能？被他伤害的人是无辜的，我能理解他为什么是这样的人，可我决不会原谅他伤害我。”

江淮安没说话，好久后，他叹了口气：“这大概就是他的可悲之处了吧。”

宋哲不明白怎么去做一个让人喜欢的人，而被他伤害的人，也没有任何理由原谅他。

宋哲从影视公司那边调过来的经纪人来得很快，第二天杨薇到公司时，对方就到了。向维把杨薇叫进去，杨薇一进门，就看见一个长得颇为英气的女人。对方看上去将近一米七五，头发不到耳边，五官精致，看上去有些高冷。

她淡淡扫了杨薇一眼，走上前去，主动伸手：“鄙人姓冷，单字玫，是您的另一位经纪人，以后负责您传统媒体相关的推广。”

杨薇点点头，笑着打招呼：“您好。”

冷玫的名字，杨薇是听过的，冷玫在捧红艺人方面是一流的，但她不知道宋哲为什么会调冷玫过来做她的经纪人。

向维见此，轻咳一声：“这样，我们坐下聊。”

三个人走到会议桌边，冷玫打开了PPT：“来之前我们对杨小姐的综合素质做过评估，您看一下我们的评估是否正确。”

“您整体条件非常好，人设好，所以我们想为您打造一条亲民精英路线……”

冷玫简单介绍了他们对杨薇的打造路线，说完后，她抬眼看向杨薇：“您有什么问题吗？”

“我就一个问题，”杨薇撑着下巴，“你们给我设定的这条路子，要花不少钱吧？”

要设置有格调的人设，许多节目都不能参加，这样会让她失去很多曝光机会，为了弥补这种损失，公司就不得不自己花钱去做宣传。

杨薇不太理解为什么要给一个网络草根主播做这样的包装，尽管她认为，这样的包装更有利于她的长远发展。

“您不走这条路子，”冷玫直接说，“不是浪费了吗？”

杨薇点点头：“是有些浪费。”

“现在你们可以按照你们已有的基调走，每天拍小视频，固定做一个栏目，同时参加《玩转文字》比赛。这个比赛我去问过了，投资方很有实力，应该会做出规模来，希望您能在里面拿到好成绩。”

“我尽量。”

“然后，你们现在主播的内容有点单调，我建议您做户外主播。”

“户外？”

“您若单纯讲段子，或者是表演，做小视频就可以了。我们希望的是，您每个星期的直播里能专门做一期户外表演性的 talk shows（脱口秀），或者是 stand-up comedy（单口相声）。您每次可以挑选一个话题，话题最好蹭个热点，比较容易引流。比方说……”

冷玫突然想起来：“ 您喜欢哪个明星？”

“周……周文？”杨薇不明白冷玫为什么突然这么问。

冷玫点了点头：“比方说，您可以直播一次去给周文接机，或者看周文演唱会之类的，以他影迷的身份，然后在过程中尝试和他的粉丝互动，将直播变成一个有笑点的 talk show。”

脱口秀和单口相声的最大区别，其实脱口秀是互动类的节目，而单口相声则是单人表演，但比相声更具有互动性。

冷玫给杨薇提出的要求，早就超出了这两者，因为这两种表演至少有稿子，她却要求杨薇在没有排练、没有剪辑的情况下，去和陌生人搭话，制作一场节目。

杨薇沉默了一会儿，才说：“我可以试试，但我怕我没有这个能力……”

“您可以。”冷玫盯着杨薇，认真地说，“您可以做到，杨小姐。”她的声音诚恳，“没有任何事是一蹴而就，请您相信您的能力。”

冷玫的目光平静而笃定，杨薇深吸了一口气，点头说道：“好，我可以试试。”

“那我安排一下您的行程，”冷玫抬头看了向维一眼，向维反应过来，赶紧点头，冷玫继续说，“从今天开始，杨小姐白天就去街上做采访，预计十天，等效果出来之后，就开始插到直播里，每周一期。其他一切照常。十天后开始正式运作，保证杨小姐每周小视频制作一到两分钟，段子小视频投放三到五个，十分钟以上栏目每周一个，生活随意直播五个，户外节目一个，周一停播一天。所有节目，我们会安排写手和您一起创作节目内容段子，户外节目您需要任何帮助也可以尽管提。”

听完后，杨薇呼了口气。这么密集的内容输出，让她有点头皮发麻。

她点了点头：“我还有一个问题。”

“您说。”

“我想直播去给周文接机，您能否告诉我，我什么时候能给周文接机？”

杨薇只是开个玩笑，没想到冷玫短暂的失神后，点了点头：“我会帮您查的。”

杨薇顿时发现，比起向维，冷玫太优秀了。

冷玫最后和杨薇确认了几个问题，杨薇就回去准备晚上的直播了。

等杨薇走了之后，向维叹了口气："冷小姐，您对薇薇真有信心啊。"

"不是我有信心。"冷玫低头收拾着东西，"是有人和我说过，她有无限潜能，我相信那位的眼光。"

向维突然想问，这人不是宋哲吧？但转念一想，他就觉得不可能，哪怕只是短暂相处过，他也确定，这个人绝对不会是宋哲。宋哲的脾气太大了，绝对说不出这种夸人的话。

杨薇回家换了身睡衣，就开始直播。

大家都有些奇怪。

"主播今天素颜啊！"

"素颜也这么漂亮，美炸了！"

杨薇一边喝水，一边和大家闲聊。她已经习惯这种唠嗑式的直播模式了，除了开头的每日新闻播报，接下来就是和观众互动，分享一下生活。

她这样的主播和其他主播比起来是有些吃亏的。比如说稳坐一姐位置的姚美，直播风格就很甜美。她唱歌很不错，和专业人士比起来虽然有一些差距，但声音、颜值都在线，又会撒娇讨巧，有几个固定爱慕者，于是她的直播间一向很火。

相比之下，杨薇的直播就太"素"了。哪怕有一张无滤镜也秒杀姚美的脸，但她不会甜甜地喊哥哥，经常一套兔子睡衣就出镜，直播风格更像是闲谈，虽然说话有趣，但是很难让人产生其他念头。

和人类猎奇、追求刺激的天性比起来，欣赏精神文明的群体始终要小一些。

但好在，杨薇虽然没能留住最初那批人中的大多数，却逐渐从外界吸引了许多人过来。他们都是被杨薇的短视频吸引过来的，来了之后就不太想走。

杨薇的直播呈现出了一种特殊的"慢"节奏，风趣中又让人感觉格外安静，好像秋日午后干净的阳光，懒懒的。

做家务的时候、躺在床上无聊的时候、开车的时候……看着她的直播，又治愈又好笑。

宋哲以前不太理解直播有什么好看的。

他们这些投资者，能从各种数据中看出这个行业的发展状态，他清楚地知道这个行业的性质以及未来，却很难真正作为用户去体验。可自从他在医院里看过杨薇的直播后，他就发现，等他夜深人静时从公司下班回家，居然莫名其妙有点……想打开杨薇的直播。

第一天晚上，宋哲有些挣扎。

他也有自己的骄傲，杨薇既然已经彻彻底底宣布不要他了，他就觉得自己也没有那么喜欢她了。她要当主播，他给资源，他是看在赵阳兰的面子上。她是赵阳兰像养亲生女儿一样养大的，就算离婚了，他也不能让她被人欺负。

帮助她有理由，那么偷偷摸摸去看她的直播算怎么回事？他有这么贱吗？

宋哲左思右想仍是纠结，只好把武邑叫上线打游戏。打着打着，看时针指到十点，他突然反应过来——作为大米娱乐的新老板，他应该充分了解自己旗下产业的产品。

这个念头让宋哲理直气壮起来，和武邑说了声“不打了”之后，便起身去了电脑前。他快速打开猫猫平台，在继续借用高林的账号和注册账号之间犹豫了片刻后，他选择注册账号。他想了想，取了一个十分可爱的名字——猫大侠。

宋哲想到自己要用这种名字，一瞬间感觉有些羞耻，但内心又很高兴，有一种悄悄干坏事的兴奋感。

宋哲注册好之后，就为自己充了高级会员，又进了杨薇的直播间，直接充成了直播间里的钻石会员——高级会员中最高级的一种。

这种会员只要一进入直播间，屏幕就会撒花，然后用闪光的超大字体提醒：“猫大侠进入房间啦。”

按照公司的不成文规定，这个时候主播必须念出对方的名字表示欢迎。

于是宋哲进入房间之后，就看见屏幕上五彩斑斓，各种撒花，杨薇清冷地说："欢迎猫大侠进入直播间。"

瞬间，宋哲心中突然产生了一种羞耻且难以言喻的满足感。他突然就明白那些宅男为什么特喜欢往直播里充钱了。

土豪猫大侠引起了杨薇的注意。

这种独属于一个房间的钻石会员价格很高，必须充值一万元才有这种特权，她的房间里之前就文哥一个钻石会员，而这个猫大侠，杨薇确定自己是第一次见。

于是杨薇忍不住询问："猫大侠，你是谁的小号吗？"

宋哲很想保持冷漠不回答。可是他的手不由自主打了字："不是。"

这个"不是"一发送出去，十分闪耀醒目，与众不同。这一分钟，宋哲觉得这个平台的设计很好，要给项目经理加工资。

宋哲的虚荣心得到前所未有的满足，一想到在自己打出的这个"不是"，杨薇眼里独一无二，他就忍不住勾起嘴角。

杨薇看见这个"不是"有些奇怪，现在的钱都不是钱吗？她忍不住笑起来："你一进我的直播间就充成了钻石会员，我还以为是谁的小号呢。"

"不是。"宋哲还是回复这一句。

杨薇也不纠缠："不管怎么样，欢迎你来，希望友好交流，和谐沟通。"

宋哲应了声："嗯。"

杨薇继续和大家闲聊，说一些自己见过的趣闻。

其实杨薇过去去过的地方并不多，见过的人也不多，她的世界很小，小到回忆起来，全是宋哲的影子。

所以她总是不经意说到宋哲，但说的时候，她又小心翼翼把他变成其他人。

杨薇一说，宋哲就想起这些事，他才发现原来她的记忆力这么好，他说过的每一句话，做过的每一件事，仿佛都被她记在了小本本上。

“其实我觉得，休闲的时候来一杯‘快乐肥宅水’，简直快活似神仙。我也会看其他人的直播啊什么的，喝着可乐看特别有意思。”

“胖不死你。”宋哲在电脑屏幕前嘲讽，然而过了一会儿，他去冰箱里拿酒时，看见旁边角落里几乎没动过的可乐，竟鬼使神差地拿起了可乐。

回去的时候杨薇正带着粉丝打游戏，可乐摆在她手边，她趁着死亡的间隙，端起来喝了一口，随后想了想，笑着说：“来，我们碰个杯。”

看见杨薇笑着把可乐举到电脑面前，宋哲也不由自主地把可乐碰到屏幕上。

然后他听见杨薇高兴的声音：“Cheers（干杯）！”

那一瞬间，他心里被喜悦填满，忍不住弯起嘴角。

“傻。”宋哲说。然而当他喝下一口可乐，他想了想，突然觉得，这可乐简直糖分超标。

他笑着又喝了一口，这个时候，直播间里突然想起了鼓掌的音乐声，随后宋哲就听见杨薇欢快地说：“欢迎文哥来到直播间。”

宋哲一口可乐差点喷出去。

他赶紧凑到电脑面前，看见一个同样是钻石会员标志的ID“文哥是你哥”出现在粉丝列表中。

正在观看直播的粉丝会按照会员等级依次显示。宋哲发现，他的账号原本就在杨薇的账号下面，现在此人一来，就直接把他挤下来了，隔在他和杨薇中间——因为“文哥”是这个房间时间最长的高级会员。

一股无名火直冲而上，宋哲脑海里第一个想法就是——充钱！他要成为杨薇直播间里最特殊的那一个！

当宋哲寻找充钱页面的时候，就看见文哥用潜水艇刷满了杨薇的直播间，随后一句闪亮的“今天来晚了，有没有因为金钱而想我？”在屏幕上闪过。

杨薇直播间里的粉丝黏度比较高，许多人都已经熟悉了文哥，知道文哥是在开玩笑。宋哲看见这句话顿时怒了，他准备骂这个流氓，字还没打完，就听见杨薇笑个不停：“想，我特别想念您的大方。”

宋哲愣了一下，明白了。他立刻把自己打出来骂人的字删了，开始给自己充钱。不就是钱的事吗？

宋哲一次性充了十万，然后用飞船刷满了杨薇的直播间。

飞船是猫猫平台最贵的礼物，所有人都被他的举动震惊了。

杨薇整个人都是蒙的，片刻后，她就看见屏幕上闪烁着一句话——以后我给你送礼物，你不准再和他说话。

那一瞬间，她感觉到了几分熟悉的智障气息。

这个人虽然说话很幼稚，但是思路和宋哲如出一辙。宋哲对他认为拥有所有权的“东西”，无论人或物，都有着极强的占有欲。他们小时候他就不乐意她和别人说话，更不乐意她和男生说话。这种话他虽然没有直接说过，却用行动表现过无数次。

于是看到这句话的时候，杨薇觉得仿佛是少年版的宋哲出现在网上。

在杨薇沉默惊讶的时候，屏幕已经刷爆了。

“哈哈哈，这个人是从幼儿园出来的吗？还不准和其他人玩……”

“小朋友你是不是用妈妈账号登录了呀？不要随便充钱给主播带来麻烦哦！”

“不行，我快被这个小朋友笑死了……”

看着这些弹幕，宋哲突然有种莫大的羞耻感，他这才意识到，自己打出去的那句话的确很像小学生……

他绝对不能让任何人知道猫大侠是他，这辈子的脸面都在这一刻丢尽了。

宋哲不说话了。杨薇看着弹幕，顿时有了一种可能真的是一个小朋友受到伤害的怀疑。她轻咳了一声，赶紧换了语调，温柔地说：“猫大侠，你是不是用妈妈的账号啊？”

“不是，你放心，我不是未成年。”

宋哲有种气出不来又憋不回去的感觉，他一边回复，一边认真思考——他在这儿受什么罪！直接离开这个直播间，关了屏幕，他该做什么做什么。

但一想，又不对啊，他走了，谁盯着杨薇和文哥？这个文哥一看就不是什么好东西。

想到这里，宋哲觉得，他不能走，他不仅不能走，他还要盯在这里，阻挠杨薇和文哥互动。他要让杨薇知道，这些男人都不是什么好东西，全部是用下半身思考的坏人。

看到这个猫大侠不是未成年，杨薇放心了一些。她继续闲聊，猫大侠也安静低调了很多。文哥也不是多话的人，于是一晚上相安无事过去。

宋哲把杨薇的直播投影到墙上，一边看一边工作。

杨薇说话的声音舒适又温和，咬字都很清晰，带着一种无声的力度，能引人往她想要的方向走。

每个人都可以讲笑话，但不是每个人都讲得好。有些人生来就是演说家，杨薇就是这样。她的言语本身就带着目的，同样一句话，她用不同的语气，不同的停顿时间，甚至是轻微的声调改变，都会带来截然不同的感觉。

宋哲听着杨薇的声音工作，停下来时就会不由自主地回想，他们还在上中学的时候，杨薇也这么能说吗？

初中的时候他们一起上课，他是她同桌，放学了去补习班，他的桌子也挨着她的桌子。

杨薇总是怯生生的，不太敢和他说话。平时他睡觉，她写作业，老师来了她才会紧张低喊："宋哲，别睡了，赶紧起来！"

她好像没那么多话……

再仔细一想也不是。在课堂上、补习班，有人的时候，她是没那么多话，因为她知道，他不喜欢她在人前和他表现得太亲近。

可是只有他们两个的时候，杨薇的话很多。但她不是一直说，只是试探性地说几句，见他不搭理，她的胆子就越来越大，然后一个人叽里呱啦说很久。

班级里传出来的各种小道消息、谣言、绯闻，杨薇都一清二楚，和平时人家印象里那个好好学习、不苟言笑的她一点都不一样。

那时候宋哲就特别喜欢杨薇这种样子，他很享受这样的杨薇只有他知道的感觉。她说话的时候，他就在旁边打游戏。她一般都在帮他抄作业，一边抄一边嘀咕，他听得不耐烦了，就会说："哎呀，你别说了，赶紧写完我带你打游戏。"

杨薇一听就来劲，赶紧写完作业，走到他旁边，两个人靠着床坐在地毯上，她看着他打，好像自己在打游戏一样。她一紧张就话多。

"打打打，快打它！"

"哎呀，你好厉害！"

"宋哲你这个操作好棒啊！"

杨薇习惯按时睡觉，他打游戏打得晚了，杨薇有时候就会睡过去，头往他肩膀上一靠，他就顺手从旁边抓条毯子盖在她身上，然后继续打。

只是没有人加油的游戏有点无趣，打一会儿他就觉得累了。有时候他高兴，就会让杨薇再靠一会儿，自己偶尔也会轻轻把头靠在她的头上。

宋哲很喜欢那一刻的感觉，他会觉得，自己的内心温柔又满足，他们两个人好像在一条漂泊的船上，两个人紧紧相靠，互相慰藉。

这些都是年少时的生活琐事，他以前在国外的时候偶尔会想起来，但那时候年轻，想起来时愤怒和不屑大过怀念。后来结婚，她天天在身边。一个人在身边久了，就会变得像空气一样，没有任何分量，也难以察觉。

这是宋哲头一次在杨薇离开后，回忆年少的事情。

宋哲觉得杨薇有几分温柔，沉浸在回忆里好一会儿，等一回头，看着屏幕上的杨薇在为大家直播学尤克里里的时候，他愣住了。

他突然觉得有什么涌出来，那种情绪让他觉得胸口闷。他像一条生活在鱼缸里的鱼，有人一点点抽走鱼缸里的水，他似乎意识到了，又不知道这到底意味着什么，当水降到他的鼻尖下，他开始恐惧，他低下头，拼命地往水里钻。

不然他能怎么办呢？他抢不走那根抽水的管子，也留不住那个人。

杨薇直播结束的时候，宋哲还有些茫然，他就呆呆坐在书房里。过了好久他才站起来，鬼使神差地去了杨薇的房间。

他们结婚以后，杨薇就搬进了他的房间，杨薇的房间就变成了一个每天打扫的博物馆，它展示着杨薇嫁给他前所有的故事。房间里面大多数是书，柜子里还有一些她没长个子时的衣服，此外，还有她的笔记本、她画过的画、拍的照片。

宋哲打开抽屉里，看见了一个游戏机，那个游戏机是他年少时候玩过的。杨薇有段时间不满足只看着他玩，想学着和他一起玩双人，他一直以为她就是说说而已，现在看到这个游戏机，他才发现，这个人真的在偷偷练习。他忍不住笑出声来，手轻轻拂过那个游戏机。

宋哲突然特别想给杨薇打个电话，想和她说，回来吧。

然而这句话他说过两次了，他不允许自己再说第三次。于是他就坐在杨薇的房间里，翻看她的笔记本，就这么安安静静地看了好久。

杨薇第二天就按照冷玫的安排，上街去做采访。宋哲得到消息，让高林空出三个小时，单独开车过去，远远地看着杨薇在路边做准备。

冷玫和向维跟在杨薇后面，手里拿了个 DV（数码摄像机），杨薇拿着话筒，有点紧张。冷玫和她聊过，如果想做搞笑类节目，除非特殊效果，不然尽量亲民一点，尤其是她这种长相。

一个人长得越精美、越漂亮，越容易有距离感，距离感是幽默的一大阻碍，和搞笑更是背道而驰。女性做搞笑类节目本就处于劣势，同样的话、同样的举动，男性说出来、做起来叫幽默，女性说出来、做起来就是不讨喜。

一个美女，可以性感，可以美丽，可以清纯，可一旦尝试搞笑，只要一不注意，就会变 low（低端）。low 就算了，最可怕的是，又 low 又没意思。

美貌是一种优势，但在某些特定环境下，也是一种劣势。

大家会把目光聚集在这个人的长相上，很难去关注内容。

所以杨薇今天没有化妆，穿了套休闲装，看上去非常像个学生。

杨薇今天和别人互动的主题是“你妈假期怎么对待你”。她站在路边时候感觉有些紧张，旁边冷玫拍了拍她的肩膀，说：“去吧。”

杨薇深吸了一口气，拿着话筒，下意识地扬起优雅的笑容，往路边那个人走去，开口的第一句就是：“你好……我……”

对方一句话没说，就走了。

杨薇的笑容僵了僵，继续找下一个：“你好……”

这次是个年轻的小伙子，对方看了她一眼，目光在她脸上顿了顿，随后说：“不好意思，我有点忙。”

被拒绝了几次后，杨薇终于遇到了一位大叔。对方停下来和杨薇说话，一开始挺和善的，听到杨薇是个主播后，一双眼睛就一直往杨薇身上瞟。杨薇捏着话筒有些生气，想把话筒直接砸在这人脑袋上，可又不能，于是她保持微笑说了句：“不好意思，到时间了。”随后往回走。

那个男人追了上来，跟在杨薇身后笑着问：“美女，你是做主播的啊？你在哪个直播间啊？我听说你们这一行收益主要靠礼物是吧？你这个价位一般要多少……”

他的声音很大，周边人都停了下来，所有人都听出了大叔话里的意思。杨薇停下脚步，她捏着拳头，气得整个人都在发抖。

旁边向维扛着 DV 对杨薇说：“走了，别和这种人说话，你吃亏。”

对方看见杨薇停下来，顿时笑得更灿烂了：“我知道，你们这些主播嘛……”

“喂！”这个男人话没说完，一个带着笑意的男声就响了起来。所有人循声看过去，就看见一个穿了一身米色休闲西服的年轻帅气的男人，双手揣在裤袋里，靠在墙上，一只脚抵在花坛上，似笑非笑地说：“老头，你这么跟在别人后面的样子，好像条狗哦。”

听到这话，那男人的脸色顿时就变了。旁边有了笑声，那男人涨红了脸：“小兔崽子……”

这时候，旁边的冷玫叫了一声：“宋总。”

向维也赶紧扛着DV过去，露出谄媚的笑容：“宋总。”

那男人听到这话，虽然不知道两人口中的“宋总”是谁，但也意识到这个人似乎不是他能招惹的。他憋了半天，冷哼了一声，转头就走。

宋哲冷冷地瞥了他一眼，转头朝杨薇看过去，发现杨薇挺直了脊梁，紧捏了拳头，背对着他，一言不发。

如果说刚才心中满是遇到流氓的愤怒，那被宋哲看到的这一刻，就是一种说不出的难堪。

杨薇不想宋哲看见自己落魄，也不愿宋哲看见自己的失败。她可以在自己朋友身边默默舔舐伤口，却不愿意让宋家任何人看见自己的挫折和受伤。

宋哲看着杨薇的背影，一时无言。片刻后，他向维和冷玫挥挥手，走到杨薇身后。

“我让你不要做主播，”他嘲讽着，“这次信了吗？”

杨薇没有搭理宋哲，一路往前走去。他跟在后面，慢悠悠地说：“你可以放弃的，杨薇，你去做其他事都挺好的。你做这件事对你一点好处都没有，对你来讲，它赚钱不是最快的，甚至你的形象都会被它毁掉。”

“你想想，你一个高才生做这事，没有人会理解，别人只会觉得，啊，这人得混得多差，才会来干这一行？”

“那么多年书白读了，那么多努力也白费了。你早说你要做主播，你那么费劲读这些书干吗？你不行的，你没天赋，你也做不了这事，别白费力气了。”

“那早知道我要嫁给你当个宋太太，”杨薇终于听不下去了，停住脚步，冷着脸说，“我又这么费力这么优秀干吗？”

杨薇回头，红着眼，咬着牙，大声说：“让你养不就够了吗？！”

宋哲脚步一顿，想安慰杨薇，然而面对她的大吼，他下意识地就想反击：“你以为我什么人都养？要我养也要看你配不配！”

杨薇不说话，她剧烈喘息着，好久后，她嘲讽地说：“对，我不配。”

“宋哲，我告诉你，我读书，我考大学，我争取去最好的学校、学最好的专业，从来不是为了找一份好工作，或者为了以后好好赚钱。人一辈子，你读什么大学、什么专业和你最后去做什么没有关系。教育最大的作用，就是教我们怎么学着做人，过好自己的人生。宋哲，”她的声音渐渐低下来，“我请求你，做个人吧。做人的第一步就是，管好你自己，少管别人闲事！”

说完，杨薇走到路边，拦了一辆出租车，扬长而去。

宋哲站在原地愣了好久，才低声骂了一句。他觉得自己该走了，可是又觉得，或许他该追上去，说一句“对不起”。

杨薇坐在出租车里，心中翻涌着一开始被路人拒绝的尴尬，遇见那个男人后无可奈何的愤怒和恶心，脑子里回荡着宋哲说的那些话。

“你没天赋……”

“你不行……”

“要我养也要看你配不配！”

努力是因为焦虑，自傲是源于自卑。

杨薇骨子里始终带着某种怯懦，让她在面对失败时十分敏感。宋哲永远能精准地找到她最大的弱点，然后不留余力地打击她。

杨薇咬着牙，眼泪忍不住流下来。

这时候周文刚刚拍完戏休息，给杨薇发了信息。

“今天怎么样？”

杨薇看见这话，不知道为什么，铺天盖地的委屈席卷而来，她颤抖着手想打一个“好”，却怎么都打不出来。眼泪落在屏幕上，她又抹开。

周文见杨薇好久不回信息，一直在输入，就觉得情况有些不对。他想了想，拨了一个语音电话过去，杨薇正在擦屏幕，不小心按下了接听键。

周文听见电话里传来杨薇轻微的哽咽声，沉默了一会儿，他问：“薇薇，怎么了？你和我说。”

“文哥……”杨薇颤抖着声音，“我是不是，是不是不适合做主播？我是不是什么都做不好……”

周文没说话。

杨薇带着哭腔：“我好努力了，我还是感觉好难，可我又不想认输。我想做一件我喜欢的事情，为什么要有那么多偏见？为什么我做不好？”

“他说我不行……”杨薇抽噎着，“他总说我不行，说我不好……”

“薇薇，”周文安慰杨薇，“这世界上每一件事都很难，任何人想要完成一个目标，都很难。从来没有谁行不行，只要你去做，从你决定做的那一分钟开始，你就行。”

“谁说做什么一定要有结果？你喜欢一个人，就一定要有一个结果吗？你喜欢做一件事，就一定要有结果吗？人这一辈子，喜欢一个人就拼命去喜欢，喜欢做一件事就努力去做。从来没有什么行不行。”

杨薇听着这些话，眼泪拼命落下，她咬着牙没出声。

周文叹息着：“薇薇，失败并不可怕，你只是因为……你一直力求自己在一个人面前表现完美。你在你前夫面前失败了，对吗？”

“你无法容忍自己在他面前失败，你面对他时会不由自主地感到压抑和害怕。可你得面对他，跨过你心里的那道坎。他和常人没有任何不同。如果有一个普通人和你说这样让你伤心的话，你会做什么？”

杨薇没说话。

好久后，她深吸了一口气，说道：“我明白了。谢谢你，文哥，我知道我要做什么了。”

杨薇挂了语音电话，对出租车司机说：“师傅，麻烦你掉个头回去，快一点！”

师傅点点头，开着车带着杨薇往回走：“小姑娘是主播啊？是不是受欺负了？”

“嗯，”杨薇应声，“我是做搞笑主播的，但大家总是误会我。”

“正常啊，”师傅笑着说，“在好多人心里，行业就分三六九等，我们也经常受欺负。可人过一辈子，这都是经历，要一辈子顺顺坦坦的，又有什么意思？小姑娘，”师傅回头说，“好好干。”

杨薇听着他的话，破涕笑开。下车时候，她温柔地说：“师傅，你也好好加油啊。”说完，她关上出租车门，看见宋哲还站在原地。

宋哲看见杨薇，她脸上还带着眼泪。他愣了片刻，就看见她大步朝他走来。他用尽了所有力气，才艰难出声：“刚才我说的话，对……”

那句“对不起”还没说完，杨薇就一巴掌狠狠地抽在了宋哲的脸上，清脆又响亮，似乎是用尽所有力气。

疼痛让宋哲脑袋一蒙，然后他听见杨薇说：“宋哲，我不管行还是不行，都轮不到你来说三道四。我喜欢做这行我就做，我做得好，做得不好，都与你没有关系。年底之约结束之前，麻烦你不要来找我。如果你下次再对我说这种让我难过的话，这一巴掌，我还要打。”

“戳人刀子的话我不是不会讲，可这么多年来我从来没对别人说过，别人也不会随便说。你以为大家傻吗？大家都没你聪明吗？”

“不是，是因为我们知道，一个人活在这个世上，就要尊重别人，考虑别人的感受。恶言和刀没有区别，没有谁会忍耐你一辈子。我从来不对别人说重话，这一次，我要对你说一遍。”

“宋哲，”杨薇看着宋哲，言语比刀还锋利，“你这样的人，活该被所有人讨厌。”

宋哲的脑袋仿佛被什么东西撞击了一般，杨薇的声音还在继续：“不管你付出多少，不管你在背后多么努力，不管你有多在乎别人，你这样的人，总会被人讨厌。所有人都讨厌你，你看看除了江淮安和武邑，谁还能忍受你！如果你不是阿姨和叔叔的儿子，他们也会烦透你，就连我——”

“你闭嘴！”

“也讨厌你。”

话音落地，宋哲呆呆地站在原地。

杨薇捏着拳头，心跳得飞快，可她还是逼着自己说下去：“我讨厌你幼稚，你自私，你恶心。你不尊重别人，也不懂顾及他人。你这样继续下去吧，早晚有一天，所有人都会离开你。你越占有，越想要，越容易失去。”

“都离开又怎么样？”宋哲艰难笑起来，苍白的脸上挂着难看的笑容，“我在乎吗？我不在乎。随便你，随便你们。你们全走了也无所谓，我自己一个人也可以过得很好。你以为我很闲吗？我很忙的！和你们在一起，我还要花时间，你以为我很乐意？我如果寂寞了，也有很多朋友啊。对对对，他们都是为了钱，他们都不是真心的，又怎样？！”

宋哲退了一步，红着眼眶，掷地有声：“我不在乎！我过得很好，没有你，没有你们，我也会过得特别好！”

杨薇没说话，她静静看着宋哲。

头一次，她发现，她赢了。面对宋哲的时候，她从未如此从容，在这一场对抗里，她赢了。

杨薇松开了拳头，呼吸逐渐平稳，眼泪干在脸上。好久后，她轻笑起来。

“别活得这么可怜。”她平静地说，“阿哲，一个人如果太晚成长，会很疼的。”

宋哲咬着牙没说话。杨薇叹了口气，转身离开。

宋哲看着杨薇的背影越来越远，骤然觉得有种惶恐涌了上来，他追上去，大吼：“你说谁可怜？你凭什么说我可怜？你有资格说我可怜吗？！”

杨薇拦了一辆出租车，拉开车门坐了进去。宋哲追来，大声喊：“你别走！你给我停下！”

车子跑了起来，宋哲追在车后，嘶吼：“杨薇，你停下！你别走！”

然而没有得到任何回应，杨薇没有停留。

宋哲站在原地，有些焦躁地将双手插在头发里，来回踱步。眼泪被他憋回去，他急促地呼吸，逼着自己笑。

“什么人啊！”他笑出声，“这算什么重话？谁在乎啊！”他掏出手机来，颤抖着手拨通杨薇电话。

杨薇看着宋哲的来电，几秒后，她挂断了电话，把他拉进了黑名单。

宋哲又连续拨打两次，都是忙音，他的动作僵住了。他站在人来人往的大街上，听着周边的人小声议论着他，耳边是清晰的忙音：“嘟——嘟——嘟——”

杨薇一定是在和别人打电话。没事，那他坚持打，就这么打下去。

他站在街头一直给杨薇打电话，过了将近半个小时，高林赶了过来，焦急地说：“先生，您今天约了赵总吃饭，现在得过去了。”

宋哲不说话，点点头，跟着高林上了车，然后开始给手机充电。他很平静，一直在打电话，不停地打。

高林察觉到宋哲的异样，终于忍不住问了一句：“先生，您给杨小姐打电话，是做什么呢？”

“我刚才有句话没说完。”

他还有句“对不起”，没有说完。

杨薇打完那一巴掌，坐车回去的时候，整个人都在颤抖。她却有一种解脱的快感。

她感觉这一巴掌她好像忍了很多年，又觉得这一巴掌似乎是种结束。她坐在出租车上，忍不住笑出声来。

回到家以后，她洗了把脸，晚上照旧开直播。

她和人闲聊今天除了宋哲之外的事，分享一些感受。屏幕上许多人在和她说加油，鼓励她，让她别害怕。

然后杨薇就看见那个叫猫大侠的人用飞船刷满了屏幕。

“你很好。”他说，“你加油。”

杨薇愣住了，接着她就看见这个人用一秒一条的特权，一直刷：“你超级好。”

“你特别棒。”

“你很优秀。”

“你独一无二，你肯定能做到你想要的。”

杨薇愣愣地看着屏幕上一条一条闪亮的弹幕，这个人太笨拙了，他的词汇太贫乏，来来回回就是那么几句“你很好”“你很棒”。

尽管是这么朴实的话，她却感觉自己以往的人生中听过的总次数，都没有现在听得多。这个人的话刷满了整个屏幕。

所有人都开始跟着他刷，像复读机一样，一眼看去，屏幕上全是鼓励的话。

杨薇忍不住笑了，眼眶有些红。

“我说你们，”她的声音有些沙哑，“要不要把我搞得这么感动？”

“好啦，好啦。”杨薇抬手让大家停下来，随后说道，“来来来，我们做点开心的事，我给你们唱首歌吧？”

杨薇将自己的尤克里里拿来，抬头看向屏幕：“猫大侠，你想听什么？”

宋哲没说话，只是呆呆地看着镜头前的人。他突然发现，她已经好久没这么对他笑过了。

杨薇见猫大侠没反应，就说：“我给你们唱歌《小情歌》好了，甜一点。”

说着，尤克里里质朴的音色从电脑里传了出来，宋哲静静望着电脑里的人，目光挪不开了。

宋哲突然发现，其实这么静静地看着杨薇，也挺好。

直播完毕后，杨薇慢慢平静下来，她开始认真思索白天的事情。

除了最后那个大叔以外，今天所有人都拒绝了她，这是为什么？

杨薇把许多街头访谈类的节目翻出来，给自己煮了一碗面条，一边吃一边看这些人怎么在街头做互动。

她发现所有做得好的互动都有一个非常重要的特质：接地气。

控场的那个人总能一瞬间融入群体，形成无差距的氛围，让气氛变得欢乐起来，从而让人忽略这个人的性别。

杨薇想到自己最开始的几次搭讪，她太认真，也太疏远了。而她的紧张也强化了她的女性气质，使氛围越发难以掌控。

她不能紧张，她需要学会在街头控制一个“场”。她不能害怕被人拒绝，她也不能怕失败。

第二天冷玫来找杨薇的时候，她突然说：“冷姐，我想一个人去。”

冷玫愣了一下。杨薇说：“我想去找点感觉，你让我一个人去试试。”

冷玫看着杨薇，片刻后，抬手在她的肩膀上拍了拍。

杨薇这次选择了晚上，她穿着一身宽大随意的休闲衣服，这衣服完全看不出任何曲线，然后背了音响、话筒，戴着一顶不伦不类的小帽子，来到了人来人往的广场。广场上有许多卖艺的人，唱歌的、跳舞的、翻跟头的、耍猴的都有。

杨薇四处看了看，找了个偏僻的位置把东西放下来，接着她拿着话筒走出去。

一开始她有点紧张，像背书一样，哪怕是很好笑的段子，也完全说不出那种感觉。

行人来来往往，偶有人看她一眼，眼里似乎带了几分嫌弃，大约觉得有些吵。

但杨薇没停，她坚持说，不停地说。她把嗓子都说哑了，但是，没有任何人为她停下。

第二天杨薇把直播时间改成了白天，说话的时候一直在清嗓子。宋哲一边处理事物一边听她的直播，最后忍不住了，打字问了句：“怎么一直清嗓子？嗓子坏了？”

杨薇无语。能把关心的话说得像骂人一样，也是种本事。

不过鉴于猫大侠是她的金主，平时人也挺好的，加上她被宋哲锻炼出了强大心脏，也就没有在意。她喝了口水：“我昨晚去广场卖艺去了，给路人说段子，嗓子都说哑了。”

“有没有收获？”

“是不是超多人拜倒在你的魅力之下？”

“我家宝宝是最棒的！”

屏幕上的话让杨薇有些尴尬，她敷衍着点头。

快到下班时间，宋哲低着头对高林说：“问问冷玫杨薇的行程。”

宋哲这句话好像是随口吩咐，但高林完全能想象出他内心经过了多么剧烈的挣扎。

高林赶紧点头去办事。没多久，高林就回来了：“今晚七点半，太太会到盛兴广场表演。”

“嗯。”宋哲点点头，没有再说话。

高林心领神会，赶紧说：“先生，今天晚上您没有行程安排，可以回家好好休息。”

“我知道了。”宋哲应了声，继续看着文件。等到五点半的时候，宋哲偷偷出了门。

高林拿着需要宋哲审批的文件去找他，看见办公室空荡荡，他看了一眼时间，忍不住给宋哲打电话：“先生……”

“现在五点半了，”宋哲的声音听上去有些低沉，“我们公司五点半下班。”

高林的嘴角一颤。他入职以来就没有五点半下过班！而且现在刚到五点半，也太准时了一点……

“先生，合同……”

“我下班了，明天来签，你把合同拍照发给我。”

高林深吸一口气，说：“好的，祝您看太太表演愉快。”

“嗯，我知道……”话没说完，宋哲就顿住了，一种被人看透小心思的尴尬涌上来，他怒喝一声，“谁和你说我去看她的？！我只是下班！”

“嗯。”高林平静地说，“您只是下班。”

——没什么好说的了，挂电话吧。

宋哲到了盛兴广场，找了个地方吃饭。吃饭的位置在二楼，可以将下面的场景一览无余。他看着广场上人来人往，快七点半的时候，一个熟悉的人影出现在他的视线中。

杨薇背着个大音响，穿着休闲服，戴着不伦不类的帽子。

这身打扮和她以前完全不一样，他就这么看着她，发现此时此刻的她，和他记忆里的她，完全不是一个人。

杨薇拿着话筒站在路边，努力寻找状态，不管有没有人听，她都一直在自说自话，这样的她又像极了他记忆里那个从不认输的姑娘。

宋哲仔细观察她的神态，甚至还悄悄跑到了离她最近的冷饮店里，以便听清她在说什么。

“大家都说朋友之间千万不能谈钱，是什么意思呢？就是友情是不能拿钱去衡量的。不是这感情太单纯，是这感情不值钱。比如说你和你父母家人感情好吧，你怕和他们谈钱吗？有些人也怕，但比朋友好太多了。”

“我一朋友，她当时生了场病，她对象对她那是不离不弃啊。结果她妈妈的朋友就说了，还好你女儿找了个外地人，本地人看见女孩儿有病，绝对不会要的。比如我儿子这种，是绝对看不上你女儿的。你猜我朋友她妈怎么说？”

说着，杨薇往另一边一站，眼睛一瞟，瞬间一个外表有教养，内心充满了鄙夷的老太太形象出来，她捏着嗓子说：“所以啊，我就和我女儿说，你出去看看，找个有素质的，可别当屎壳郎老在家门口滚粪球。”

宋哲听到杨薇的话，才喝到口中的一口水忍不住喷了出来。他拿纸巾捂住嘴笑，然而除了他之外，其他人也就是随便听听，提步就走了。

不是每一个人都能像他一样守在那里，把前因后果都听完整，更多人一秒也不会停留。

宋哲看着杨薇，骤然有些心疼。

天空下起了小雨，做生意的人开始收摊了。杨薇正打算离开，突然看到有个小女孩站在她面前。她一愣，就听见小女孩说："后来呢？小兔子怎么了？"

杨薇顿了顿，她看着那个小女孩，片刻后，开始说这个故事的结尾。

雨越来越大，人们开始四散离开，小女孩拿着伞，举着棒棒糖，认认真真地看着杨薇。

宋哲见杨薇站在雨里，看着小女孩，认认真真把最后一段说完，然后她拿下帽子鞠了个躬。小女孩鼓掌，宋哲在她背后，也忍不住为她鼓掌。

宋哲看杨薇每天晚上都来，他也跟着过来。他带着电脑，坐在离她最近的冷饮店里。

他看着她越来越自信，越来越从容，好像有了一种力量，让她所站之处，成了她的舞台。

离冷玫规划的正式开播第一场的时间只剩一天了，那天她周边零零散散站了几个人，她一个人说了一个多小时，休息的时候，隔壁套娃娃的大爷走过来，在杨薇面前放了一块钱。

杨薇傻了，随后高兴起来——这是第一个给她钱的！

然而那大爷说："小姑娘，你是我见过的最能说的了。都说这么久了，你都没带停的，吵得我耳朵嗡嗡嗡的。我给你一块钱，你休息一下，啊？"

杨薇有些蒙，可她拿着话筒说："我不！"

"别倔啊。"大爷叹了口气，"真的，你看你说这么半天，有人看吗？"

"没人看我也要说。"杨薇一脸认真。

大爷点点头："我明白了，你这是有备而来，专门找我麻烦的。"

"我……"

话没说完，杨薇就听到旁边有人笑了。

杨薇一回头，看见那个发笑的路人赶紧收起了笑容，也没走，旁边也陆续有人停下来，等着看她和老大爷吵架。

杨薇脑子里灵光一闪。她一直在想，如何吸引路人的关注，如何引导观众的情绪，如何调动他们的思维和积极性，行程互动。

在这一刻杨薇突然意识到，群众都有吃瓜本能，当他们遇到有趣的事，他们会驻足围观，然后自然而然地融入场景，把自己当成参与者，在这种情况下去调动观众情绪，会更容易。

一旦让群众意识到他们在看一场表演，他们就会有期待，把自己当成观众，进行点评，这样调动他们参与互动的难度会变高。

杨薇沉默下来。她收拾了东西，回去想了一晚上。

第二天晚上，杨薇的户外直播开始了。

冷玫和向维都有点紧张，他们都不知道杨薇准备得怎么样了。

杨薇这次主播的主题是“如何轻松地和别人交朋友”。

一切准备就绪之后，冷玫喊了“开始”，就看见杨薇坐在位子上，时不时地看隔壁几个女孩子一眼。冷玫有点想提醒杨薇，都已经开始了，磨蹭什么啊！

然而她不好入镜，就一直对着杨薇比画。

杨薇还是不说话，那几个女生察觉到杨薇的视线，朝她看过来，感觉有些莫名其妙。

然后两边开始了互相偷瞄。

冷玫和向维一脸茫然，完全没搞懂这是什么情况。过了好久，杨薇突然站起来，对她一直偷看的那个女生说：“果然是你啊！你也来这里吃饭？”

那女生蒙了，所有人都蒙了。冷玫痛苦地捂住脸。杨薇看着那女生继续说：“是我啊，杨薇啊，初中在你隔壁班那个！”

一听这话，那女生顿时反应过来：“哦哦，我想起来了！”

这是怎么回事？！

没几分钟，杨薇就和她们混一桌了。

屏幕前的人都笑疯了。

“主播牛……”

“这种诈骗招数真是百试不爽。”

“主播演技一流……”

然后大家就眼睁睁看着杨薇和对方进入了互加微信的阶段，等加完之后，向维和冷玫才冲出来。杨薇赶紧对几个女孩子说明了情况，道了歉，几个女生这才反应过来。

接着整个直播环节，杨薇都在以各种方式“交朋友”，她没有一点慌乱，控场能力很强。有时候会遇到一些反套路她的，整个节目更有趣了。

当天晚上观看直播的人数增加了许多，杨薇预告了下一期。还没等到下一期，她的微博关注人数就开始快速上涨。

第二期户外直播，观众人数已经比上次翻了一倍。

冷玫和向维赶紧将户外直播的次数增加为一周两次。杨薇带着各种主题游走在大街小巷，带着大家吃小吃，进米其林，玩骑马射箭、密室逃脱，各种玩耍。

没过几天，冷玫就来通知她：“和你说个事，准备一下。”

“嗯？”

“星期天周文要来南城，你准备接机。”

杨薇愣了一会儿，然后她猛地站起来：“我去接机？！”

“对，我打听了周文的行程，时间都安排好了。不过你注意，周文的粉丝很凶猛，所以你只能成为她们的同类，不能成为她们的情敌，OK？”

“我懂，我懂。”杨薇赶紧点头，作为资深打榜人士，她太清楚周文粉丝的心态了，她认真地说，“我是太太团的一分子，绝对不会比其他人优秀！”

杨薇有这个觉悟，冷玫就放心了。她让杨薇先回去做准备，时间地点这些，她会安排好。

“你有没有什么其他需要的？我让人准备一下。”

“我还需要一个应援牌。”

杨薇十分专业，冷玫正要点头，就听见她说："不——不行，我爱豆的应援牌，我必须亲手制作！"

"不必了吧……"憋了半天，冷玫终于吐出一句，看着杨薇一脸兴奋，她斟酌着，"你又不是真去接机……"

"不！我是！"杨薇果断回答，"冷姐，我们要搞清楚这次的任务目标。"

"嗯？"冷玫有些疑惑，这次的任务目标不是很清晰吗？

随后，她就听到杨薇十分认真地说道："接机事大，直播事小。"

冷玫无言以对。这真的是非常死忠的粉丝了。

事业与爱豆孰轻孰重？

那当然爱豆了。

在杨薇心里，不能让她做出牺牲的，算哪门子爱豆？

冷玫不敢挑战这种脑残粉的价值观，她摆了摆手："不要影响正事。"

杨薇点点头，高兴地回去了，还没到家，她就开始给夏啾啾和顾岚发信息。

"我要去见我爱豆了。"

"我从来没见过他本人。"

"我喜欢他十三年！压抑了十三年的我！终于要实现我的梦想了！！！"

夏啾啾和顾岚都觉得杨薇疯了。

等到晚上直播的时候，观众看到杨薇在做什么东西，都很奇怪。

文哥忍不住问了句："主播好像在做什么手工？"

"是呀。"杨薇兴奋地说道，"我在做应援牌！"

"啊，主播要去见自己爱豆吗？"

"对！"杨薇高兴地回复，"我爱豆周日的飞机，我要去接机了！"

周文一愣，突然意识到，杨薇说的……不是自己吧？

他突然有些紧张。

杨薇继续絮絮叨叨："到时候大家来看我直播啊，我要亲自给大家看看我爱豆的盛世美颜。"

"放心啦，我不会打扰他的。其实我以前从来没光明正大地追过星，我就是默默喜欢他。"

杨薇低头做着应援牌，抬头看了一眼屏幕，随后笑起来："我为什么喜欢他？"

"因为他是我的青春啊。"杨薇想了想，"他火的时候我十三四岁，那时候就是单纯觉得，哇，这个人长得好好看。然后他的专辑我都收藏了，他的电视我都看了。可后来啊……就没时间了。"

杨薇有些落寞："我不敢让人家知道我追星，他们觉得追星的都是脑子有毛病。我就偷偷喜欢，悄悄买他的专辑、写真藏起来，虽然电视剧是没法看了，但我还是会偷偷给他刷流量。"

杨薇抿嘴笑了笑："我也不知道喜欢他什么，就是觉得，小时候没能好好喜欢，现在就想好好追一次星。"

这么大的人了，哪里能很热血地喜欢一个没有接触过的人呢？

不过就是年少时留了遗憾，想要在长大后弥补罢了。

只是，年少时得到一件东西和长大后再得到，心情完全不一样。年少时她要是知道能给周文接机，可能要高兴得一晚上都睡不着。现在只是觉得，啊，好高兴，我要给他做个应援牌。

所有的到来，只有在最好的时间，才会有最好的感觉。

错过了最好的时间，任何时间，都是弥补。

杨薇准备应援牌的时候，宋哲正在公司里开会。他忙到凌晨才回家，然后看杨薇直播的录播，看了还没有五分钟，就倒在床上睡着了。

时间一晃到了星期天早上十点。宋哲养成了开着杨薇直播间睡觉的习惯，他还在睡觉，就听见杨薇的声音："我现在已经到机场了，大家全部等在这里。"

"哇，好多小姐妹！你们看，我的应援牌是不是超好看？因为我猜很多人会用各种花里胡哨的颜色吸引文文的注意，我特意用了个白底，一定非常与众不同。”

“我为什么要用血红的字体？我已经是白底了，要是字体不鲜艳点，怎么能吸引到文文的注意？”

宋哲被杨薇的声音吵醒，揉了揉眼睛。

杨薇一般是在下午或者晚上直播，很少在上午开播，今天她怎么这么早？

宋哲从旁边摸到眼镜戴上，然后就看见杨薇举着一个白底红字仿佛农民工讨债一样的应援牌，上面写着“文文放心飞，蚊子永相随！”

宋哲整个人都蒙了，呆呆看着杨薇站在机场，眉飞色舞和粉丝互动：“农民工讨债？开玩笑，你看见这些字的艺术感没有啊？！我在这下面还加了小灯泡，会亮的好不好……”

宋哲在短暂茫然后，慢慢反应过来。

他现在对“文”字极度敏感。杨薇中学时就喜欢一个叫周文的明星，现在还有个天天在直播间里和他比拼刷礼物的文哥。

“简直是疯了！”

宋哲冲进洗漱间，一边洗漱，一边给高林发语音：“杨薇怎么回事？她现在在哪个机场？她是不是去找周文了？！”

“冷玫怎么做事的？让她去给明星接机，她以后也要当明星的，你们犯得着这么 low 吗？”

“你立刻让冷玫把她给我叫回来！”

宋哲气势汹汹地吼完，将手机拍在洗手台上，洗漱完毕，换上衣服冲了出去。

这时候高林的信息回复过来了：“先生，杨小姐不肯回来，说她就算不干了，也要去为爱豆接机。”

宋哲：“我……”

这是爱豆？这是传销吧？！

第十章　我曾经喜欢你

宋哲开着车一路狂奔，到机场的时候，杨薇正和周文的粉丝站在一起交流心得。

在场许多人对杨薇来说是小妹妹，也有几个比杨薇年纪要大。

杨薇和那几个年纪大的聊天。

“你喜欢他多久了？”

“十三年？”

“我也是啊！十三年前他刚出道，当时他唱了一首《愿全世界喜欢你》，好听得不得了。”

这首歌是周文的成名曲，在场好多人都会唱，杨薇唱了两句，就有粉丝应和：“我也好喜欢这首！”

“我也会！我也会！”

随后杨薇就听到一个嘹亮的女声起了调子，然后许多粉丝跟着唱起来。一群人站在接机口的两边，打着拍子唱着歌，杨薇一边直播，一边感受这种年轻的、愉悦的氛围。

过了将近四十分钟，前方传来了一声尖叫，杨薇猝不及防地被推向前。

人潮涌动，杨薇听到前面有人尖叫着：“文文！我爱你啊，文文！”

“老公！老公看我一眼！！”

杨薇被这群人推挤着向前，一边挤一边不忘直播：“这真的是我这辈子被挤得最惨的时候了……”

“快无法呼吸了，不过文文就在前面！我不能输！！”

“文文，啊啊啊！！”

杨薇也跟着尖叫起来：“文哥，看我！看这边！”

杨薇的声音被掩盖在一片尖叫声里，她远远地看到一个穿着T恤的男人从里面走出来。

周文戴着墨镜和口罩，身边被经纪人和保镖环绕，他身材高挑，气度非凡，哪怕全副武装，依旧能让人一眼看出来他就是周文。

独属于周文的那份温和、英朗的气质，口罩和墨镜也无法遮掩。杨薇看着他踩在机场的迎宾地毯上，仿佛踩着红毯朝她走来。

周文是杨薇延续了十三年的梦境。她也曾在电脑面前看着他的脸心跳加速，看着他对女主角好的时候感受到爱情的甜蜜，此刻他远远走来，她觉得一切都圆满了。

周文也很奇怪，他并没有着急离开，他一边走一边和大家打招呼，目光扫过每一张脸，亲和又温柔。

“给文哥接机都有这种待遇吗？！”杨薇感动了，她对直播间的粉丝说，“我的天，也太温柔了，我快溺死在这份温柔里了。”

杨薇感动的时候，宋哲也到了机场，他一边看杨薇的直播，一边往里面冲。他刚到接机大厅，就听到了快冲破房顶的尖叫声，他朝着那个方向跑去。

这时候，周文终于找到了那块白底红字的应援牌，它在人群中太显眼了，很难让人忽视。

杨薇拿着应援牌站在第二排，踮着脚尖朝周文尖叫，像一个十几岁的少女一样，大喊着：“文哥，我们永远爱你！”

“文哥，娶我！！”

周文停下脚步，目光落在杨薇身上，忍不住“扑哧”笑出声。顿时现场乱成一片，许多人朝着周文冲过去，杨薇没跟上，被人群推挤着，差点摔倒。

“等一下！”

杨薇惊叫，周文一看情况不对，赶紧朝着杨薇走过去。也就是这个时候，有人猛地扒开人群，把即将要摔下去的杨薇捞进怀里，用手给她圈出一块空间，怒吼着：“你们这是在做什么？！有没有点秩序？！”

这时候周文的保镖也迅速过来，控住了场面。周围安静下来，杨薇站稳了身子，抬起头，这才发现宋哲把她环在怀里，恶狠狠地看着周围的人：“都快踩死人了不知道吗？！你们脑子有病啊？追星就追星，追星不排队啊？机场就没人管管你们？你，对，就你，你几岁了？未成年吧？不好好读书，跑到机场来追什么星？！”

“我放假了！”那小姑娘不满地开口。

宋哲气急，他还想再多说几句，就听见一道温和的声音在旁边问：“你没事吧？”

宋哲回头，看见周文已经站在他身边，他取下墨镜，温柔地看着杨薇。

周文一开口，人群顿时尖叫起来。宋哲皱眉，他想拖着杨薇离开这个吵得让他头疼的地方。

然而宋哲还没动作，就察觉杨薇在对方说完话后，迅速直起身子。她甩开他的手，和他拉开了距离，低着头，红着脸说：“没……没事。”

她说话有些结巴，脸也红了，说话的声音都软了几个度，像一个小姑娘见到喜欢的人那样羞怯。

宋哲一股怒气升了上来，却不敢表现出来。他怕杨薇会笑话他，毕竟才被杨薇打过一巴掌，他不想让杨薇觉得他有多在乎她。于是他捏紧了拳头，恶狠狠地看着周文。

周文忽视了宋哲的目光，舒了口气，柔声说：“那就好。”

周文的目光落到杨薇不敢轻易放下的左脚上，他皱了皱眉头，突然蹲下了身子，伸手去碰杨薇的脚踝：“你是不是崴到脚了……”

“周先生，”宋哲终于忍不住，伸手挡住了周文的手，“我会照顾她，您应该还有其他行程，别耽搁在这里。”

听到这话，周文抬起头看着宋哲，几秒后，他温和地问：“请问您是……”

“不认识。”

“她丈夫。”

两个人同时开口，杨薇回头看着宋哲，皱眉：“我们已经离婚了。”

“那你说不认识我？！”

“不管怎么样，”周文站起身来，对杨薇说，“今天是我没有管理好现场，导致您受伤了。我接下来还有其他行程，我让我的助理送您去医院……”

“我说……”

“先生，”周文抬眼看向宋哲，平静地说，“您是她‘前夫’对吗？”

宋哲听到周文把重音放在“前夫”两个字上，感觉又难堪又气恼，他冷冷地看着周文：“对，怎么样？”

“‘前夫’的意思就是，她和您已经没有关系了。如果这位女士不愿意，您不该再纠缠。”

“对啊。”被宋哲骂过的中学生站出来了，嫌弃地说，“你这种分手后还死缠烂打的男人最讨厌了。”

有人开了头，所有人立刻站在周文身声讨宋哲。宋哲站在杨薇身边，面上平静，内心却波涛汹涌。他想让这些人闭嘴，想告诉他们事情才不是他们想的这样。可是开口的前一刻，他又哑口无言——不是这样，又是怎样？

周文静静看着宋哲，看宋哲的脸色一点点变化。旁人的言语永远犀利，因为他们肆无忌惮。

什么死缠不放，什么这种人最恶心了，什么这种偏执性格的人可能是变态……

宋哲很想大声吼出来，很想让他们闭嘴。他们知道什么？他怎么可能对杨薇做什么？

他哪里是死缠烂打？他是为她好！她哪怕离开了宋家，她至少也是在宋家长大的，他对她有义务！

宋哲急促喘息着，最终忍无可忍，拉着杨薇：“我们走。”

“等一下。”

宋哲回过头，看见周文的手放在杨薇手腕上。他猛地抓回杨薇的手，将杨薇护在身后，大喊：“你做什么！”

“是你做什么啊？！”杨薇推了宋哲一把，有些忍无可忍，“周先生在和我说话，你掺和些什么？你赶紧回去吧！公司不上班了吗？你二叔还好吗？武邑忙起来了吗？不行你去找你的小妹妹们啊。”

杨薇双手合十：“求你了，放过我吧！”她偷偷瞟了一眼周文，小声说，“我在和我偶像说话呢。”

宋哲感觉心一点点凉了下去。

他像是捧着一盆火的孩子，被浇了一碗一碗的凉水。他突然搞不明白自己在做什么。

他看着杨薇，他觉得心脏疼得发闷。他特别想问问她，她知不知道自己在做什么？

杨薇喜欢周文他不是不知道。哪个女孩子没有喜欢的明星？可是她从来不敢表现，从来不敢说出来，尤其是在他面前。

因为她知道他会生气，他不喜欢她心里有任何别的男人，哪怕这个男人与爱情无关。

她一直听他的话，她一直小心翼翼，不会做任何让他不高兴的事。

宋哲死死盯着杨薇，杨薇见他不说话了，以为他是想通要走。毕竟他犯不着在这儿受这个委屈。于是她不再理会他，转过身激动地对周文说：“我没事，我自己能回去，你方便给我一个签名吗？”

“可以啊。”周文笑着从杨薇手里拿过她早就准备好的签名本，低头给她签名。

杨薇说：“我好久以前就喜欢你了，你前阵子演的那个《再爱我一万次》真的太好看了，你在里面的演技有了巨大突破啊。”

“你也这样觉得？”周文问。

旁边好多粉丝涌上来要签名，周文的经纪人组织大家排队等候。周文给杨薇签了名，从袖子里落了一张名片夹在签名本上。

他做得悄无声息，仿佛什么都发生一样。

杨薇愣了，然后就听见他说：“我看过你参加《玩转文字》海选的视频，你很优秀，未来有事可以找我。”

“真……真的吗？”

“真的。”周文笑着说，“不过当务之急，是不是先送你去医院？”

“不用了！”杨薇激动地拒绝，“我不给你添麻烦，我这脚是小伤，我自己去。”

杨薇突然想起来冷玫的话，她不能太特殊，不然会让其他粉丝不高兴。于是她忙说：“文哥，你去忙吧，你已经在我身上耗了很多时间了！”

“真的没事？”周文有些犹豫。

杨薇拼命摇头：“没事，没事，我可结实了。”

“阿文，”周文的经纪人焦急地走过来，“别耗了，赶紧给粉丝签几个名走了。”

周文点点头，被经纪人拖着走时，忍不住看了杨薇一眼。那一眼里有几分留恋，似乎还有很多话想说。杨薇被那一眼看愣了，好久才回过神来，一回头，就看见宋哲站在她旁边。

杨薇吓了一跳：“你还在这儿干吗？”

宋哲脸色十分难看，他咬牙：“等你回去。”

“你等我做什么？”

“你是我们公司的艺人，现在冷玫、向维都不在，你出了事不该我管吗？”

“我能出多大的事啊？”

杨薇一脸莫名其妙，她拿着应援牌，一瘸一拐地往外走：“宋哲，你说你这人闹个什么别扭？你现在啊，就是刚分开，不习惯，等以后你习惯了，就会发现，有我没我都一样。”

“我不习惯。”宋哲突然说。

杨薇停下步子，回头看着宋哲。他站在原地看着她，神色平静，仿佛失了魂一样，重复道：“我不习惯。”

杨薇不由自主地站直了身子，隔着来往的行人，她听见宋哲说：“我不习惯你不在。”

“我不习惯你不对我好。”

“我不习惯你离开我。”

“我不习惯你对别人比对我好。”

“我不习惯你喜欢其他人。”

“我不习惯你同其他人笑。”

“我不习惯你做事，”宋哲盯着杨薇，仿佛在看一个罪人，声音里有了哽咽，“一点都不在意我。”

“你不再考虑我的想法了，也不怕我生气，也不在乎我是否难过。你想做什么就做什么。”

“我不习惯。”

杨薇没说话，她看着这样的宋哲，有那么一瞬间，觉得自己的心被人猛地扯了一下。

心上传来的痛楚，让她几乎心软想回应他一句，对不起。

可她对不起他什么呢？

“我不欠你。”杨薇的声音平静，认真地说，“宋哲，我对你好不是应该的，所以你必须习惯。”

宋哲颤抖着嘴唇，他张了张嘴，却什么都没说。

这么一个微小的动作，却让杨薇骤然心疼。她觉得宋哲像极了一个没长大的孩子，别人给了他这世界最美好的东西，却没有人告诉他要怎么珍惜，怎么爱护，有一天他摔碎了它，他就只会拼命说着，不喜欢，不习惯。

他不知道怎么挽救，不知道怎么把那些碎片收集起来，一片一片黏起来。

太可悲了。

可悲得她想告诉他，想教会他。可是那样的自己，比起他这个摔了珍宝的孩子，更加可悲。

于是杨薇什么都没说，转过身，一瘸一拐地往外走。她也不知道是为什么，冷静下来后，脚就疼了起来。

宋哲叫住她："你别动了。"

杨薇回头看宋哲。他走到她面前来，拽着她在旁边坐下，杨薇叫出声："喂，你放开我！你做什么！"

宋哲不说话，他把她按在座位上，一把抢走了她手里的手机，随后说："在这里等我。"

"喂！宋哲！"

宋哲小跑着离开，杨薇不知道他要去做什么，心里又急又烦，干脆脱了鞋看自己的脚。她碰了碰肿起来的地方，似乎真的崴到了。

她正愁眉苦脸，宋哲推着轮椅跑了过来。

杨薇愣了。

宋哲说："行了，坐上来。"

"你哪儿弄来的？"杨薇有些奇怪。

"机场租的。"

"你怎么知道机场能租这个？"

"猜的。"宋哲抬手去拉她，"行了，赶紧坐上来。"

杨薇还来不及拒绝，就被宋哲架着坐在了轮椅上。他把手机交到杨薇手里，转身推着杨薇去停车场。

宋哲是开车过来的，把车在停车场随便一停就上来了。

"这个轮椅怎么办？"杨薇觉得宋哲不是老老实实回来还轮椅的人。

宋哲下意识就想说“给了押金”，看到杨薇皱眉，他把这话咽了下去。

他没发现，这是他头一次对人妥协，愿意为了一个人，去改变自己的行为。

宋哲淡淡地说：“我让高林送回来。”

“嗯？”杨薇有些诧异，“你不是打算直接扔了？”

宋哲的确是这么打算的，然而看着杨薇的表情，他感觉十分不爽，于是皱着眉说：“你就这么想我？”

“宋哲，”杨薇忍不住笑了，“对不起，是我误会你了。原来你也不是这么没公德心啊。”

宋哲不说话了。

宋哲一言不发地扶着杨薇上车，屈尊降贵把轮椅放在后备厢。杨薇打量着宋哲黑着脸的样子，让宋哲终于忍不住：“你这什么眼神？”

“宋哲，”杨薇的声音很温柔，“我发现，其实如果和你当朋友，还挺好的。”

如果不喜欢他，如果不去贪慕他的温柔，渴望他的关心，祈求他心里的在意与她一样。

如果不喜欢，不在意，那就挺好的。

察觉到这些，杨薇感觉心里有什么东西轻轻松开，慢慢放下。

杨薇微笑着，宋哲感觉有那么几分不自在，红了耳朵。

“我什么时候不好了？”

“以前不好。”杨薇转过头，神色平淡。

喜欢这个人的时候，想要太多，就觉得不好。

然而这些，宋哲不知道。

宋哲听见这句“不好”，顿时像浑身是刺的刺猬，冷笑：“那是你瞎。”

杨薇轻笑，她放下车窗，风轻轻吹来，她看着外面，神色温柔。

宋哲被杨薇这样放松的情绪感染，也不想再提不高兴的事情，只是说：“你现在过得好像挺好。”

“是啊，”杨薇一脸轻松，“做了许多过去没做过的事情，感觉内心放松了很多。比如今天接机，要是以前，我肯定不敢做。”

“你以前就不会做。”宋哲不耐烦地说，“你以前就不会干这么蠢的事，就算喜欢周文，你也觉得丢脸。别人问你喜欢哪个偶像，你绝对回答爱因斯坦。”

“我就奇怪了，”宋哲话里带笑，“物理你学得最差，你还喜欢爱因斯坦？”

“我是挺喜欢他的呀。”

“喜欢他什么？”

“喜欢只要和别人说喜欢他，别人就会觉得我可牛了。”

宋哲其实很想笑，但是他忍住了，只是瞧了杨薇一眼：“就这出息。”

“宋哲，你不明白。”杨薇抱着应援牌，叹了口气，“你压根不需要做什么，人家都会觉得宋哲牛。你可以成绩不好，可以喜欢任何东西，反正你只要往台子上一站，你永远都是最耀眼、最闪亮那个。”

“可我不一样。”杨薇认真看了宋哲一眼，“我没你那份从小培养的气质和底子，我要用后面的时间，去追上别人前十几年。可我一时半会儿追不上啊，那我只能穿套好衣服，让自己看上去像模像样一点。如此一来，在这个圈子里，才不会显得那么格格不入。”

“爱因斯坦是我的衣服，成绩是我的衣服，大提琴是我的衣服……”

“那我呢？”宋哲突然开口。

杨薇听见宋哲特别认真地问她：“喜欢我这件事，也是你在这个圈子混下去的一件衣服？”

杨薇没说话，宋哲停下车，两人沉默了好久，他才慢慢开口：“杨薇，其实我这话也不是我认错了……”

“我也没有别的意思，我不是觉得说我离不开你……”

“你不要多想，”宋哲无意识地变换着动作，似乎在舒缓自己的紧张，“我不是在威胁你，也不是在骚扰你。”

“我就是想问问你，你要怎么样，”这话，宋哲说得极艰难，“才会回到宋家来？”

宋哲说完这句话，后面就流畅了很多。他还是不敢看她：“比如说你需要我给你多少股份，或者说有什么条件？你是不是觉得当全职太太有点屈才？你喜欢做主播对吧？要不把大米娱乐给你？其实也不是不可以商量……”

“不是。”杨薇突然打断宋哲。

他转头看她，她笑着说：“我做过很多假的事，阿哲。”

“我的优雅是假的，我喜欢的东西是假的，甚至于我喜欢的颜色、我说话的语气，可能都是假的。”

“可是在宋家，我唯一做过的、没有任何虚假、不含任何杂念的事情，只有一件。”

杨薇看着宋哲，也不知道为什么，眼睛突然就有些酸胀。

杨薇带着笑意，含着眼泪，郑重开口：“我曾经喜欢你。”

“这是我在宋家，做过的最真的事情。”

这话杨薇从来没说过。她从来没堂堂正正，当着宋哲的面，对他说过这句话。

这一刻，杨薇早已经失去年少那份心动、忐忑，甚至把这件事当作自己最大的秘密的心情。

宋哲呆呆地看着杨薇。

因为这种感情太真诚太单纯，以至当它失去时，他用拥有的一切，都无法挽回。

金钱、名誉、地位，都无法让这份曾经，变成现在。真心只能用真心来换，如此珍贵的心意，也只能用同等的心意来对待。

——我曾经喜欢你，那个在月光下冲我扬眉一笑，意气风发的宋哲。我不知道这是否是最错误的决定，可这的确是我今生，能给予他人的所有温柔。当它被冷漠肆无忌惮地耗损殆尽，也就成为过去。赠你以毕生温柔，并非别无所求。

宋哲呆呆地看着杨薇，看着杨薇的眼泪落下来。

他突然手足无措，他感觉心很疼，他笨拙地抽出纸巾给杨薇：“你别哭……”

“我错了，你别哭。”

杨薇没说话，她抬手捂住嘴唇，看着眼前的宋哲，只露出那一双含着眼泪的眼睛，笑出声：“你笨死了。”

“宋哲，”她重复，“你真的，太笨了。”

在感情这件事上，太笨了。

宋哲这辈子没遇到过这样的时候。他又害怕又慌乱，他竭力想做点什么，又不知道该做什么。最后他停下来，看着杨薇，一动不动。

好久后，他看见杨薇闭上眼睛。

空气都安静了，杨薇停顿了片刻。好像那一会儿，她把眼泪擦干了，然后梳妆打扮，把自己丢下的盔甲一件一件穿上。最后，她终于睁开了眼睛。

杨薇没有接过宋哲给的纸巾，她坐直身子，看着前方，自己抽出纸巾，擦干眼泪。

“行了，其实说这些都没什么意思了。”

“回去吧。”杨薇恢复了平静，“今天麻烦你了。”

宋哲没有说话，过了好久，他才回过神来，重新发动了车子，开着车将杨薇送到了医院。

宋哲领着杨薇进了医院，挂了号，看了大夫。他没怎么照顾过人，所以做起事来一点也不顺畅，推个轮椅，也是忽快忽慢。

宋哲头一次发现自己的迟钝，然而坐在轮椅上的人很平静，无论他做得好或者不好，杨薇都一言不发。

他觉得有什么压在胸口，压得他无法呼吸。等送她回了家，她拄着拐杖，站在门边：“行了，就送到这儿吧，今天麻烦你了。”

宋哲站着没动。杨薇打开门，回头看见他还站在那里，不由得笑起来："还站在那儿干吗啊？"

宋哲低着头没说话，他像是生了根一样，就是不挪步子，让人想起小孩子站在玩具架前，一副不达目的誓不罢休的模样。

杨薇沉默了片刻，问他："你到底想做什么？宋哲，该说的话我说过了，你该做你应该做的事了。"

"我该做什么？"宋哲的声音有些低哑。

其实宋哲不傻，很多事他心里已经有了答案，可他不敢面对那个答案。

就像杨薇走的那天，他知道她是真的走了，可他不敢相信，也不愿相信。

但她真的太不留情面，一定要把所有的话说得这么清楚明白，让他连自己骗自己的机会都没有。

杨薇看着宋哲低着头的样子，逼着自己扭头，不去看他。心疼了他那么多年，几乎都心疼成了习惯。

所以她得逼着自己："回家去，别守在这儿了。"

"可是……"宋哲哑着嗓音，"你在这里。"

杨薇身子一颤。

宋哲带了哭腔："你在这里，你让我回哪儿啊？"

"家里要有人才叫家啊，杨薇。"宋哲抬起头来，他希望自己能像平时那样，不在意，不在乎。

可是他做不到。所有的一切，似乎在那句"我曾经喜欢你"面前，都不值一提。

宋哲看着杨薇，声音颤抖着："杨薇，你不在家里，那里空荡荡的，你让我回去做什么？"

杨薇沉默着。

有那么一瞬间，她几乎要在他面前投降。可是在她想要开口的时候，她脑海里又会闪过那三年的日子。

她在那空荡荡的家里，待了那么长的时间。

“会习惯的。”她轻声说。就像她，用了那么长时间，不也习惯了吗？

“宋哲，你会走出来的。”

就像她。

“你会再遇到一个喜欢的人，你会发现，其实除了我之外，这个世界上有很多很好的女孩子。她们比我更适合你。”

“我不……”

“一个人要在对的时间，去遇到对的人。我们时间不对。”杨薇深吸了一口气，“所以，我很遗憾。”

“回去吧。”杨薇走进屋子，背对着宋哲，过了好久，她说，“我们都会有新的人生。”说完，她关上了房门。

宋哲站在门口，呆呆地看着房门关上，看着杨薇消失在他眼前。他站在空荡荡的长廊里，黑暗伴随着死寂一起笼罩下来。

他慢慢上前，将手放在房门上。

房门的冰冷传到他手上，他的身子微微颤抖。

过了好久，他才离开。他坐在杨薇小区的花园里，翻着电话簿。

他打电话给江淮安。

江淮安接到电话后，有些奇怪：“阿哲？”

“江哥，”宋哲吸了吸鼻子，“还没睡啊？”

“你怎么了？”江淮安觉得不对。

宋哲勉强笑起来：“我没怎么，就晚上一个人无聊，想给你打电话。”

“阿哲，你出国那年也给我打过这么一通电话。”江淮安提醒他，“语气一模一样。”

宋哲不说话了，江淮安静静等着他开口。

过了好一会儿，宋哲才慢慢开口，一开口，就泄露了他声音里的哭腔。他的声音带着颤抖，又拼命地想压抑，他每一个字音都仿佛是憋出来的：“她和我说……她喜欢我。”

江淮安没说话。宋哲说出这句话，再也忍不住了，哭出声来。

“她喜欢我。”

“她说她不是因为其他任何原因喜欢我，她就是特别纯粹地喜欢我。”

“我不信啊！”宋哲大吼，“我怎么能信啊？！她从来没和我说过一句实话，她喜欢什么，不喜欢什么，从来都要我去发现，要我去猜。”

“我猜过她喜欢我，可结果呢？”

“她就能把我抛弃。”宋哲抬起头，他觉得为了杨薇哭出来，太狼狈了。他拼命控制着眼泪，艰难地说，“她能为了我妈，毫不犹豫地让我一个人出去那么多年。然后她和我说她喜欢我这件事，是她这辈子做得最纯粹的事。”

“她活得多累啊！”宋哲一边笑一边哭，“你说她这傻子，这一辈子，她活得多累啊！”

“她为什么啊？你说她图个什么啊？她喜欢什么，不喜欢什么，喜欢谁，不喜欢谁，她为什么要藏着？她不藏着，谁又敢把她怎么样呢？”

“还有我啊……”宋哲抬手捂住脸，“不是还有我吗？”

杨薇性格温软，这么个人，怎么就能怕他怕得连一句喜欢，都要迟到这么多年呢？

“为什么要走到这一步啊……”宋哲的声音低下来，“为什么啊……”

为什么要离开？为什么不肯回来？

江淮安听着宋哲的哭声，他从来没听到宋哲这样哭过。

他们从小就认识，宋哲永远口是心非，永远不会让任何人看到自己最狼狈的那刻。然而他人生中所有的狼狈，都与杨薇相关。

江淮安深吸了一口气：“阿哲，其实你知道。”

这话让宋哲安静下来。

江淮安一如既往地直接：“她喜欢你这件事，你一直知道。可你一直在挥霍这份喜欢。”

“你总是在试探，总是在猜疑，一边担心，又一边有恃无恐。”

“你从来没想过她会心累，也没想过她会受伤害。就算是这一刻，你其实不是难过你不曾知道她喜欢你，你难过的是，你明知道她喜欢你，却把人活生生逼到这一步。”

“别说了……”

“阿哲，”江淮安叹了口气，“她是你逼走的。”

宋哲捏着拳头没说话，电话里传出他有些粗重的呼吸声。

江淮安等了好久，电话里一片安静。

好久后，江淮安听见宋哲无奈地说：“江哥，我能怎么办呢？”

“放手吧。”江淮安说，“你们已经错过了，别强求。”

宋哲开不了口。他想说“好”，他想应下这句“行”。

他想许诺江淮安，许诺所有人，他会放手，会让杨薇重获幸福，会让自己重新遇到一个人。

可是他什么都说不出来。他挣扎了，他努力了，最终只能说出一句：“我做不到。”

“哥，”宋哲低低地说，“不是我放不开，是我做不到。”

“我不知道为了什么，其实你们都说得对，可我就是做不到。”

“我自私，我傲慢，我无礼，我在感情这件事上，幼稚得像个孩子。我什么都不懂，就只知道索取。”

“我控制不了我自己，我可以把我所有的东西给她，她不喜欢的，我都可以一点点改。”

“除了不强求。”

江淮安没说话，好久后，他突然问：“那么，你追求过一个人吗？”

宋哲哑然，江淮安慢慢说：“阿哲，你们没有前缘给你再续了。你能做的，也就只有重新开始。”

“你不是什么都可以改，可以学吗？”

“那你就从学会喜欢一个人开始。”

第十一章　别无他法

宋哲沉默了。

其实江淮安说得没错，如果他不肯放手，那就需要作出改变。他已经试过像鸵鸟一样将头埋在沙子里等待了。

从与杨薇离婚那一刻开始，宋哲就一直自欺欺人——他只需要等待，他只需要假装一切没发生，只需要不断地告诉自己杨薇会回来，就可以了。可事实一次又一次告诉他，并不是这样。

他傲慢地和杨薇说允许她回来，收到的是她嘲讽的表情包。

他气急败坏地让她回来，她却告诉他，她已经不再喜欢他。

他放下身段，想把她哄回来，她给他致命一击——她曾经喜欢他。

宋哲尽了他能想到的办法，然而面对这个已经不在意他的女人，这一切都是无用功。

杨薇真的已经离开了他的生活。更让他觉得惶恐的是，当她开始新的人生时，她的世界变得缤纷多彩了。他认真细想的时候，头一次生出了几分胆怯、自卑——他怕自己比不过。

比不过网上那个为她挥金如土，温声细语的文哥；比不过她喜欢了十三年的英俊帅气的周文。

哪怕她身边只是随便出现一个男人，宋哲都害怕自己比不过。因为对方没有前科，这是他的致命弱点。

宋哲慢慢冷静下来。他不是一个没脑子的人，平静下来以后，就知道江淮安说得没错。

要么放手，要么就得做出些什么去挽留。

至于为什么挽留，这些都不重要，先把人留住，才是最重要的。

“我知道了。”宋哲平静了许多，“哥，谢谢你。”

“阿哲……”江淮安犹豫了片刻，才说，“要拿真心换真心。”

“嗯，我明白。”宋哲应着，“你放心吧，我会好好想的。哥，太晚了，你先睡吧。”

说完之后，宋哲挂了电话，开车回到自己家里。他感觉从未有过的清醒。

过去宋哲的内心总有什么是他不敢触及的，而今它被撕开了，他也就无所顾忌。他开始认认真真地审视自己的内心，确定了一件事——他要留住杨薇。

他去了书房，打开电脑。

宋哲没有追求女生的经验，也不好意思去问别人，想了想，他在搜索栏上输入：如何追回前妻。

搜索页面跳出一条广告——×× 心理咨询欢迎你。

宋哲没有理会这个广告，直接往下翻，陆陆续续看到一些人的发帖。问的人总比回答的人多，回答的人看上去也不是很靠谱，更多的人还帮着女方骂。

“渣男，为什么要为你这种人回头？”

“放手吧，大家都快乐，何必呢？”

“楼主，你这是一种心理疾病，应该尽快就医。”

宋哲浏览了一会儿后，确认这些东西对他没有太大的帮助。

他想了想，点进了那个“×× 心理咨询”，迅速充值了会员，然后接到了一个秃顶医生头像的对话框。

宋哲开门见山：“我想追回我前妻。请问该怎么办？”

“您好，我是您的主治医生，您叫我陈医生就可以。您是和您太太离婚了吗？”

废话，不离婚能叫前妻吗？宋哲决定不理他。

这个陈医生等了一会儿，见宋哲没回复，突然开始贴大段鸡汤。

“朋友，其实你的想法我很理解。每个人都有爱而不得的东西，可是我们要学会放手，放下偏执，你要学会克制自己的情绪……”

“你回答我的问题。”

“看第一行。”

“我明白，离婚一开始总是比较难熬……”

“回答，答得好，我追加两倍咨询费作为打赏。”

“先生，您前妻是一个怎样的人？”

宋哲对这个陈医生突然转变对话风格的行为一点不意外，也更加笃定了对方一定是个江湖骗子，但他还是忍不住和对方聊。

“其实核心就是追求。这个我很有经验，以前上大学的时候，我追女生从没失手过。”

宋哲开始有点崇拜这个人了——他尊重所有有丰富经验且成功的人。

“这样，你先从送花开始。”

“送什么花？”

“比较浮夸的那种。”

陈医生发了张图片过来：“这种是最好的。”

宋哲看着上面用人民币折成的花，有点蒙。

要这么直接吗？虽然他有钱，可是用这种方式去追求杨薇……她连股份都不要，会贪图这点钱？

“我前妻不是一个喜欢钱的人。”

“朋友，你这就不懂了，这不是钱，这是价值。钱是这个世界上衡量价值最精准的东西。你送她一束花多少钱？你看看这束花多少钱？你要给她，当然要给她最好的，最好的，自然是最贵的！她肯定不会因为你送一次而心动，但送花这件事，重在持之以恒。”

“如果一束花解决不了，那就两束，两束不够，那就再送，送到她答应为止！”

其实陈医生的意思很简单，那就是，没有钱解决不了的问题，解决不了，是因为钱不够多。

宋哲完全不能理解普罗大众这种现实主义想法，他看着这个“持之以恒”非常触动，他觉得在感情里，他可能真的就是缺 “持之以恒”这种东西。

宋哲点点头，回复陈医生：“我明白了，我过阵子再来找你。”

说完之后，他给高林打电话：“高林，准备一束花。”

“好的。”

“用钱折的那种。”

高林：“什么？”

宋哲将陈医生发给他的图片发给了高林：“当然，包装要比这个精美。”

过了片刻，高林问：“先生，您这花是要送给谁？”

“你不用多问，给我准备就行了。”

追杨薇这件事，说起来真的有点羞耻，宋哲不想让太多人知道。

宋哲挂了电话，高林整个人是蒙的。他看着那束非主流的花，感觉这玩意也就煤老板的儿子能想出来，宋哲到底是从哪里找到的图片？

可他也不敢多问，怕宋哲会炸，只能去找人定制这束价值近万元的“花”。

第二天宋哲到公司上班，高林带着司机提前在车里等他。宋哲进了车里，就看见了那束“钱花”，他想了想：“等一会儿去大米娱乐的时候，你帮我问一下杨薇几点走。”

高林心里“咯噔”一下。

“先生，这束花您不是……”

“闭嘴。”宋哲脸色难看到了极点。

高林不敢再问了。

到了大米娱乐，杨薇正在培训室学打快板。

宋哲在门口站了一会儿，有些不理解："她在这儿练快板做什么？"

"杨小姐不是参加了《玩转文字》那个节目吗？"高林赶紧解释，"这个节目复赛马上要开始了，参加复赛的有五十个人，杨小姐是其中之一。"

"在南城？"

"在南城。"

高林点头："听说杨小姐在节目里有打快板的片段，所以在学。而且她走这种谐星风格，如果能学点相声元素，对未来也有好处。"

"什么时候开赛？"

"后天。"高林有些担心，"这次主办方声势不小，说要办成国内最大的语言类节目，为了吸引流量，请了好多大牌明星坐镇。"

宋哲点点头，也不意外。

"之前他们来拉投资的时候，从开出来的数额就看出野心了。"

高林听到这话，小心翼翼地问："之前我们公司需要捧的艺人没什么投资，您看现在？"

宋哲沉默了片刻，然后说："回去你把相关负责人叫过来，如果需要，那该投资就投资，不该投资，也别因为我破例。"

"我明白。"

宋哲虽然在感情上孩子气，但正事从来不耽搁。他在门口看了杨薇一会儿，就回了自己办公室。把事情做完之后，才想起来问高林："杨薇什么时候走？"

"向维说杨小姐一般每天六点离开。"

宋哲看了一眼手表，点了点头，让人收拾了一下，便起身下楼。他不准高林和其他人跟着他下去，到了停车场，他打开车门坐了进去。

杨薇的车就停在宋哲对面，他故意挑了离她最近的位置。

在原地等了十几分钟，陆陆续续有人走过，终于，他听见一阵熟悉的脚步声。

杨薇的脚步声很特别，他很早以前就听出来了。那时候他能够清楚地区分门口是他妈来了，还是杨薇来了。

宋哲突然有些紧张，咽了咽口水，把手边的花拿起来。

全是钱折的花有点张扬，宋哲拿了西服外套蒙着，杨薇来到车前时，他打开车门，叫了声："杨薇！"

杨薇回过头，看见宋哲手里捧着一大捧东西，用西服盖着。

宋哲的神色看上去和平日没什么两样，但仔细看就会发现他眼里有些慌张，还有些胆怯。杨薇看了看周围。停车场里一个人没有，她突然有些害怕了。

她脑子里闪过许多女孩子分手未遂被捅的案子，她下意识地将手放在包里，握住防狼喷雾。

"你在这里做什么？"杨薇警惕地问。

宋哲艰难地笑了笑，那笑容在杨薇看来有几分狰狞。

"我有一个东西，想送给你……"

"不用了，谢谢！"杨薇听到这种像变态的台词，立刻拒绝，"我要走了，再见。"

"等等！"

"站住！"

两人同时开口，都有些紧张。

两个人隔着车道，一个手放在西服下的花柄上，一个手放在防狼喷雾上，紧紧盯着对方，秉持着"敌不动我不动"的原则，僵持在那里。

许久后，杨薇终于开口了："有什么话，你站在那里说。一旦你试图靠近我，宋哲，我就不客气了。"

"你这是什么意思？"

宋哲皱眉，他给她送东西，她还不乐意了？

这样的宋哲让杨薇稍微熟悉了一点，她靠在车边随时准备开门上车：“要说什么你就说吧，八点还要直播，我忙着呢。”

宋哲抿了抿唇，还是不说话。

杨薇皱眉：“你不说我走了。”

“送你个东西。”宋哲把西服拉下去了一点，感觉有点尴尬。

其实宋哲不是个没有品位的人，他的品位告诉他，这束花似乎真的有点丑。

不，是非常丑。哪怕用了再高端大气的包装，都无法抵挡它发出的铜臭味。

然而他有种破罐子破摔的精神，毕竟，以前高端大气上档次的东西，他送过不少，也没见杨薇笑过。

反正追人这条路需要摸索尝试，他不介意尝试一次。于是他慢慢地拉开西服，露出了那一束花。

杨薇看着用人民币折出来的一束花，特别佩服想出这种点子的人的智慧，这些人到底是如何弄出这样鬼斧神工的东西，然后还成功地欺骗了宋哲这个看上去精明的二傻子？

“宋哲，”杨薇的声音有些沉重，“你和我说说，我不在的这些时间里，你到底经历了什么？”

到底要怎样的遭遇，才能把宋哲打击成这样？

宋哲的脸色顿时有些不好看了，他拿着花疾步走过来。

杨薇突然说道：“你等一下！”

宋哲僵住了。他想赶紧把花塞给杨薇，杨薇却说：“你把车开到这边来，用车尾对着我。”

宋哲本来想问杨薇要干什么，但他忍住了。他将花递给杨薇，杨薇高高兴兴地接受了，然后就看他把车按照要求停好。杨薇站在车后面，对宋哲说：“把后备厢开一下。”

宋哲把后备厢打开了，杨薇赶紧把花放进后备厢。关上后备厢后，她拿出手机，找到一个好的角度，对宋哲喊了一声：“你开一下后备厢！”

这些指令让宋哲觉得莫名其妙，但他还是耐心配合着杨薇。

杨薇拍完视频后，大气地把后备厢一扣，随后摆摆手："谢谢，走了啊。"

宋哲反应过来了，他从窗户探出头来，喊了一声："花！"

"哦，你说那些钱啊……"杨薇轻咳了一声，认真地说，"那个，心意我领了，花你带走吧。"

"你不喜欢？"宋哲皱眉。

杨薇沉默了一会儿后，才说："喜欢的人，送什么都喜欢。没什么关系的人，送什么都不想要。"

"其实我也想到你需要一段时间适应，"杨薇笑了笑，"你可以送，但我不会收。宋哲，话我说得很清楚了。"

说完，杨薇摆了摆手："真走了。"

杨薇开着车离开了停车场。

宋哲坐在位子上，垂眸看着手上的手表——这是结婚第一年，杨薇送给他的。他以前不觉得喜欢，也不觉得不喜欢，可就是带了很多年，也没有换过其他的表。

杨薇的拒绝也在宋哲意料之中，他已经没有力气去愤怒了，就这么安安静静地坐着。许久之后，他给高林打电话："下来吧。"

高林怀着忐忑的心情坐进车里，看见花已经不见了，顿时放松了许多："先生，花送出去了？"

"那花送你。"

高林："嗯？"

"我没打算送谁，花在后备厢，你拿走吧。"

过了一会儿后，高林终于说："先生，您不要这样。"

宋哲莫名其妙地看了高林一眼，高林叹了口气："我会心动的。"

虽然订花的时候高林充分鄙视了宋哲的品位，但宋哲说要把花送给他的时候，他突然意识到，这花真是无论男女都无法拒绝！能拒绝这束花的杨薇，果然是见过世面的人。

宋哲被高林的话吓得沉默了，他忍不住思考，这个助理是不是该换了？

杨薇开着车回到家里，刚到家就收到了文哥的信息。

“到家了？”

文哥最近和她的联系频繁了许多，虽然话题常年不变：吃了吗？睡了吗？今天过得怎么样？

杨薇敏锐地发现，文哥并不是一个擅长聊天的人，这些话代表着他试图交际的心。

杨薇迅速回复了一句：“到了，马上开直播！”

杨薇刚进直播间，就看见了文哥送的礼物。杨薇笑了笑：“文哥今天有空啊？”

“有空。”

杨薇开始和大家聊今天的生活。最近她的户外节目、短视频，还有专门的剪辑栏目在网上流传度很高，新粉不断涌入。她现在已经有足够的话题在直播上和大家聊了。

直播对于她来说轻松了很多，有了新的定位后，直播开始成为附带的项目，用来专门和粉丝交流，起固粉作用，而不再是引流手段。

杨薇说了没一会儿，就看见系统提示猫大侠进入了。

杨薇笑眯眯说了声“欢迎猫大侠”后，屏幕立刻被礼物刷满。

猫大侠一句话没说，只用金钱来表示对她的喜爱。

杨薇对这样的土豪含笑不语。等猫大侠展现完财力后，杨薇笑眯眯说了句“谢谢”，就开始其他话题。

宋哲已经感觉很满足了，他坐在电脑屏幕前看杨薇聊天，没一会儿，就看见粉丝询问：“薇薇姐，你是不是要参加《玩转文字》的复赛了啊？你进五十强了吗？”

“废话，官网名单都公布了，不会自己去看啊。”

“薇薇出马，所向无敌！”

这个话题一出，粉丝都开始活跃起来，杨薇看着弹幕回答问题：“对啊，后天比赛，大家记得收看啊。”

“友谊第一，比赛第二，我也不知道能不能进后面三十强，哈哈哈，能进最好啦。”

说这话的时候，文哥又送了她一个礼物，带着祝福：“薇薇，你会赢的，加油！”

杨薇看着文哥的话，温柔地笑起来：“谢谢文哥，你放心，为了你这句话，我也会加油的。”

刚说完，她就看见猫大侠又开始刷礼物了，礼物伴随着各种留言：“薇薇加油，你一定会胜利！”

“加油！加油！”

“我为你打气，我为你喝彩！”

“薇薇放心飞，我永远跟随！”

他一个人的留言刷满了整个屏幕，因为他的字体最闪耀，都看不见别人的留言了。

杨薇忍住抽搐的冲动，保持住理智，微笑着说：“谢谢猫大侠，你的心意我感受到了，我会加油的。”

她以为说完这句话就完了，谁知道猫大侠竟用一种无比委屈的口吻留言道：“你为什么不为我努力？”

杨薇扶额。

看见这句话，弹幕全部变了——

“哈哈哈……”

“这个猫大侠蠢萌得可怜，哈哈哈……”

“第一次如此近距离接触大佬争风吃醋，继续砸礼物，让我看一看你们的钱不值成什么样。”

“猫大侠，别坚持了，薇薇姐是文哥的，你来晚了。不如你来我的直播间吧，我的直播间号是134958，等你哟！”

“抢人都抢到这里来了！现在主播行业竞争这么激烈啊。”

宋哲看着屏幕上的话，内心有一种焦躁。

尤其是别人看笑话一样告诫他：“猫大侠你放弃吧，薇薇主播是文哥的。”

他克制着自己，尽量冷静地回复：“主播不是任何人的，你们不能这样说她。”

“大家都是她的粉丝，主播不该偏心。她为文哥加油，也该为我们加油。”

杨薇看着这些话，终于开了口：“好啦，大家不要说啦。我很感谢你们，也很感谢猫大侠，比赛我会努力的，不过有一点我得说——”

“对于我来说，文哥的确是不一样的存在，他是我很重要的朋友。”

“我很感激你们。你们知道，最初那段时光是很难熬的，是你们陪伴我走出来。而这个过程中最重要的一个人，就是文哥。是文哥一直陪伴我，开导我。”

宋哲呆呆地听着杨薇的话，感觉冷水一盆一盆迎面泼来。让他清醒无比，也寒冷无比。

“是他教导我放下一个早该放下的人。如果没有文哥的陪伴，我走不出来，也走不回去。”

“我很感激他，他是我的人生导师，也是我的朋友，所以，我很爱你们，但是对于文哥，我会有点特殊照顾，请大家理解啦。”

是他教导……

是文哥的陪伴……

这些字眼，像针一样扎进宋哲的眼里。他脑海里猛地闪过杨薇过去和他说话、发短信的样子，她最初离开的样子。

杨薇不是自己决定离开的，一定是有人教唆她……

都忍了这么多年，为什么突然就决定离开了？那么多年放不下，为什么突然就放下了？

是有人在陪伴她，是有人在开导她，是有另一个人，入侵了她的生命，试图磨灭掉他的印记，然后取代他！

宋哲捏紧了拳头，他的呼吸急促，一双眼睛死死盯着文哥的ID。

他要查出这个人是谁。

他正盯着文哥的ID，想着要如何把这个人找出来，如何警告他。

杨薇突然笑着说：“我今天遇到一个超级有意思的事情，刚刚才做完视频，大家看一下，哈哈哈。”

“这个是我今天在路边遇到的，完全是追求女生的反面教材了。你们看，这种乡镇土味告白风真是笑死我了……”

屏幕上出现了一段小视频，后备厢慢慢打开，配合着唱腔《五花马》曲子，人民币折成的花出现在大家视线中。

看着满屏幕的“哈哈哈哈”，宋哲内心突然涌起了一种莫大的悲凉和嘲讽。

他有些看不下去，骤然把电脑合上。

他很想打电话给杨薇，问一问她，她可以不喜欢，可以不接受，但怎么能这样嘲讽他，让所有人一起来这样笑话他？

可宋哲不敢打这个电话，他怕杨薇知道自己在看她的直播。他就呆呆坐在那里，好久后，才重新打开直播，这时候杨薇已经在聊天了。

“践踏人心意的事，我遇见得多了。”杨薇不知道为什么突然提起了这个话题，“我有个朋友，以前喜欢一个男生，那男生家里挺有钱的，她当时想讨好他，就在他的书包里偷偷放了她最喜欢的零食……”

宋哲突然就反应过来，杨薇是在说她的过去。

那是杨薇到宋家的第一个星期，她想讨好他，于是她偷偷塞给他一包从街边买的麻花，他早上出门时发现，当着所有人的面拿出来。

“这是什么玩意？”他皱起眉头，“又脏又丑。”

他看向杨薇，挑眉问：“不是你给我的吧？”

杨薇没说话，她低着头，搓着衣角，没敢认。

宋哲静静看着，骤然爆笑："这东西长得好好笑啊。你送给我？你为什么送给我？你不会喜欢吃这个吧？"

那天宋哲把东西拿到学校，去给他那群人看，大家看着这东西就笑了。

杨薇当时就站在那里，她没有说话，甚至还保持着微笑。

这件事很久了，然而时隔多年，她又说出来了。

"她当时特别难堪，也不知道怎么办。大家笑，她就一起笑。后来她知道了，一份心意，在你给别人的时候，就要做好可能被践踏的准备。这样别人踩起来，你才不会那么疼。"

宋哲呆住了。

他突然意识到，和他比起来，杨薇已经温柔太多了。她甚至没让人知道这是谁做的，她在意的只是事件本身。然而年少时，他们笑的却是——杨薇怎么会做这么傻的事？

生活仿佛是一个巨大的圆，所有因都会有果，所有罪孽都会有报应。就像他做过的每一件错事，在杨薇放下后，似乎都会悄无声息地，还给他。

宋哲除了承受着，别无他法。

杨薇直播完毕已是十点，她开始涂抹护肤品。

护肤品对于女人而言，或许没有多大用，却在提醒着这个女人——你在精致地活着。

离婚后的这两个月，杨薇从最开始没日没夜地放纵，到后来逐渐找到了自己的生活方式。过去的一切不是应该彻底告别，有些东西会让她开心，她就留下——比如护肤、化妆、挑选漂亮的衣服、减肥。

有一些让她不高兴，她就放弃——比如彻底远离所有高油高脂高糖的食物。不过偶尔放纵一下，也没什么。

她找到了一种微妙的平衡，让她快乐又健康地生活。

她拍脸的时候，文哥在微信上询问："那花是你前夫送的？"

杨薇愣了，赶紧说："没有啦，就是策划的一个段子。"

她只是想作为趣事分享那一束花，没有想让人因此嘲笑谁。

周文明白这是杨薇对她前夫的照顾。

其实，周文在机场的时候就认出她和宋哲来了。他以前没见过杨薇本人，和宋哲却是打过照面的。宋哲或许不记得他了，可他记得很清楚。

那时候他还不够红，宋氏传媒投资的一个电影里有一个角色，他的经纪人希望他拿下，于是引着他去见了宋哲。

他们都还未成年，宋哲穿着特制的小西服，站在人群中，慵懒中带了些不耐烦。他被经纪人领着上前，恭恭敬敬举着酒杯说："宋少爷，我敬你一杯。"

宋哲回过头来，上下打量了他一眼，随意端了杯水："我不喝酒。"然后稍微举了一下杯子，喝了一口，放下杯子就转身离开。

周文有些尴尬。

那时候年纪小，周文有些难受的。在机场，他第一眼就认出了宋哲，然后想到，如果杨薇的前夫就是宋哲……

那的确是脾气太坏了。

周文想到这些，忍不住叹了口气，转头看了一眼窗外。

南城和北方不一样，并不是方方正正的样子，有青山，也有高楼大厦，看上去别有一番风情。

他突然有些可怜杨薇，也有些可怜自己。大约这些含着金汤勺出生的人，都是这么个脾气。

"明天好好休息，"周文叮嘱着，"后天比赛，别为任何事扰乱心情。"

对他们这些人而言，努力往上爬，有自己的主心骨，是逃离原来生活的最佳路途。

杨薇看着文哥的叮嘱，赶紧回复："放心吧，等着看电视好了。"

第二天清晨，杨薇先去了《玩转文字》节目组的办公室，准备开播的一些视频。

杨薇是九点到的，来的时候发现门口已经有很多人了。有些是一个人来的，有些有人陪着，明显是签了公司的。

杨薇过去之后，不少人朝她看过来，作为一个非颜值选秀类的节目，杨薇的颜值太高了。

杨薇进去找了个位置站着，就听见旁边一个男生小声说："长成这样，不会是靠脸进来的吧？"

杨薇抬了抬眼皮看过去，那男生立刻把头转了过去。所有人都小心翼翼看过来，杨薇假装不知道，低头玩手机。

周围有人在窃窃私语，似乎是认出她了。

能来这里的人，有名气的也不少，所以大家也就是随便说说，并没有多大反应。

没过多久，节目组办公室的门开了，一个挂着工作牌的男人走出来，招呼大家进去。

进了会议室，大家找凳子坐下，一个娇小的短发女生风风火火进来，对大家说："大家好，我和大家自我介绍一下，我是这次节目的导演，叫裴丽丽。今天大家过来，一方面是要录几个视频给我们节目组播出，另一方面是来抽个签。明天的赛制大家都知道了吧？明天是1V1的PK（对决）赛制，你们会两人一组，一人五分钟，就同一个题目进行演讲，由现场观众投票加上三位导师的票数计总数。"

这个复赛制度大家之前就已经得到消息了。

裴丽丽让人把一个箱子拿过来："每个人拿一张纸条，然后我叫到数字，就到工作人员这里登记一下。"

说完，裴丽丽招呼着大家拿纸条。杨薇拿到手里的纸条上写的是"5"。

裴丽丽开始喊数，每个数字都会有两位选手，这两位就是对手。杨薇看见大家逐一过去登记名字，她走到台子边上的时候，另一个女人也走了过来。

她的长相很清纯，比杨薇矮几厘米，看着就有种初恋的感觉，似乎还是个大学生。杨薇朝她点点头，随后签下了自己的名字。对方也报上了自己的名字：“我叫席蓉。”

杨薇依稀听见人群里有人说：“真的是她啊……”

杨薇有些好奇这个席蓉是谁，但是这不是她要操心的事，冷玫和向维会帮她解决。于是她朝对方笑笑，便回了自己的位子。

这时候冷玫的短信已经来了：“对手是谁？”

“席蓉。”

“知道了。”

得了这句话，杨薇内心安定下来，冷玫办事她放心。她排队等着录了自己的自我介绍和口号，录完就去了停车场。

怕陪她上去太惹眼，冷玫和向维在车里等着杨薇，她一进车里，冷玫就和她确认：“你是第五号，对手是席蓉？”

“对。”

冷玫点点头：“明白了，有点麻烦。”

“嗯？”杨薇有些疑惑，“怎么了？”

“哎呀，你见着席蓉了吧？”向维回过头来，“长得怎么样？漂亮吧？”

杨薇认真回想了下，点点头：“还不错。”

是有一点漂亮，但和娱乐圈的明星比起来还是有一点差距。

冷玫从电脑里调出一张照片，指着照片问：“比这个呢？”

照片上是一个穿着民国学生服的女生，编着小辫子，在樱花树下抱着书，带着笑。笑容很甜，很温柔，让人想起自己初恋里那个最暖的姑娘。

这个女生明显比席蓉漂亮多了，但从五官可以看得出来是席蓉，那么一身打扮，让席蓉的颜值提升了太多。

“席蓉是一个网络红人，在豆芽网站上走红，她是 × 大文学系的高才生，因为曾经在豆芽上写下八百本书的书评引人注目，后来她陆续上传了很多照片，吸了一批死忠粉。之后出版了两本散文集，一本叫《在这红尘飘零》，另一本叫《在这喧嚣的城市》，是新生代文青的代表人物。”

杨薇听得有点蒙，点了点头，真诚地说："真厉害啊。"

"当然，都是团队的功劳。"冷玫低头补充了一句。

杨薇不解："啊？"

"八百本书的书评都是代笔，书也是代笔，除了照片是真的，其他都是假的。"

"那她这样也敢来参赛？"杨薇有些无法理解，"就不怕穿帮吗？"

"背稿子的事，谁怕穿帮？"冷玫抬头瞧了杨薇一眼，"不管她是怎么回事，你没证据也不能乱说。我现在就担心一件事，她的死忠粉很多，我怕到时候你拉票拉不过她。"

"别怕，"杨薇信心十足地说，"我相信，这世上自有公道！"

冷玫嗤笑："好好准备你的题目，你们这次是演讲，对吧？"

"嗯。"

"我让人研究过她一贯的代笔风格了，都是走那种悲情故事路线。这种风格现场拉票效果好，我在考虑你要不要换个风格。"

"换个风格？"

"对，就是不要走这种幽默风格，也用这种悲情风格。你条件比她好，同一个风格下要赢她问题不大。"

杨薇想了想，对同冷玫说："你把她所有发过的文章以及所有公开露面说话的视频都发我一下。"

"你好好准备你的内容，"冷玫皱眉，"你看不完……"

"没事，你发我。"杨薇又说了一遍，"赶紧。"

冷玫沉默了一下，让下面的人分工寻找，在半小时内把席蓉发过的内容全部收集了上来。

杨薇花了整整一个下午看席蓉写的东西，她浏览文本的速度很快，双倍快进席蓉的视频，然后她发现了一个问题，席蓉所有的发言都是一贯的套路。

席蓉有一个比较悲惨的人设，她小时候父母离婚，跟着母亲生活，后来有了一个继父，从小在打压中生活，日子清贫艰苦，但她依旧积极努力，奋发向上，后来以全市第一的成绩考入了 × 大。

她小时候吃过很多苦，因此她的文章基本都是：抛出一个主题，描述她过去的悲惨生活，然后说她如何摆脱困境，总结感受。

杨薇有点蒙，现在忽悠人都这么简单吗？

她的文章里出现了很多互相矛盾的地方，一次说她十五岁之前没吃过肯德基，一次又说她六岁第一次吃肯德基，当时如何如何……

诸如此类的矛盾数不胜数。

总结出了席蓉的套路，杨薇放心了一些，她连夜准备了两套稿子。

坦白说，席蓉这种悲情风格，如果她讲得好，有煽动力，的确很容易拉到票。毕竟人们大都会偏向弱者。

凭“我有一个梦想”就可以打败唱得更好的选手，不是没有原因，因为人总希望自己能是“善”的那一个。

杨薇不想走这样的路子，她不是为了赢比赛，她是想展现自己。

她排在席蓉后面演讲，当所有人沉浸在席蓉制造的悲伤氛围中后，她再讲段子，难度会大很多。

所以杨薇只有一个办法，那就是直接找和席蓉相似的内容作为话题进行讨论，相似的事，说出不同的观点和效果。

这需要她预测出席蓉会说什么，所以她准备了两套稿子。

如果席蓉按照她预料的那样出牌，她就当场拆了席蓉的观点。

如果席蓉没按照她预料的出牌，她就好好表现自己。

低头看着题目——女人的苦，杨薇沉默了十秒，一想到自己站在台上饱含热泪倾诉的样子，就起了一身鸡皮疙瘩。

“你们知道我们女人有多辛苦吗？！我，一个父母同时意外身亡，被人收养当童养媳，又被人抛弃的女人，为了追逐梦想，我站在了舞台上，你知道我有苦吗？！”

她抖了抖，无论如何说不下去。

第十二章　她会猜到的

幻想自己哭惨的瞬间，杨薇就决定了——她不允许自己做这么 low 的事。

杨薇准备了一晚，第二天早早到了演播厅的后台。《玩转文字》一共分成三个阶段，第一个阶段是五期，一周一期，每期十人 PK。杨薇抽到了“5”，刚好是整个节目最后上场的一组。

众人开始准备化妆，后台乱成一团。突然听到了喧闹声，杨薇抬起头，看见一个人被一群人簇拥着，进了一个专门的化妆室。

见杨薇抬眼看，旁边的向维赶紧说：“那个是这次的评委。他们这次为了收视率，除了两个专业评委以外，还请了一个流量明星来当评委。”

“好。”杨薇点点头，看见冷玫疾步走了过来，她的脸色不太好看。

杨薇有些奇怪：“冷玫姐，怎么了？”

冷玫抿了抿唇没说话。杨薇立刻意识到这话不好说，她招了招手，冷玫低下头，在她耳边小声说：“席蓉背后有经纪公司，提前拿到了评分规则，花大价钱买了观众票，今天大部分观众都是席蓉的人。”

杨薇没说话，冷玫有些自责：“我该想办法多找点人打听清楚……”

“玫姐，”杨薇拍了拍她的手，“不用纠结，她不可能买下所有的票。再说还有评委票呢，我们安心准备就够了。”

冷玫抿了抿唇，明显不能接受自己的失误。

杨薇叹了口气：“玫姐，你已经很厉害了，但人总有做不到的事。”

能直接拿到评分规则，那是对方经纪公司在这节目组内部有人。

杨薇想得开，冷玫却一直纠结着。杨薇看她状态不好，让她去休息一下。

向维陪着杨薇，看着她小口小口喝着保温杯里的水，有些奇怪："你不担心？"

"我怕什么？"杨薇笑了笑，她想了一下，"我中学时候有一次英语比赛，学校要抽两个人，当时校长的女儿也参赛了，我心里特别害怕。然后就有人和我说，你怕什么？两个人里有一个是校长女儿，那就还有一个位置，你要是不能参加比赛，那就是因为你没有达到最好。"

"现在不也一样吗？"杨薇一脸平静，"这么多人看着，还有评委的票，我要是输了，那就是技不如人。"

"你对自己要求太高了，这就是不公平。"向维很气愤，"你不生气，我替你生气！"

"那你生气吧。"杨薇笑了笑，"可我不能生气。"她不做没有意义的事。

向维低声骂了两句，突然想起来："不过，谁和你说的这邪门歪道的话？"

杨薇愣了，抿了抿唇，没有说话。她突然发现，虽然离开了，可是生命里，到处都是那个人的印记。

杨薇有些无奈地笑了笑，随后就被节目组的工作人员叫过去——节目已经开始了。

十位选手分成A、B两组，分别在不同的房间，杨薇在B组，里面都是和她一样在两人PK中后上场的。她走进去以后，看见里面有三男一女，这时候她才注意到，这个节目里女性录取率似乎比较低。

杨薇刚一进去，一个颇为帅气的男人就说了句："哟，又来一个卖惨的。"

杨薇沉默不语，三个男生心照不宣地笑了起来。

旁边坐着的女生厌恶地看了这三个人一眼，低着头没说话。

杨薇扫了一眼说话的那个男人的牌子，叫杨西泽。他如果不说话，看上去是一个冷静优雅的人，但是一开口，就异常刻薄。

这种刻薄和宋哲还不太一样。宋哲的刻薄，与他的身份、地位相关，他向来高高在上，他不理解别人的逻辑，他也没有想要把谁怎么样，他就是单纯的不理解，所以说出伤人的话。

可这个杨西泽一开口就带着打击的目的，显得十分小家子气。

他们三个男人坐在一边说话，杨薇坐在另一位女选手身边。那个女选手在低头玩游戏，头发分成两股高高扎起，年纪不大，看上去有几分二次元宅女的感觉，还挺可爱。

杨薇朝她打招呼，她也就点点头，没有说话。杨薇看了一眼她的名字，叫江萌。

过了一会儿，工作人员进来，对他们说："等一会儿你们就在这里，每个选手比赛的时候你们要给点反应，最好是戏剧一点、有爆点的，摄像头在这边，"工作人员指了指，"会一直监控你们，不要做不适合的行为，你们明白吧？"

"明白。"所有人点头，工作人员又嘱咐了几句，转身走了。

这时候外面传来了音乐声和主持人的说话声，主持人先是念了开场词，然后开始介绍评委。

他们在房间里看不见外面，只听见主持人介绍道："接下来介绍我们三位评委，首先欢迎我们亚洲脱口秀之王，沈明泽沈先生！"

外面传来了掌声和音乐声。

"著名主持人陈秀琴陈女士！"

又是一阵掌声和欢呼。

主持人顿了顿，随后猛地提声："以及，这次的特邀嘉宾，刚刚荣获金花奖'最佳男主角'殊荣的——"

主持人还没说完，外面就传来尖叫声，许多人跟随着主持人一起叫出他的名字："周文！"

听到这话，备赛区的所有人都愣了，随后好几位女选手尖叫起来。

杨薇在惊讶片刻后，高兴得欢呼起来：“啊啊啊！”

旁边的男选手皱起眉头，杨西泽面带微笑，眼中全是看脑残的鄙夷。

接下来主持人说道：“现在欢迎我们的参赛选手！”

主持人话音刚落，杨薇就感觉脚下震动起来。他们仿佛坐在一个电梯里，被升到了舞台高处，然后停下来。他们的正前方是玻璃，杨薇等五位选手坐在玻璃房里，看着赛场上的所有人。

杨薇咽了咽口水。

旁边杨西泽忍不住开口说：“这么高啊，让恐高的人怎么活？”

先是主持人热场，随后比赛正式开始，每组两个人，就同一个题目，演讲完毕后，由导师点评。

上场的第一位是一个女选手，她的题目是“生命在于永不放弃”。

杨薇喝了口水，随后她就听到这样的开头：“我出生在一个偏远的贫困山村……”

这位选手花了五分钟时间，描述了自己悲惨的命运，台下观众听得一把鼻涕一把泪。

而杨薇身边的四个人则全部是“我就知道”的表情。

过了一会儿，杨西泽旁边的一个壮汉走了下去。

他开始分享自己的人生：“我以前是个胖子，做健身做了……”

这个壮汉其实是准备了一些内容的，杨薇听得出来，但他有点紧张，又把话说得太严肃了，观众还沉浸在最初那个女选手制造的悲伤氛围中，对这个壮汉准备的笑话就更不敏感了。

等到投票的时候，壮汉比女选手少了六十二票。最后两位导师选择了他，一位导师三十票，他仍旧以三十二票之差被淘汰。

这个结果让江萌轻轻叹了口气，杨薇有些奇怪：“你叹什么气？”

江萌没说话，只是摇了摇头。

杨西泽则是直接出声：“还是卖惨好用啊。”

接下来到了杨西泽和对手 PK。对面的人是一个打快板的男人，他们的题目是“男人的苦”。

杨薇看到这个题目觉得有些好笑，然后她就看见那个打快板的男人用快板的形式诉苦，而杨西泽则用吐槽的形式诉苦。

不得不说，杨西泽在骂人方面很有天分。他逻辑清晰，骂得铿锵有力。他把男人的苦分成三个部分，少年时候父母长辈带来的，成年之后社会带来的，此外还有家庭带来的。其中女人是他的重点吐槽对象，他吐槽女人的话都可以被网友做成网络摘抄语录了。

“结婚的时候，她们和你说，男女是不平等的，我要生孩子、做家务、伺候公婆，所以我嫁给你，你得有车有房下聘，养我一辈子。那行啊，我们就奋斗半生把她娶了。等娶回来了，她和你说——”

“你娶我回来是为了让我当保姆的吗？！都二十一世纪，男女平等了，你凭什么不做家务？！”

杨西泽做出错愕的表情：“我们男人到底做错了什么？要遇到这些骗子？”

这话说出来，把全场男性逗笑了，而女性表情十分复杂。

杨西泽继续说出一些惊人的观点。

诸如：“代孕不过三十万，你以为我为什么娶你，是为了孩子？不，我是为了爱情。可男人不配拥有爱情。”

等投票的时候，几乎全场男性都把票给了杨西泽，加上一部分女性的票，杨西泽以绝对的优势领先。

杨薇思索着杨西泽的演讲风格，这种观点明晰、共情能力强的选手，其实很可怕。

后面的人陆续上场，风格普遍比较平庸。

“二十年前，我父母离婚……”

“一个月前，我患上了 ×× 肿瘤……”

“在我很小的时候，我父亲去世……”

快轮到江萌的时候，杨薇总结了一下，场上已经有患上良性肿瘤的、年幼丧父的、父母离异饱受打骂的……

他们都饱经风雨，他们都十分凄惨，可他们永远心怀梦想。

杨薇觉得有些听不下去了，直到江萌走上去。

这时候杨薇才知道江萌刚才为什么一直不说话——她是个结巴。

她是个说单口相声的结巴。

杨西泽在江萌开口的第一时间就笑了：“这个卖惨卖得比较真实了。”

杨薇看了杨西泽一眼，没有多说，然后就听见江萌说话。江萌的句子都很短，很少，杨薇却忍不住笑了。

如果江萌不是结巴，她一定是个很优秀的单口相声表演者。哪怕她结巴，她还是很聪明地选择了用结巴所产生的误会作为笑点。

场上陆陆续续有人笑起来，最后计票时江萌以微弱的优势赢了。

江萌回来的时候，杨薇走上去，握住她的手，认真地说：“你说得很好。”

江萌愣了一下，随后红了脸，点点头没有说话。

后面就是席蓉的演讲了。

杨薇看着席蓉，她化了妆之后，和照片终于接近了几分，但是也没有照片漂亮。她先给大家鞠了个躬，然后开始讲述她的故事。

她的思路和杨西泽一样，说了少年的苦，在社会中的苦，当妻子的苦。

她用自己的经历，诉说各种不公。

她小时候父母离异，她的母亲遭受到很多创伤，她作为少女受到很多伤害。她描述了她在学习工作中受到的歧视，在婚姻中承受的不公……

还诉说了来月经有多疼，怀孕有多疼，各种妇科病有多折磨人……

她的话感染力很强，一部分女人听得泪眼汪汪。

杨薇觉得所有女人能遇上的惨，都被席蓉和她身边人承包了。

席蓉讲完之后，全场掌声雷动，只有三位评委，面色平静。

杨薇上去时，评委席上的沈明泽开始打哈欠。杨薇气场全开，用一种女王姿态，踏着高跟鞋，像走T台一样走到场上，然后在众人期待的眼光中——摔了下去。

全场静默了一秒，有人憋不住笑了，杨薇爬起来，对所有人说：“不好意思，脚崴了。”

说着，杨薇大大方方地脱下高跟鞋，赤脚站在舞台上，说道：“刚才出了点问题，太不好意思了。今天如果是一个男人走到这个台上，绝对不会出现这个问题，因为他们不用穿高跟鞋。哪怕他们摔了，也不会有我疼，因为女性臀部的脂肪累积比较多，所以我摔下去的时候，有更多的脂肪在感受疼痛。”

这一番谬论让人哄堂大笑，沈明泽的目光落到杨薇身上，而周文始终保持着微笑，注视着她。

杨薇看见所有人笑了，就知道被席蓉带走的场子，她找回来了。

从杨薇摔倒那一刻开始，大家的注意力就被她带回来了。

“我的题目是‘女人的苦’。其实这个题目已经被刚才席小姐讲得差不多了，席小姐真的讲得超级好，我听的时候忍不住想让杨西泽先生上来和席小姐打个擂台。我估计就是这样的——”

杨薇先捂住肚子：“啊，我来月经了，肚子好痛……”

接着她又站到另一边，按住了自己的下腹，用手捂着额头，低头沉声说：“我前列腺好痛。”

众人爆笑出声，杨薇又站回原来的位置，一手扶腰，一手伸出去努力挥舞，表情浮夸：“啊！孩子！生孩子好痛！！啊啊啊，我要死了！”

然后她又站到另一边，模拟男人的声音，一脸痛苦：“车子！房子！聘礼！啊啊啊，我要疯了！！”

杨薇浮夸地做完了几组对比，随后停下来：“说实话，我是真的很想知道谁能赢。”

“其实众生皆苦，谁都不容易，一个人如果无法承受作为人的基本苦难，这是她脆弱，而不是多苦。我们要客观地承认，女性的确具有一定的劣势。可是在当代社会，我觉得女性最大、最可怕的苦难，不是我们生理条件所带来的不平等的苦，而是我们自己觉得自己太苦了。”

“我们觉得自己太苦，觉得不平等，因此放低对自己的要求，要求更多的权利——你们知道这意味着什么吗？一旦你要求了更多的权利，也就默认你是弱者，你在某些方面索要多少权利，就一定会在其他方面补偿回来。你要聘礼，要求对方承担经济来源，那你婚后要求对方和你平等承担家务、抚养孩子、尊重你的梦想，那就不可能，因为你用这些交换了聘礼，以及婚后不承担经济压力的特权。”

“我们觉得自己太苦，会默认这种苦难，从而放弃争取。比如在场多少女生认为婚姻是场噩梦？因为你默认婚后要做家务、生小孩，默认很多事，这对女人来说太苦、太不公平。可谁告诉你这是你必须做、应该做的事，是你的义务？”

杨薇的语调很平缓，她用很清晰的逻辑去阐述，比起关注女性现在的困难，更该关注女性对困难的认知和观点。

她有很强的控场能力，当她说段子的时候，所有人都不由自主地笑，当她平静叙述时候，也不会有人走神。

杨薇让观众和她、和舞台融为一体，仿佛这不是一场演讲，是一场对话。

临近最后一分钟的时候，她使用大量的排比句，把现场的气氛推至高潮。

“我们不该总是回顾我们多苦——”

“我们不该去抱怨不公——”

“我们要做的，是承担应有的责任，获得社会认可，拥有社会地位、经济价值，对不该有的苦难说不，利用手中的权利，改变已有的困难！”

“女人苦吗？！”

“这，才是我们讨论女人的苦时，最重要、最需要探讨的。”

“谢谢。我是十号选手，杨薇。”

杨薇说完后，掌声如雷，三位评委也抬起手鼓掌。

席蓉回到台上，杨薇冲她微微一笑，席蓉勉强挤出一个笑来，朝她点点头。

全场开始投票，杨薇静静等候着，票数跳跃，等到数字停下来时，席蓉的票高出她五票。

席蓉松了口气，杨薇笑着没说话，这个结果在她意料之中。

到了评委点评时间，沈明泽最先开口，他看着杨薇，过了好久，才用不太标准的普通话说："其实两位都是很优秀的语言表达者，而且走的是完全不同的路子。不过出于我的职业倾向，我会更偏爱不过度依赖煽情，更关注语言本身魅力的选手。我知道这样说可能有点失礼，但我必须要说的是，今天在场的所有选手中，杨小姐是令我印象最深刻的，所以我选择，杨薇。"

说完，沈明泽按下了灯。

杨薇欠了欠身，面色平静，目光落在陈秀琴脸上。

陈秀琴看着席蓉："今天席蓉的演讲让我非常感动，我真的能感同身受她说的很多东西。我不是很赞同杨薇的观点，我觉得她是自己没有经历过这些，完全不明白。只有席蓉这样经历过苦难又不放弃的人，才能准确地描述痛苦。我很感动于席蓉一路走来的勇气，虽然我承认杨薇有很强的舞台表现力，但这一票，我还是投给席蓉。"

到周文了，他这一票决定了两人的去留，现场静默，周文的目光落在杨薇身上，杨薇有些紧张。

她不太在意另外两个人的投票结果，但是周文的选择，她还是有一点在意，毕竟每个人都希望自己的偶像能够承认自己。

她眼神中的紧张毫不遮掩，周文静静看着，好久后，他低笑着优雅按下灯。

"杨薇。"

全场欢呼出声，杨薇舒了口气。主持人将话筒递给杨薇："来，两位选手有什么想说的吗？”

“我想说的可能只有‘谢谢’吧，”杨薇舒了口气，“觉得很开心。”

主持人又将话筒递给了席蓉：“来，席蓉你呢？”

席蓉红着眼接过话筒，吸了吸鼻子：“虽然我早就知道结果，但还是会有些不甘心。上天是不公平的，如果节目组说清楚的话，我大概就不来了。”

这话说出来，在场的人脸色都不太好看，主持人想打断席蓉，席蓉却快速说：“有些人天生具有优势，这点我认。可是如果不公平还不能说出来，这样的世界未免太让人绝望了。”

杨薇没说话，她回头，静静地看着席蓉。

席蓉两眼含泪，似乎是受到了极大的委屈。杨薇勾唇一笑：“席小姐觉得有什么不公平，可以说出来。”

席蓉露出害怕的神色，似乎杨薇的话是恐吓一样，看上去颇为可怜。

杨薇转过头，没有再说话。

杨薇走下来，向维和冷玫上去接她，席蓉则在自己经纪人的护送下匆匆离开。

向维低低说了声：“什么东西！”

冷玫说：“她在台上说了这话，这事不会了的。”

“兵来将挡，水来土掩，”杨薇一脸淡然，“做亏心事的都不怕，我们怕什么？”

冷玫想了想，也是：“你说得是。”

“哦，玫姐，”杨薇突然想起来，“你说她请人代笔以及她的经纪公司买观众票的事，这事能查吗？”

冷玫愣了愣，随后点头：“我会想办法查。”

“拉票这件事参与的人多，肯定会有几个漏网的，只要顺着她的经纪公司和这个节目组的瓜葛去查就行。代笔的事情如果找不到人，那就把她所有文章相矛盾的地方总结出来。”

杨薇喝了口水："把柄这么多还要找事，那我们就等着她作死。"

冷玫听着杨薇的话，笑了："你说得对。"

正说话时，后面传来工作人员的声音，杨薇一回头，就看见周文走过来。

她连忙让路，听见周文喊了声："杨小姐。"

杨薇抬头，所有人都看过来，周文走上前去，温和地说："杨小姐。"他笑了笑，"脚好些了吗？"

杨薇没想到周文还记得机场的事情，她很诧异："你还记得？"

周文点了点头："我记性一向不错。"

杨薇赶紧说："那天没什么事，让你惦记了。"她面上强装镇定，心跳却有些快。

周文笑了笑："你很有天赋，今天讲得很好，以后加油。"

"我会的！"杨薇瞬间被打了鸡血，高兴地说，"谢谢你！"

周文抿了抿唇，后面有人陆续过来，他看了一眼，摆手："回见。"

杨薇赶紧让开。

等周文走了，向维看着杨薇，欲言又止。

向维突然有些担心杨薇。宋哲明显是看上她了，要是周文把她拐跑了，宋哲恼羞成怒……

他轻咳了一声，忍不住提醒："那个，薇薇啊。"

杨薇有些奇怪地看向向维，向维小声说："这些娱乐圈的明星，崇拜一下得了，千万别动真感情啊。"

"向哥你说什么呢！"杨薇笑了，"我就见他这么两次，你想象力也太丰富了。不过——"

杨薇抱着手里的文件夹，看着周文远去的身影，感慨着："文文真帅啊。"

"宋总也很帅的！"向维赶紧说。

杨薇沉默了片刻，认真想了想。

宋哲是挺帅的。可是，再帅的人看了十几年，也……也就那样了。

人总是喜欢新鲜的。

杨薇和向维回去的时候，宋哲正在看冷玫传给他的杨薇的比赛视频。

宋哲投影在电视上，端了杯红酒，懒洋洋地看着。

高林站在他背后，忍不住感慨：“没想到太太还有这么好的口才！”

“她一直挺好。”

宋哲的声音里带了笑意，认真听的话，能听出几分骄傲。

他想了想，对高林说：“你说她赢了比赛，我作为老板是不是该给她点奖励？”

“那是必须的。”高林猜出宋哲的意思，立即附和，“您该送她点东西，给她点关心，让她感受到您对她的重视。”

“也不用这么夸张，”宋哲有些不好意思，轻咳了一声，“你……你去买束花吧。”

一提花，高林就有了阴影，然后听到宋哲说：“就普通的，以前你经常买的那种就行了。”

高林舒了口气。

宋哲想了想，又问：“你知不知道她喜欢什么？”

高林不知道该怎么说了。他如果说知道，宋哲会怀疑他图谋不轨，说不知道，又会觉得他作为助理，水平不行。

好在他还没说话，宋哲就说：“哦，算了，你也不知道。”

“那就把花送过去吧。”宋哲摆了摆手。

“好。”

高林走出去的时候，宋哲叫住他：“别说是我送的。”

高林觉得有些奇怪，宋哲抿了抿唇，摇着头：“算了，你随便吧。”

等高林走了，宋哲坐在沙发上，低头看了看自己的手。刚才，他居然有点怕杨薇再次把他的花给扔了，或者是当成拍视频的道具。

他才发现——

原来所有的伤害都会留下痕迹。他忍不住想，那杨薇呢？

这个念头一开始就被他打住了。他不敢想。

花是高林亲自送过来的。杨薇接到花的时候有些意外，她看着这束花，有些无奈："你说我是收还是不收？"

"您还是收了吧。"高林叹了口气，"您不收，先生就会想其他的法子了。"

杨薇从高林手里接过花，靠在门边，看着高林："他怎么就这么想不开？"

高林没说话。杨薇低头摸花："有时间你就劝劝吧，让他想开点，他无非就是不甘心罢了。"

"其实……也不是这样。"高林迟疑着，"先生心里是有您的。"

杨薇"扑哧"笑出声，她摆摆手："我比你了解他。他心里是有我，但我的分量和江淮安、武邑、武纶这些人没差多少。他就是自尊心太强了，觉得我是他老婆，我主动甩了他，他面子挂不住。"

"不是……"

"人总不能为了面子耗一辈子。"杨薇抬眼看向高林，"有时间你带着他多出去玩玩，别记挂我。"

高林沉默了片刻，才问："您真的放下了吗？"

"高林，"杨薇笑了笑，眼里带了几分苦涩，"我没那么坚强。我喜欢他的感觉，就像把手放在滚水里，疼了我只能放手。"

高林静静听着，最后他点了点头："我明白了，我会劝先生的，只是他需要时间。"

"嗯。"杨薇点点头。

高林和杨薇告别，转身走了几步，他突然停住脚步，对杨薇说："但是，杨小姐，其实先生对您的感情，或许比您想象中要深很多。"

"不重要了。"杨薇轻轻笑了。

高林看出杨薇眼中那份释然，点点头，转身离开。

杨薇看着宋哲送的花，片刻后，她还是抱回了房间，用剪刀细细整理了枝叶，放在了花瓶中。

风平浪静地过了一个星期，宋哲雷打不动一天一束花送过来。这一周的花，他送得中规中矩，杨薇秉持着不主动、不拒绝、不负责的“三大渣女原则”，让宋哲尽情送。

杨薇琢磨着，宋哲那个性格，越逼他放手，他越不会放。她该说的说了，该劝的劝了，现在也就等着时间消磨这位公子的耐性，她就不要再做什么吸引宋哲注意的事了，就这么相安无事、两不相见，挺好。

周末，《玩转文字》第一期开播，在黄金时间晚上八点，网络、卫视同时上线。节目一经播出，当晚杨薇直播间人流量暴增，微博人数也剧增，她心满意足地睡了个安稳觉，

第二天清晨，杨薇还没睡醒，就接到了冷玫的电话：“你看微博了吗？”

“嗯？”杨薇迷迷糊糊应了一声，“我还没起床呢。”

“席蓉那事上热搜了。”

“啊？”杨薇睁开眼睛，一脸茫然，“你说什么？”

“昨天节目上线后，席蓉在台上说的那些话上了热搜。她昨晚上似是而非地发了个声明，然后就有人爆料说是有黑幕。”

这事在杨薇意料之中，她打着哈欠起身，开了电脑看微博：“谁爆料的啊？”

“一个小号，”冷玫坐在电脑面前翻看着微博，“ID 叫‘春风十里’，他爆了许多，说是现场的观众。”

“肯定是席蓉的人呗。”杨薇撑着下巴，打开了“春风十里”的微博，看到了那个置顶的分析帖，一看就乐了。

“春风十里”这帖子特别有意思，一边分析一边踩杨薇，论证杨薇有黑幕的几个点：“一是这女人网红出身，怎么能和 × 大高才生比内涵，

这种语言节目，重要的是精神主旨，不是哗众取宠。”

“二是投杨薇的评委都是男的，这女人长得妖艳浮夸，必然是靠颜值上位的。我们清纯玉女席蓉向来为人清高，这次是遭人暗算。”

“三是观众投票里杨薇输了，全靠节目组安排的评委拉回了杨薇的劣势。席蓉的演讲动人心弦，怎么会输？”

“四是此女原本是一个主播，突然有各种营销运作痕迹，据知情人士爆料，她背后有一位神秘大牌金主。”

这帖子里几乎没什么干货，一堆诬陷造谣的料，但“春风十里”的煽动力很强，这些黑料编得有板有眼，还搭配了各种P的图，杨薇都快信了。

帖子是昨天晚上发的，现在杨薇微博下贴满了各种骂人的话，大多是针对她网红主播出身这点，污言秽语，十分不堪。

杨薇有一些粉丝，但是和席蓉这种根基很深的豆芽女神比起来，人数还是少了些。加上对方先发制人，现在网上全是杨薇的黑料，杨薇的粉丝都不太敢说话了，只要有一个人维护她，就能有上百个人追着骂，骂到删评论为止。

杨薇本来只是淡定地观看这场骂战，但是看到自己的粉丝被人骂成这样，她突然有了怒火。

她问：“玫姐，证据收集到了吗？”

“准备了一些了。”冷玫说，“不过时间有点短，也就撬动了几个人开口。”

“够了。”杨薇对冷玫说，“放吧。”

杨薇的一个粉丝被骂到放弃微博号了。就因为那个粉丝说了一句“席蓉可能是代笔”，对方就追着她骂了好几百条，要她说话讲证据。

她看着网络上席蓉粉丝的话，嘲讽着：“他们不是要锤吗？求锤得锤。”

冷玫找了个娱乐圈大号去放这些料，杨薇则打算发一则声明来解释她没有暗箱操作。然而她还没动手，冷玫突然说了句粗口。

“嗯？”

杨薇有些疑惑，冷玫这样的人也说这种话？

她还没问发生了什么，就听见冷玫说：“你快看周文微博！”

杨薇有些蒙，赶紧去看周文的微博，就看见周文亲自发表了一则声明。

这则声明简短阐述了选择杨薇的理由，随后他直接写道：“我必须要说一句，用同情绑架判决的风气该改一改，不然让那些真正为了结果付出莫大努力的人怎么办？又要让整个行业怎么办？所有人集体卖惨为生吗？”

周文的影响力和席蓉、杨薇根本不是一个级别，他的声明一出，大家都注意到了这件事和周文有关。

他的粉丝顿时气势汹汹组织起来。

——你说评判结果不对？你是怀疑我爱豆搞黑幕？你在说他没眼光？

周文直指行业问题，不仅是周文的粉丝，很多业内人士也纷纷转发，《玩转文字》的选手，尤其以杨西泽为代表，立刻转发，拍手叫好。

声明发出不到半小时，局势瞬间逆转。

杨薇看得目瞪口呆，这时候冷玫还在和杨薇找的KOL（关键意见领袖）对通稿，冷玫一边审着通稿一边和杨薇说：“我从来没见周文这么仗义过，薇薇，你说他是不是有什么图谋啊？以后见着他，你小心点，离他远点。”

“玫姐，你不用担心。”杨薇看着周文的声明，撑着下巴，傻笑着，“吃亏的是他，你别怕。”

两人话还没说完，向维的信息突然发过来，他在三个人的群里说道：“冷玫你买了公众号那边的通稿？”

冷玫皱眉说：“没有啊，怎么了？”

“为什么公众号那边全是薇薇的通稿？”

说着，向维立刻转发了几个大V新出的公众号文章，诸如《起底〈

玩转文字〉新秀杨薇女王人生，永远的第一》《学霸当网红？——别把学习当成职业》《杨薇——你最想活成的模样》《新时代正能量网红代表杨薇——公益大咖的转型人生》……

这些通稿都没有触及《玩转文字》的黑幕事件，但是几乎把杨薇过去的人生扒了大半。

他们不知道是从哪里来的料，还带了许多照片：杨薇在高三誓师大会上作为代表演讲的照片，杨薇高考成绩的截屏照片，杨薇当志愿者和孩子一起拍的照片，杨薇成立公益基金做募捐演讲的照片，杨薇北大毕业照，杨薇沃商毕业照……

甚至她在国外捐款演讲的视频都被扒了出来。

杨薇都看蒙了。

"现在这些狗仔不得了了，哪里找来我这么多资料？"

"网络时代，存心要扒出谁的过往一点也不难。"冷玫见怪不怪，杨薇分析着那些照片的拍摄角度，总觉得有些奇怪。

似乎都是偷拍，又照得很清晰，应该离她不远。她皱了皱眉，难道人红了，过去的同学都会积极主动给媒体提供素材？

"我觉得你该好奇的是，谁这么大手笔地帮你。"

杨薇"嘿嘿"一笑："说不定是有人看不下去了，路见不平呢？"

"花那么多钱路见不平？"冷玫说，"你别贫了，赶紧发个声明，字别太多，感谢一下大家就好了，算是表个态。"

杨薇点点头，发了条声明："公道自在人心，谢谢信任我的你们。"

周文发了之后声明，席蓉的粉丝被追着打，等公众号那边的通稿发出来后，杨薇的粉顿时多了不少。没多久，公众号的内容就流传到了微博，不过半天时间，杨薇的人设瞬间高大上了。

"× 大高才生一定比网红出身的薇薇有内涵？哈哈哈，是谁给你们的脸啊？"

"长得美一定勾引人，长得好看的人赢了比赛一定有黑幕？我的天，你们对长得好看的人到底是有多大的恶意？柠檬精也没你们酸吧？”

“代笔、卖惨、粉丝群体购票，说人家搞黑幕，真的笑死个人了……”

一天不到，杨薇全面胜利，席蓉几乎被按在地上摩擦。下午，节目组打电话过来，冷玫接了电话，应了几声，对杨薇说：“薇薇，节目组的意思是希望你们两个人和解，你怎么看？”

“和解？行啊。”杨薇补着口红，“她先出道歉信，我原谅她就好了。”

冷玫应了一声，继续讲电话。没多久，冷玫皱着眉头看她：“席蓉说她想和你聊。”

“我和你打个赌，”杨薇笑嘻嘻地说，“如果我接通了电话，她一定和我哭，说她走到现在多不容易，以后不犯了，求我高抬贵手。”

冷玫被杨薇逗笑了：“所以呢？”

“我怕听见哭声，我听见就头疼，所以，你帮我和她说清楚，我要道歉信。第一，为她粉丝买票投票不公道歉；第二，为她给我泼污水道歉。如果她不给我道歉，那就让她的粉丝去给我被骂的粉丝道歉，她的粉丝给骂过的人一一道歉了，她可以不给写我道歉信。”

冷玫点头去了阳台，过了一会儿，冷玫揉着太阳穴回来：“她哭得我头好疼。”

“怎么说？”

“她和我商量，她可以道歉，但是不能每件事都说，大概说一下就行了，你晚上做个样子原谅一下。然后她会说动自己的粉丝，去给你的粉丝道歉，她不能保证百分之百，但是会尽量。”

“那等她的态度吧。”

等了不到一小时，杨薇再去关注自己被骂的那几个粉丝，就发现有好些席蓉的粉丝来道歉了，杨薇自己的微博下也有很多道歉的信息，她终于爽多了。

杨薇开直播前终于看到席蓉发了道歉信。她说得很简短，把事件大概描述了一下，然后道歉，@了杨薇。

杨薇站出来，说了句：“行吧，就这样了。”

这一波让席蓉以前豆芽女神的人设尽毁，后续她还要继续处理自己全网黑的事，杨薇不是落井下石的人，她要的道歉也得到了，她的粉丝也护住了，那就够了。

晚上杨薇直播的时候，粉丝还有些气愤：“薇薇姐，为什么昨天晚上你一句话不说啊？让她嚣张那么久？！”

杨薇抹着护肤品，漫不经心地说：“因为我在睡觉啊。”

屏幕上刷满了“666”。

这时候猫大侠出现了：“你还好吧？”

杨薇很少见猫大侠打出这么平和的句子，他的话一般很奇怪，虽然可以看出充满善意，但是总有那么点……违和感。

但这次的问候就很合适，杨薇笑了笑：“没事啊，反正对我也没多大影响。我今天生气就是因为看到我的粉丝被骂，你可以骂我，但你不能骂我的粉丝。”

“天，有种被宠爱的感觉。”

“呜呜呜，薇薇姐真的太给我安全感了。”

“被圈粉了，从今天起拜了你这个山头。”

杨薇看着弹幕笑了，猫大侠沉默了好久，才说：“你没事就好。”

杨薇做完直播后，高林才做完手里的事，他敲响了宋哲办公室的门，向他报告：“先生，事情都差不多处理好了，效果出乎意料地好。一方面有周文的声明帮忙，另一方面公众号那边的热度迁移很快，您看要不要再趁热发几篇通稿，把事情做一个总结，定性一下，和大众说明太太获胜并不是有人在后面操纵黑幕？”

“不用了。”宋哲看着直播里的杨薇，“和人争论的时候，不要在对方的战场上和他讨论观点。”

“嗯？”高林有些不明白。

宋哲抬眼看他：“你知道最容易传播的信息是什么吗？”

“没有逻辑的口号和谣言，逻辑越简单越容易理解，口号越洗脑越容易传播，谣言越负面跑得越快，所以永远不要在对手的战场上去争论问题。这件事原本十个人在观战，其中两个人信了你，八个人信了席蓉。如果你现在去给杨薇发通稿，说她没搞黑幕，所有人都会把关注点放在黑幕上，关心杨薇到底坏不坏，到时候八十个人信了杨薇没有搞黑幕，二十个人认为搞黑幕，这对杨薇有什么好处？”

“所以等一会儿通稿不要去讨论杨薇有没有卷入黑幕，就关注席蓉有没有代笔，有没有搞黑幕，把她硬拉到我们的战场，让她回应，这就够了。”

“明白。”高林这下反应过来了，他看着宋哲，憋了半天，才冒出一句，“今天的事要不要我帮您向太太提个醒？”

宋哲拒绝了：“不用了，她会猜到的。”

那么多的照片，都是他拍的，那么多的视频，也是他拍的。

她身边一直这么关注着她的人只有他一个，现在会这么帮她的也只有他一个，她会想到的。

他把这些东西拿出来，于他而言，就是把少年时那一份隐秘的感情，悄无声息地公布出来。他能拿出来，已经花了极大勇气，要再去刻意提醒，对于他来说，太难了。

杨薇的确很好奇这位幕后高人是谁。

她猜测过宋哲，但又不确定，毕竟宋哲对她的关注不算多，而且如果他真的做了，一定会大摇大摆地告诉她。

她心里想到一个人，也不敢确定，于是干脆按兵不动，等待后续。

这一场风波之后，杨薇的名气暴增，她之前做的那些小视频被人翻出来，开始全网传播，她演讲的视频也被四处传播，播放量过亿。

广告商、投资方一路找过来，冷玫趁热打铁，给她筛选资源。

“啧啧，真是不得了。”向维感受着杨薇一路暴涨的热度，翻着冷玫给他的广告商的资料，骂了一声：“怎么连慕达日化的代言都有啊？”

慕达日化是慕氏集团旗下一个子公司，慕家在北方颇有势力，一般都捧自己投资公司的艺人，或者选大咖代言，这次选择杨薇代言，冷玫也有点奇怪。

“不过这个先不管，他们也就是给个邀请，可能同时给了好几个人，”冷玫皱着眉头看了杨薇一眼，提醒着，“看看就过了，别报太大期望。”

“那我明天还要去试镜吗？”杨薇手里抓着根胡萝卜，“我看他们让我明天去试镜？”

“去吧。”冷玫抿了抿唇，“既然邀请了你，那就是对你有意。明天拿不拿得下是一回事，但去还是要去的。如果能拿到这个代言，当然是最好的。我只是希望你保持平常心，拿不到也没关系。”

“明白。”杨薇点点头。

其实杨薇也不是很在意，毕竟她不是纯粹的娱乐圈艺人，拿不到代言也没关系。

第二天冷玫带着杨薇去了慕达日化指定的试镜地方。到了之后，杨薇被工作人员带到一个房间。这个房间十分空旷，落地窗可以眺望远处的海面，一张办公桌背对着落地窗，放在房间中央，黑白灰的冷色搭配让整个房间显出一种高级感。

杨薇进去之后，有一位颇为英俊的青年引着她坐下，给她斟茶。

这位青年从头到尾一句话都没说，这让杨薇有些不安，总觉得这个氛围有些奇怪，她开口问：“请问其他来试镜的人呢？不和我安排在一起吗？”

“您稍候。”对方说得很客气，但等于没说一样。

杨薇皱了皱眉头，立刻明白了这次来或许不仅仅是试镜。

杨薇下意识坐直身子，看上去从容淡定，对周边似乎毫不在意一般静静地喝茶。

不管是什么情况，反正，兵来将挡，水来土掩，她就等着。

杨薇进入慕达日化的时候，周文正在卧室里给送来的鲜花清理叶子。

他干净修长的手指在阳光下泛着光。

周文正修剪着花枝，门口传来了急促的敲门声。周文放下剪刀，擦了擦手，不慌不忙地走到门口，刚一开门，就看见方淮站在门口，喘息着：“我刚得到消息，慕雪今早来了南城。”

周文皱眉，随后就听方淮说：“然后，慕达日化给杨薇发了代言试镜的邀请，今天杨薇要去慕达日化试镜。”

听到这话，周文一愣，马上说：“你去准备车，我换一下衣服马上走！”

杨薇在房间里静静等着，过了许久，侧边传来“嘎吱”一声响，一个穿着黑色小西服的女人走了进来。

她看上去二十七八岁，大波浪搭配着立体的五官，让她干练中带了几分妩媚。

站在杨薇身边的青年看见对方，立刻弯了弯腰，恭敬地叫了一声：“慕总。”

青年向杨薇介绍道：“这是我们慕氏集团董事长慕雪，慕小姐。”

杨薇点点头，放下茶杯，站起身来。慕雪踩着高跟鞋走到她面前，主动伸出手：“杨小姐，幸会。”

“幸会。”杨薇的语气不卑不亢。

她是知道慕雪的，慕家的独生女，父亲病逝后继承了慕氏集团，登上了富豪排行榜。

杨薇不明白慕雪为什么单独见她，她猜最大的可能性，是和宋家有关。但是嫁给宋哲之前她一直在宋家内部帮赵阳兰做事，嫁给宋哲之后她也是默默无闻，几乎处于隐婚状态，慕雪怎么知道她的？

杨薇思索着，慕雪笑着坐下来，和她聊了一会儿她喝的茶叶，问：“今天让你过来，你一定感觉很奇怪吧？”

“嗯。”杨薇点头，“感觉不像是来试镜的。”

“的确是来试镜的。”慕雪笑得别有深意，她撑着下巴，打量着杨薇，“我查过你，一个网红，你背后公司的手段不错，自己条件也不错，会营销，前途不可限量。”

“多谢夸奖。”

杨薇更疑惑了，从慕雪的话来看，她似乎并不知道她和宋家的关系，那她到底是来干什么的？

“你们这类人我见得挺多的，我很欣赏你们这种努力往上爬的人。你应该知道拿到慕达日化的代言对你有多少好处吧？”

“所以……”杨薇思索着，“您找我来，是希望我做什么？”

慕雪笑了笑，她的声音柔和：“我希望你关掉直播，把你微信里那个文哥删了。”

杨薇傻眼了，她突然意识到什么，正想说话，却听慕雪说：“然后，离周文远点。”

杨薇睁大了眼。

这个理由……真的太出乎意料了。

第十三章　她是不是有喜欢的人了

这个时候，外面传来喧闹声，杨薇和慕雪一回头，就看见门被人猛地推开，周文喘着气站在门口，死死盯着慕雪，怒喝："你把人给我放了！"

慕雪愣住了，她有些意外周文会在此刻赶过来。周文抬眼看向杨薇，对杨薇招了招手："杨薇，跟我走。"

杨薇虽然有些蒙，但是大概也明白了些什么，她提着包起身，朝着慕雪点了点头。慕雪叫住她，语气依旧温和："杨小姐，我刚才说的话，你好好考虑。"

"慕总，"杨薇回过头来，叹了口气，"您为什么不说，给我五百万，让我离开他呢？"

慕雪皱起眉头，杨薇有些遗憾："这样我就有机会告诉您，不，五百万不够，我要一千万。可惜了，您没给我这个机会。"

这话让所有人都愣了，杨薇朝着周文走过去，走出门时，周文还愣着，杨薇朝他招了招手："走啊，愣着干吗？"

周文这才反应过来，他抿了抿唇，压住笑意，跟上杨薇。

出了门，上了周文的车，两人都没说话。杨薇看了看时间，转头说："也快到中午了，我请你吃个饭吧。"

"行。"

"椰子鸡？"

听到这话，周文便反应过来，这是他在微信里提得最多的食物，他轻笑：“好。”

他们找了附近的一家店，杨薇要了间包间，两人坐在包间里，除了服务员点菜的时候，里面异常安静。杨薇终于忍不住说：“你之前好像没这么安静？”

这熟络的口吻让周文放松了许多，他找到了在微信上聊天的感觉，有些无奈：“毕竟有点不一样，一时不适应。”

“没想到是你。”杨薇给自己放了调料，低笑着，“一开始听声音我就觉得像，但没往这方面想，总觉得你这样的大明星不食人间烟火，怎么会来看直播。”

“当时也是无聊，朋友让我看看直播，刚好就遇到你了。”周文的声音一如既往的平和。

杨薇点了点头：“那我真是太幸运了。”

“看见爱豆这么镇定，”周文看着杨薇没有丝毫扭捏的样子，忍不住打趣，“你也是头一个。”

杨薇突然想起来自己说过好多次崇拜他的话，她忍不住红了脸，摆手：“不一样的啦。”

周文没多说，两人从网上的事开始聊，话题才慢慢打开。等到上菜的时候，两人已经和网上一样熟悉了。

杨薇问：“那个慕总好像挺喜欢你的，你认识她？”

周文拿筷子的手僵了僵，杨薇赶紧说：“没事，你不说也没事。吃鸡。”

“她……是我前女友。”周文说得有些艰难。

杨薇赶紧点头：“看出来了。”

“我认识她的时候十六岁。”周文笑得有些无奈，“因为那时候一批明星里她觉得我最好，所以把他们家公司的代言给了我，其实我应该算她捧出来的。”

说着，周文低下头：“我和你一样，普通家庭出身，走上这条路纯属意外。一开始是兴趣，后来还坚持着，也不过就是因为想要多看她几眼。”

“你当时喜欢她？”

“是啊，”周文坦然承认，“就像你喜欢你前夫一样。”

杨薇点点头，这种感觉她再明白不过。

周文接着说：“我那时候一直喜欢她，后来有一次她和朋友出去探险，人丢了，是我找回来的，然后她就和我在一起了。我们在一起六七年，后来就分了。”

杨薇不敢说话，她猜也猜得出来，这姑娘看上去就是宋哲翻版，周文估计和她也差不多。她一时有些感慨：“没事，都过去了。”

“她和宋哲不一样，”周文笑了笑，“她对我很好。作为女朋友，该做的她都做到了，是我要得太多。”

周文的笑容里带了几分苦涩：“是我要得太多了。她本来就是个不懂什么喜欢不喜欢的人，是我强求。我付出了十分真心，我就总希望她也付出十分真心。她没什么不对，只是不喜欢我。”

杨薇听着这话，心里有些发苦。她很清楚周文的感觉，她知道，什么叫强求。

“文哥，”杨薇叹了口气，“你以前对我说的话，我都记在心里。我现在越过越好，也放下了，是你陪我度过了最艰难的日子，我很感激你。”

杨薇举起杯子：“我以茶代酒，给你道个谢。”

周文静静听着，他笑起来：“那些话不是讲给你听的，是讲给我自己听的。我也谢谢你。”他也举起杯子，“我最难的日子，也是你陪着我。”

“那正好，”杨薇高兴地说，“我们难兄难弟，也算是有缘分。文哥，其实你别多想了，都会过去的，这事我有经验。你要是觉得这坎你过不去的时候，你就来找我，我陪你喝酒、聊天、唠嗑、玩游戏，日子就没这么难熬。”

“我天天开直播，和大家聊天，时间一晃眼就过去了，一点都不难过。”

这话把周文说笑了，他点着头：“行，我专门请了假，打算在南城多待一段时间，就麻烦你照顾了。”

“好说。”

“你放心，我一定尽地主之谊，把你照顾得妥妥帖帖。”

“还有今天的事……”

“小场面，”杨薇赶紧抬手打住周文要说的话，得意地说，“这种五百万的小场面，镇不住我。她那心思我清楚，拿你没办法，一想，我这种小网红不是更好下手吗？和我前夫一模一样的思路，我非常熟悉。这个套路我经历得多了，你放心，没事。”

“你放心，”周文见杨薇不把这事放在心上，赶紧说，“代言这事，以后我会帮你介绍。”

“不用了，”杨薇摆手，“你别小瞧我，接代言这事，我一点都不担心。”

“是，”周文笑着调侃，“我忘了，你是豪门阔太。”

“嗯，被抛弃的豪门阔太。”

“彼此彼此。”周文被杨薇的情绪感染，也高兴起来，“都是被抛弃的。”

“这是好事啊！”杨薇感慨着，“自从离开了豪门，我胖了五斤，吃得好了，睡得香了，人都活泼了很多，还能和我爱豆同桌吃椰子鸡。”

周文被杨薇逗得笑个不停。

他不太会说话，但杨薇妙语连珠，让他根本无暇想其他事。

两人吃了饭，杨薇领着他去逛了逛南城的商场，泡在游戏厅打了大半天游戏，等到了晚上，杨薇才回家。

周文送杨薇到小区门口，杨薇朝他摆了摆手，高高兴兴甩着周文夹了好久才夹出来的娃娃，哼着曲子往里面走，走了没几步，就听见一声压着怒气的声音：“杨薇。”

杨薇有些诧异，她回过头，看见站在夜色里的影子，挑了挑眉：“宋哲？”

宋哲没有说话，目光落在她身上，上下打量了一下，见她没什么事，才硬邦邦地说：“你去哪儿了？这么晚回来。”

“出去玩了。”杨薇大方地说，“你站我家门口干吗？”

宋哲没说话。

他快半个月没见她了，本来以为她见到他会高兴，听到这句问话后，有种又恼又羞的感觉从他心里涌了上来。

这次他克制住了自己。这大半个月的反思和心理建设，终于有了初步成效。

宋哲不是个傻子，当他开始面对困局时，就会努力去发现问题所在。他换位思考，慢慢体会杨薇的感受，试图纠正自己的傲慢和错误。

他控制着自己，僵着声音说："我听说你今天去慕氏集团试镜了，过来问问。"

"你打电话不就行了吗？"杨薇有些奇怪，随后又说，"而且你不上班啊？这么点小事你也关心？"

"杨薇！"宋哲终于有些克制不住了，提高了声音，"我是来见你的，想看看你，满意了？！"

杨薇没想到宋哲会吼出这句话来，她有些措手不及，一下就失了气势，有些尴尬地说："呃……这样。"

"这半个月的花，好看吗？"

宋哲逼自己说话态度好一点。

杨薇尴尬地说："还行。你没其他事的话……"

"我们能不能聊一聊？"

杨薇有些迟疑。

宋哲退了一步："就在旁边咖啡厅，聊完我就走。"

杨薇想了想，终于还是点了头："你何苦呢？"

两人一前一后进了附近一家咖啡厅，杨薇熟练地点了单，然后抬眼看向宋哲。宋哲沉默了很久，才慢慢说："你之前说的话，我想过了。"

"嗯。"

"我知道离婚这件事，你是认真的，也是深思熟虑后的决定。这半个月我也反思过，过去很多事，是我做得不对。"

宋哲这些话说得异常艰难，其实来之前他已经在心里演练过无数次了，但还是觉得不容易，所以他假装自己在背稿子：“我们可以重新开始，过去的事情就让它过去。我……我重新，”他的声音小下去，看着旁窗外的一棵树，说得异常别扭，“我追求你吧。”

杨薇没说话，低头喝咖啡。

宋哲见杨薇一直沉默，有些忐忑地问：“你什么意思？”

“阿哲，你只是需要时间。”杨薇仍是坚持之前的说法，“我的态度已经很明确了，你可以继续做你想做的事，把我幻想成宋太太也好，或者自我感动，说要追求我也好，都可以。但前提是，你不能骚扰我，不能干扰我。”

“我希望你能离我远点。”杨薇看着宋哲，神色认真，“不要打扰我，不要干涉我的生活，不要质问我几点回家，去做什么，更不要尝试管控我。”

宋哲捏着杯子，脸色很难看。

杨薇喝了一口咖啡，淡淡地说：“我们之间最核心的问题，其实在于你永远不明白我在想什么，你也从来没试图去理解我，我们是两个世界的人，两种思维模式。”

“我可以。”宋哲突然说，很平静，“既然是我追求你，那就按照你说的规则来。”

宋哲向来是个有目标的人，既然要追求杨薇，就会按照她的要求，认真追求。

杨薇有些无奈，她站起身来：“随你吧。”

她的样子仿佛是面对一个任性的孩子，这让宋哲觉得难受。

等宋哲回了家，他躺在床上，开始翻看《恋爱三十六计》。

最近为了搞清楚如何追人，宋哲悄悄看了很多相关书籍，他认真学习总结了里面的经验，比如说第一步，要获得对方追求许可。

现在他获得了，就要开始准备下一步。

“要将感情建立在充分的信任之上。”

宋哲看着这话，挣扎了好久，才给保镖打电话。

“以后好好保护杨小姐，”他吩咐着，“但她的日常生活，不用和我汇报了。”

吩咐完保镖后，宋哲继续看书。

“多夸赞对方，适当写情书。”

宋哲的脸有点黑了，骂了一声：“有病。”

“要在固定的时间点问候早晚安，让对方形成习惯。”

“莫名其妙。”宋哲觉得这本书烂透了。他把书扔在了一边，躺在床上，觉得有些烦闷。

过了一会儿，他拿出手机，编辑了半天，终于打了两个字——晚安。

杨薇看着宋哲发来的“晚安”，觉得异常奇怪，这个人一直不怎么给她发信息，怎么突然发了个“晚安”？

她想了半天没想明白，决定作罢，还是睡觉吧。

宋哲拿着手机，等着杨薇的信息。

十点的时候，他想着杨薇估计在洗脸护肤。

十一点的时候，他觉得杨薇肯定在养生泡脚。

十二点的时候，他猜想杨薇应该在打游戏。

一点的时候……他终于没办法自欺欺人了，他忍不住发了句：“你为什么不回我话？！”

没有人理会，他终于可以告诉自己，杨薇一定是睡了。

第二天早上，宋哲一醒过来，就迫不及待地去看手机，看杨薇有没有回复。

然而手机里什么都没有，宋哲憋了半天，又发了个“早安”。

没有回应。宋哲想，杨薇一定是还没睡醒。

坐立不安到中午，宋哲一直没收到杨薇的回复，他开始有些担心了。杨薇没出事吧？不然怎么没回复他的信息呢？

他想了想，打算写一首情诗发过去。

他头一次写情诗，觉得有点不好意思，就把高林赶出去，自己在办公室里，一个字一个字地敲，等敲完了之后，点了发送。

刚发过去不到一分钟，杨薇就回复了。

宋哲喜出望外，果然还是长句子比较容易激发别人的回复欲。结果打开了手机一看，就一句话："再发这种东西就拉黑。"

他手机号已经被拉黑了，不希望微信号也被拉黑。

宋哲小心翼翼试探着杨薇的底线，他每天定时问早晚安，情诗不能写了，他就在恋爱书籍的教导下开始画画。

他画画算不上好看，但贵在心意，每天一个小故事，和杨薇描绘着成为宋太太的光辉未来。

杨薇哭笑不得，感觉自己像在追连载。

她也不回应，她知道，此刻的宋哲只是在学着怎么去关心一个人，但他并没有真正学会。她受够了和孩子谈恋爱的感觉，好不容易爬出这个火坑，她才不想回头。

宋哲需要的是时间，时间久了，他失去了耐性，接受了现实，场闹剧就结束了。

宋哲每天远程刷存在感，而杨薇白天上班，晚上直播，周末休息。

周文在南城没什么朋友，他特意请了假，在南城休养一段时间，于是杨薇成了最好的向导。周末的时候，她领着周文，穿过南城大街小巷，带着他找吃的，领着他上山看风景。

他们一起吃饭、看电影、打游戏。

杨薇看得出来，周文是在逃避，她明白这种感受。于是她就带着他逃，让他忙得没有停下来的时间。

周文是明星，好多地方都不能去，出门要戴墨镜和口罩，不能引人注目。

杨薇现在也小有名气，于是两个人都是全副武装，看上去像做贼一样。

他们玩的时候，总有一辆车远远跟着，杨薇老早发现了，小声问：“是不是慕雪？”

周文没有回头，肯定地说：“是。”

杨薇有些无奈：“你说他们也奇怪，又不珍惜，又不放手，图什么？”

周文沉默着，好久后，他才说：“她是个特别怕欠债的人。”

“嗯？”

“当初我救过她，她就一直记着。她现在知道我喜欢她，她就算为了还我那份恩情，也会努力和我在一起。她不是很明白感情的事。”周文抬起头，眼里带着无奈，“你让她算利益关系，她很好很优秀，可是你要是告诉她，其实感情本来就是牺牲和付出，一个人喜欢另一个是不求回报的，她永远不明白。”

“就像她现在不明白，只有互相喜欢的两个人才该在一起一样。”

杨薇点点头，心有戚戚：“那她对你这么好，你会动摇吗？”

“你前夫现在对你也挺好，”周文看着她，笑问，“你动摇了吗？”

“没有。”杨薇喝了口手里的热饮，看着远方，“以前的日子，我过够了。”

“我也是。”周文转头看向她，认真地说，“可我没你坚定，所以你能不能答应我一件事？”

“嗯？”

“如果我动摇了，你一定要记得提醒我，让我清醒一点。”

“我会再遇到一个喜欢的人的。”

“我也是。”杨薇举杯。

周文和她碰了一下杯：“为未来干杯。”

杨薇和周文分开后各自回家，杨薇日常直播、洗漱完毕之后，又看到了宋哲的短信。

依旧是两个字：“晚安。”

杨薇笑了笑。静静看了一会儿，点了删除。

宋哲静静看着手机，他已经习惯她不回复了。想了想，他打开杨薇直播剪辑出的视频，里面是杨薇用手比了个心，眨了一下眼睛，甜甜说了声："晚安。"

他轻声笑了笑，躺在床上，关了灯。

两米宽的床，他还是像杨薇在的时候那样，安安分分地睡在一边。

花了五周的时间，《玩转文字》前五期终于录制完毕，进入后面的半决赛。

决赛还没开始，宋哲有些发愁，高林看出他的焦躁，便问："先生，您好像有些坐立难安？"

"嗯，"宋哲应了一声，"你说等杨薇赢了的时候，我该准备点什么，给她庆祝一下呢？"

高林这才反应过来，宋哲是在想给杨薇准备庆功礼物。

他看着宋哲，不知道怎么开口。其实他也没想到，宋哲居然真的在重新追求杨薇，还坚持了这么久，甚至还有越来越投入的趋势。

他忍不住劝阻："先生，杨小姐应该也没什么想要的……"

"想要的？"宋哲抓住了关键词，认真思索着。

以前杨薇很少和他要东西，她唯一要过的……好像是想要他给她做顿饭？

那是她生日，他许她一个愿望。她小心翼翼地提了，他碍于面子应了。不过，当时的他，怎么可能给她做饭？他向来都是被人伺候的，怎么会去伺候人？

于是他果断点了份外卖，伪装成自己做的，结果杨薇只吃了一口，就没再吃了。

现在想起来，杨薇其实是吃得出来的。一个刚学做饭的人，怎么可能做出那种水平来？哪怕是煮饺子，也是有技术含量的。

于是宋哲愉快地决定，他要学习做饭。他要屈尊降贵去为杨薇做一顿饭，这样她就知道，自己和以前不一样了！

宋哲为自己的想法感到骄傲，他觉得做饭是一件非常简单的事。

宋哲找了菜谱，准备好食材，半夜偷学做饭。

然后，当天晚上，他炸了一个锅。

复赛分成两期，每期十个人，变成了五人一组的团队对抗赛。杨薇抽到的组在第二个星期比赛，于是宋哲多出一个星期的时间来准备。

宋哲大半夜把锅炸了，惊动了住在保姆房里的林姨，林姨披着外衣哆嗦地站在门口，看着宋哲，小心翼翼地问：“先生，您……您在做什么啊？”

宋哲没有说话，他低头看了一眼自己被油烫到的手，冷着脸对林姨说：“你收拾一下。”

林姨不敢多问，宋哲回了房间，把医药箱拿出来。

他以前没受过这种伤，十指不沾阳春水的宋大少，这辈子哪里被油溅过？他上网百度了一下如何处理伤口，等把伤口处理完后，他突然觉得有些累了，躺在床上回想过去杨薇做饭的时候。

她好像来到宋家时就带着这个技能，她是厨房里的好手，什么都做得很好，于是让他误以为，下厨是一件很容易的事。

直到被油溅到，他才知道，从来没什么事是真的容易，每个人都在别人看不到的地方悄悄努力，而杨薇的努力，他从来没有看到过。

第二天起来后，他把林姨叫到厨房，指着厨房用具：“那个，我想做点东西。”

“您想做什么？”

林姨觉得今天的宋哲太可怕了，她很担心自己是不是要丢饭碗。宋哲不自然地清了清嗓子。他思考了半天，他如果邀请杨薇来吃饭，被拒绝的概率有点高，所以他最好做个能带走的。而且，被油溅着太疼了。于是他说：“做个蛋糕吧。”

林姨松了口气，做蛋糕容易。

“好的，那我今天去买材料。”

宋哲点点头：“我晚上回来，你教我。”

林姨小心翼翼地应了。

宋哲才出门上了车，就看到了手机里的提醒，提醒他要给杨薇发信息了，于是他定时发了一句：“早安。”

在清晨的时候，给杨薇发一条信息，就像一种仪式，告诉她他的一天开始了。这种“强行”挤入杨薇世界的感觉对于他来说还挺好，他发完信息后，放下手机，低头重新看电脑里的文件。

高林观察宋哲的表情，漫不经心地说：“先生，我觉得您最近脾气好了不少。”

“这话都敢说了，”宋哲挑眉看向他，“看来我脾气是好了不少。”

高林“嘿嘿”笑了一声。

宋哲听着他的笑声有些别扭，过了一会儿后，他问：“高林，我突然发现，杨薇过去，挺不容易的吧？”

高林有些意外，宋哲看着外面，声音平和：“以前我总觉得很多事她做得很容易，可我开始做的时候才发现，每件事做起来，都好难。”

高林静静听着，看着这样的宋哲，他突然有了几分怜悯。他想劝劝他，却又不敢多说。

宋哲接着说：“杨薇说我和她之间最大的问题是我不明白她在想什么，也不会去想她在想什么，我觉得她说得对，其实我不了解她，也没有去了解过。”

“不过还好，”宋哲轻笑，“我还有很多时间。”

高林抿了抿唇。

宋哲低头看着屏幕，过了片刻，他突然说：“高林。”

“先生？”

“以后如果我有什么不对的，你可以提醒一下我。”

高林愣了。宋哲发着邮件，随口说：“但别说得太难听，我怕我骂你。”

高林无法反驳。

宋哲晚上回来的时候，林姨已经把材料准备好。宋哲让林姨开始做，他就一步一步看，一边看一边问，耐心得让林姨都害怕。

第二天晚上，他把林姨赶出去，自己做。杨薇正在直播，他一边做一边看直播。文哥最近很少在直播间里活动，这让他很高兴，现在直播间仿佛是他的天下。

第一次做蛋糕是没那么容易成功的，不是烤太久，就是糖放太多，要不就是太丑……

宋哲实践了一遍又一遍，一个星期过去，他做废了几十个蛋糕，被水果刀把手指切了好几刀，终于做出了一个像样的蛋糕来。

他的蛋糕做得颇为精美，裱花、果酱夹层都有，还特意定制了两个小人偶放在上面，用果酱写了“薇薇最棒”，然后在下面写了一个大大的“宋哲”。

天天在网上喊这句话，现在用果酱写出来，还是有那么一点羞耻，但比以前好上太多了，可见好话要多说，多说之后才会习惯。

等到半决赛那天，宋哲让高林给他订了票，坐在了贵宾席上。

杨薇本来有固定台词，然而进场之后，当她笑着把目光落在观众席上，看见宋哲的时候，她呆住了。

她从来没想过，宋哲有一天会出现在这种地方。他一脸平和地看着她，俊秀斯文的脸上甚至还带了几分笑意。

杨薇这一愣让主持人有些着急，好在她迅速反应过来，直接改了台词，似乎这一愣是刻意设计的一般。

回到位置上后，她就忍不住开始偷瞟宋哲。她不明白宋哲怎么会出现在这里。

就算宋氏集团给《玩转文字》投资，宋哲也不该出现在这里。

杨薇的每个动作都落在宋哲眼里，宋哲看到她偷看他，忍不住笑了。

然而也就是这时候，他发现了另一道目光。

周文的目光不加掩饰，直接扫过来，眼中带了几分好奇。宋哲迎上他的目光，面上带笑，眼中却骤然冷了几分。周文不着痕迹地移开目光，似乎在看观众一般。

周文的打量引起了宋哲的注意，他皱了皱眉，下意识地多看了周文几眼。

这次团体赛杨薇和杨西泽在同一个组，杨西泽因为外形好，加上观点鲜明，也是《玩转文字》的热门选手。他们的对手不强，他们在整场比赛里几乎是碾压式的胜利。

宋哲发现了一些奇怪的地方。

周文似乎对杨薇有着某种特殊关注。

其他人说得好的时候，周文神色平淡，面上带着疏离，轻轻鼓掌，然而杨薇只要站起来，周文的目光就会落在她身上，带着某种说不出的温和，似是赞赏。

正式比赛后，评委要从每个队选出一个人进入自己的战队，杨薇这一队里还有个杨西泽，在其他评委还在商议的时候，周文不假思索就选了杨薇。

杨薇没有感觉奇怪，甚至还回头有些无奈地看了一眼周文。

这些动作都很小，以至于在旁人看来没有任何异样。但宋哲太清楚杨薇了，她在台上的每一个动作，他都能清楚解读出与平时不同的情绪来。

宋哲觉得有些焦躁，有什么闷在胸口，让他恨不得把这个节目叫停，让杨薇从台上下来，让周文滚远点！

然而此刻他什么都不能做，导师选择完自己的队员后，上台和队员互动，大家开始玩“你画我猜”。周文在他挑的两个队员里，毫不犹豫地选了杨薇。

杨薇一点都不意外，抿唇走出队列，主持人笑着询问周文：“文哥，我能不能问一下，你选搭档的标准是什么？”

听到这句“文哥”，宋哲内心突然想到什么，他冷静下来，看着台上一言不发。

周文轻笑：“颜值。”

全场哄笑。宋哲静静地看着他们，听主持人询问杨薇：“那薇薇挑选导师的标准是什么？”

“不瞒您说，其实我没有选择。”

“不会呀，我们赛制允许你们选择的呀。”主持人疑惑地开口。

杨薇笑了笑，似乎有些不好意思：“我是文哥的粉丝，文哥在这里站着，我好像没啥选择。”

这次是全场尖叫了，周文似乎有些无奈。

等到了“你画我猜”的环节，两个人配合得极为默契，似乎十分熟悉对方。

宋哲面上不动声色，拳头却攥得紧紧的。

节目结束之后，宋哲坐在位子上没动，直到高林走过来，宋哲才站起身来。高林高兴地说：“先生，我们要不要去后台……”

“不用了。”宋哲的声音平静，“我去她家等她。”

高林看了一眼台上，察觉宋哲不高兴了。

他不明白宋哲不高兴什么，就算台上杨薇和周文互动了一下，这也是做节目，很正常，宋哲的醋意……不至于这么大吧？

宋哲知道高林不懂。

高林不明白杨薇并不是一个有耐心的人。她的朋友很少，这个周文，上次接机的时候，他们才见第一面，如果只见过一面，杨薇和他之间的互动不可能这么流畅。

宋哲走出演播厅的时候感觉有什么拽着他的心，往下沉。

宋哲知道他不能去深究，可是他忍不住，他太想知道了，太想知道这个周文什么时候出现的，他和杨薇什么时候认识的，他们之间，他扮演了什么角色。

他甚至忍不住又开始想，杨薇为什么想离婚？这么多年了，为什么她突然就做出这样的决定？

她喜欢他这么多年，又怎么会在签了离婚协议后，走得这么决绝？

是不是……

宋哲有些不敢想，却仍旧控制不住自己——是不是，她有了其他人？

宋哲想起直播间里的文哥，想起之前他和杨薇说话时她会低头和人发短信，想起她对周文那么多年的迷恋……

他感觉害怕。

“你去……”宋哲艰难地说，“让人跟着她，时刻给我汇报。你把跟着她的人给我带过来。还有，”宋哲转头看向高林，“把你手机给我。”

高林有些迷惑，但还是把手机交给了宋哲。

宋哲打开了高林微信，翻到她的朋友圈。

在宋哲这边，她的朋友圈空荡荡的。他原本想的是杨薇性格内敛，不是那种喜欢把生活发到网上的人。然而当他翻开高林微信里杨薇的朋友圈时，他才发现，高林微信里的杨薇，和他的微信里不一样。

她隔几天就发个朋友圈，记录她的生活。她离开宋家前很少发朋友圈，就算发也只发些花花草草。然而离开宋家之后，她的朋友圈状态多了起来，生活可谓是五彩缤纷。

他坐在车里，静静翻看杨薇的朋友圈。

她一个人煮方便面，喝可乐，化妆。

有一天，她好像在和人约会一样，抱着一只晴天小猪去游乐园、电影院。她的心情越来越开朗，最近这段时间里，她朋友圈里总是出去的信息。

她不是一个人。

宋哲看着两个人的可乐杯，两个人的电影票，以及明显有人帮她拍的照片，内心像被炙烤着一样，像学做饭的第一天，被油溅到的感觉，火辣辣的。

他忍不住嘲笑出声。

高林有些担心："先生？"

宋哲没说话，他又翻看了片刻，把手机扔给高林："去办事吧！还有，上次让你查那个 ID，你是不是查出来一个叫方淮的？"

"是。"高林迷惑不解，"您怎么突然提起这个？"

"你去查一下，他和周文什么关系。"

高林愣神的时间，宋哲已经走向了自己的车："我先回家一趟，你盯着杨薇。"

说完，宋哲上车关门，发动车子飞驰出去。高林拿着手机，低头看了看还停留在杨薇朋友圈的页面，感觉大事不好。

宋哲咬着牙一路狂奔回家，找到林姨："把手机借我一下。"

林姨不敢拒绝。宋哲拿过林姨的手机，打开杨薇的朋友圈，开始一条一条翻看。

看了半小时，一直盯着杨薇的保镖回来了，宋哲问："这阵子杨薇去做什么了？"

保镖没说话，似乎有些害怕。

宋哲抬眼看他："你说，没事。"

"杨小姐好像……认识了一个人。"

"周文？"

保镖点头。

宋哲笑了："你说，没事。"他点了烟，"什么时候认识的，做了什么，都说清楚。"

"杨小姐去了慕达日化试镜，然后跟着周先生一起出来，两人在一起吃午饭，逛街，打游戏，然后周先生送她回家。"

"慕达日化……"宋哲回忆了片刻，问，"为什么不和我说？"

"那天本来是要报告的，"保镖急了，连忙说，"但是您主动找了杨小姐聊天，然后就要求我们不用再汇报杨小姐的日常了。"

宋哲没有说话，他深深吸了口烟，片刻后，笑了。

他觉得自己好像给了杨薇一把刀，现在杨薇就拿着这把刀利落地插在他身上。

他想好好追求她，她要自由，于是他给她自由。然后她就趁着他给她自由这段时间，肆意妄为。

他低低笑着，点着头："继续，后来呢？"

保镖忐忑地说着，宋哲一根接着一根地抽烟。

宋哲本来以为，杨薇和他提离婚的时候，杨薇说她真的要走的时候，杨薇说她曾经喜欢他的时候，是他这辈子最羞辱和痛苦的时候。

这一刻他才发现，杨薇带给他的痛苦，总能超出他的想象。

他静静听着杨薇和周文的事，他根本不敢去想，只是听着，脑子就停止运转了。等保镖说完，宋哲问："他们发生关系了吗？"

"没有！"保镖立刻说，"我们一直跟着，他们没有单独在一个房间相处过。"

宋哲面不改色："接吻了吗？"

"没有。"

"拥抱了吗？"

"没有……"

"拉手了吗？"

这次保镖没说话了，片刻后，保镖才说："周先生扶过杨小姐一把，算吗？"

宋哲笑了："算啊。"

感情哪里有一开始就情深似海的？谁不是一点一点积累的？

他第一次拉杨薇，也不是直接就拉着她。而是在她离家出走的雨夜，他淋着雨一个地方一个地方地找她，然后抓住她的手腕，拖着她回家。

他第一次和她拥抱，也不是直接抱住她。而是在黑夜里，他们一起等着日出，她睡着了，轻轻靠在他的肩头，他告诉自己他只是怕她冷，于是小心翼翼抬起手，将手搭在她肩头。

宋哲轻轻笑着，旁边的保镖不敢说话。他也不知道自己在笑什么，就是觉得自己像个傻子。

他小心翼翼地想要讨好她，以为这样就能让她回来，她却从来没想过回头。

他早该知道的，她要走怎么可能回头？他就算做得再多，她也不会有任何回应。

他慢慢冷静下来，这时候高林的电话打了进来。

“先生，”高林喘着粗气，“那个方淮，是周文的助理。”

宋哲没说话。其实他猜到了。从台上主持人喊出“文哥”的瞬间，他就已经察觉到了。

他沉默不语，高林有些疑惑：“先生？”

“没事了。”

“你去休息吧。”说完，他挂了电话，抬眼看向保镖，挥了挥手，“你也去休息吧。”

保镖舒了口气，赶紧离开。

宋哲站起来，觉得有点累。他出门坐进了自己车里，抽完最后一支烟。

烟味有点浓烈，呛得他咳嗽了几下，他转过头，看见自己做的蛋糕。

他摁灭烟蒂，扔在一旁的烟灰缸中，发动车子，往杨薇家开去。

这时候杨薇正带着周文坐在酒吧里。这是顾岚朋友开的一家酒吧，他们开了包间，在里面庆祝她进入决赛。

顾岚抓着杨薇喝了个昏天黑地，周文静静看着顾岚、夏啾啾拉着杨薇胡闹。

他很少遇见这样的场合，有些不知所措。

等杨薇和夏啾啾划拳的时候，顾岚提着酒到了周文边上，高兴地说：

“来，文哥，我敬你一杯。”

周文笑了笑，举杯和顾岚碰了一下。顾岚和他闲聊了两句，看着杨薇和夏啾啾一起认真唱歌，她说：“我没想到她能这么快走出来。”

顾岚转过头来，对周文举杯：“这一杯，是我作为薇薇的朋友敬你的。如果没有你，我想薇薇没有那么快能走出来。”

周文的睫毛颤了颤，低声说：“这件事，该是我谢谢她才对。”

“你们会在一起吗？”顾岚单刀直入，她静静地看着周文，眼里满是认真。

周文怔住了。他想了想，平静地说：“我不知道。”

“如果可以，我当然希望我们能在一起。和杨薇在一起的时候，我感觉很高兴。可我想，她应该不会和我在一起。”

“为什么？”顾岚皱眉，“你们看上去挺配的。”

“你觉得，”周文笑起来，“她对待我，和对待你们，有什么不同吗？”

“我觉得我们两个人，就像两只一起过寒冬的小动物，我们互相依偎着取暖，等春暖花开的时候，或许就会分别。”

周文的目光落在杨薇身上：“我们清楚对方的伤口在哪里，我们相遇的契机，或许就是这场寒冬。”

顾岚似懂非懂，她点点头，说：“不过，不管怎么样，你们可以先试试。你别嫌弃我们薇薇二婚……”

听到这话，周文笑了，他看着顾岚，眼里全是笑意：“不嫌弃。”

“她这么好的女孩子，怎么可能嫌弃？”

“那我就放心了。”顾岚点点头。

周文一时无言，他明白，顾岚完全没有听明白他的话。

几个人玩到晚上，江淮安把夏啾啾抓回家后，周文和方淮送顾岚和杨薇回家。

他们先把顾岚送回去，然后又送杨薇回家。

到了杨薇住的小区门口，周文有些不放心，要把她送到家门口。

两人说说笑笑，来到门口，就看见等在门前的宋哲。

杨薇和周文突然止住了声音。

宋哲提着一个蛋糕盒，静静地看着他们。

杨薇皱了皱眉头："你怎么在这里？"

宋哲没说话，他的目光落到周文身上。杨薇下意识地上前一步，宋哲轻轻笑了："我在这等你。"

他神色温和地走到杨薇面前，将蛋糕放到她手里，声音柔和："你今天进了决赛，应该庆祝的。这个蛋糕是我做的，你高不高兴？"

杨薇皱着眉没说话，她盯着宋哲，对周文说："文哥，你先回去吧。"

"你喝酒了。"宋哲抬手覆在杨薇脸上，温柔地说，"我说过，女孩子不该这么晚回家，也不该随便喝酒。"

"你把手拿开……"

周文伸手去拉宋哲，也就是这一瞬间，宋哲一脚狠狠踢在周文腹部，周文被他猛地踹到墙上。宋哲将杨薇一把拽到身后，怒喝："我轮得到你管？！"

周文没说话，他抬手抹了一把嘴角的血，撑着起身，毫无预兆地朝着宋哲扑过去。

宋哲被他狠狠撞在墙上，两个人撕打起来。

"住手！"杨薇去拉他们，两人谁都不肯停手。

宋哲被周文一脚踢倒在地上，周文骑在他身上，抡起拳头砸了下去。宋哲猛地一个翻身，将周文按在身下，也抡起拳头砸向他。杨薇看见周文没了招架之力，她太清楚宋哲的战斗力了，慌乱之下，抡着手里的东西，就往宋哲头上猛地砸了过去。

精致的纸盒子被砸得变形散开，落在地上，发出玻璃碎裂的清脆声响。

一瞬间，一切都安静了。

杨薇喘着气，看着背对着她怔住的宋哲。

周文蜷在地上，低低喘息。

宋哲没说话，好久后，他才出声。

杨薇看不见宋哲的表情，只听见他的声音带了几分颤抖，虽极力克制着哭腔，却仍旧难掩沙哑。

他说："杨薇，你怎么不帮我？"

"杨薇，你怎么可以不帮我？"

第十四章　我会成为你喜欢的那个人

杨薇愣住了，她听着宋哲的话，手微微颤抖。

好久后，她才反应过来，去扶周文，然后对宋哲：“你让开。”

她把宋哲推到一边，低头查看着周文的伤势：“文哥，你感觉怎么样？需不需要叫救护车？”

“不行……”周文出声。

杨薇明白，今天周文进了医院，明天就要上报纸。她仔细检查周文有没有什么伤口，宋哲就在一旁，静静看着。

宋哲等了一会儿，杨薇仍没有回头的意思，他的唇颤了颤，似乎是想唤她，最后还是选择沉默。他转过身，弯腰拾起蛋糕盒子，放在怀里。

他花了很大的工夫才做好这个蛋糕，为了看上去精美，他用了玻璃罩子罩在蛋糕外面，罩子上用荧光粉画了星星和月亮。

他做蛋糕的时候，想了无数遍，杨薇如果看到，会有多高兴。

然而她看不到了。蛋糕已经碎得不成样子了，玻璃罩子也砸碎了，碎片落在蛋糕里。

宋哲坐在墙边，低头清理着盒子里的玻璃碴。他动作笨拙，玻璃划过他的手，因为太锐利，划的时候没感觉，血出来了，才觉得疼。

就像这份感情，分开的时候没有感觉，等分开一段时间后那鲜血淋漓的伤口展现出来，才疼得撕心裂肺。

杨薇扶着周文踉跄起身。宋哲也自己站起来，他走到周文身边，将蛋糕递给杨薇，低声说："我来吧。"

周文冷冷看了宋哲一眼，也没拒绝。杨薇拿着盒子愣住了，赶紧上前给两人开门，又马上给方淮打电话。

宋哲扶着周文进了屋，杨薇让周文躺在沙发上，从房间提了医药箱跑出来。这时候周文缓过来了，宋哲的血从手上滴到地板上。

宋哲没说话，一直坐在沙发上，看杨薇跑到周文身边，仔细询问他的情况。

周文朝着杨薇摇了摇头："没事，你别担心。"

方淮很快来了，一进门就激动地问："文哥，没事吧？"

看见宋哲，方淮愣住了。周文朝着方淮摆了摆手，方淮赶忙上前："文哥，我联系了人，我们先去医院。"

"杨薇跟我走。"

"你敢？"宋哲盯着周文。

"宋先生，"周文平静地说，"你的状态不对，要么你和我一起去医院，要么我带着杨薇过去。"

"文哥，"杨薇抢在宋哲说话前说道，"你先去医院，不用担心我。"

"可是……"

"我有分寸，"杨薇看着周文，神色平静，"你别担心。"

周文看了一眼宋哲。

宋哲笑出声来："怎么，还赖着不走？"

"宋哲，"周文深吸了一口气，"杨薇现在过得很好，你要是……"

"我和她的事轮不到你管！"宋哲猛地出声，"你算什么东西？给我滚出去！"

"宋哲，"杨薇的声音清冷，"你再多说一句，就滚出去。"

这话让宋哲闭嘴了，他剧烈地喘息着，盯着杨薇。杨薇招呼方淮过来，扶起周文，她对周文小声说："你不走，我不好控制局面。"

听到这话，周文明白了。他想了想，还是小声叮嘱："我就在楼下，有事你立刻叫我。”

“我明白。”杨薇叹了口气，“文哥，麻烦你了。”

杨薇送方淮和周文出去，等他们走了，她关上门，走到宋哲面前。

她的目光落在地面的血迹上，表情稍微有了点变化。她从医药箱里取了碘酒和绷带，半蹲在他面前给他包扎：“受了伤，怎么不说？”

“我不用你管。”宋哲扭过头去，声音里带了几分喑哑。就说了这么一句话，方才还像狮子一样暴躁的男人，突然红了眼眶。

杨薇没说话，安静地给宋哲包扎着手上的伤口。

他手上还有好几道旧伤，似乎是前阵子弄的，还有油溅出的水泡痕迹。杨薇包扎的时候看到，顿了顿：“你的手怎么了？”

“你管我怎么了！”宋哲嘲讽着，“终于和你男神在一起了，你还管我死活？”

杨薇没说话，她低垂着眼帘，将他的伤口处理好。宋哲见她不否认，又急又怒：“你说话啊，你为什么不说话？”

“我该说什么？”杨薇面色平静如水，“你心里已经有数了，不是吗？”

宋哲的嘴唇轻轻颤抖，他下意识地捏紧拳头：“你们真在一起了？”

杨薇放下绷带，看见他紧捏着的手浸出血来，赶紧掰开他的拳头，阻止他伤害自己。

他愣了愣，顺应着她的动作张开手掌，瞬间，眼泪掉了下来。

他慌忙低下头，怕杨薇看见自己的软弱。

“你们没在一起，但是你们想在一起，是不是？你不想要我了，你放下我了，你想找新生活了。”

宋哲低喃着，完全没给杨薇任何说话的机会。杨薇轻轻抬着他的手，仔细检查他的伤口。他的声音微微颤抖：“就算我努力改变了，我重新追求你，你也不再在意。你从一开始，就没打算回头。”

“杨薇，”宋哲小声说，“蛋糕是我做的。”

杨薇顿了顿，这句话对她来说，杀伤力太大了。她突然明白了宋哲手上的伤口是哪里来的。她静静看着他，如果过去他说这句话，她可能会感动得哭出来。可此刻她觉得所有情绪都被她小心翼翼地放在了一个盒子里，她看着那些情绪挣扎，却无法放它们出来。

宋哲见杨薇没说话，低着头略带委屈地说："你以前和我说，你想让我给你做饭，我可以学的。"

"你看，"宋哲指着蛋糕，"我学会做蛋糕了。"

杨薇没说话，宋哲又低着头："我学了好久，我很努力了。杨薇，没有什么我学不会，只要你愿意等，愿意教。"

杨薇还是沉默着。好久后，她将手放在宋哲头上，温柔地说："阿哲，你再遇到一个人的时候，这样对她就好了。"

宋哲的身子僵住了。杨薇转身准备去给他倒杯水，他一把握住她的手，抬起头来看她。

他漂亮的眼睛里带着委屈和水汽。

"杨薇，"宋哲叫着杨薇的名字，仿佛在控诉，"你怎么能这样？"

杨薇没有回答，神色平静，无悲无喜，看着他的眼神中带了些怜悯："你还有其他不舒服的地方吗？"

"你说！"宋哲不满杨薇的敷衍，愤怒地说，"你怎么能这样？你知道我为你做了多少吗？你说我不懂你，我不关心你，我在学着关心了。"他感觉委屈铺天盖地而来，他抓着她的手，认真地看着她，"我送你花，我给你发信息，我不干涉你的生活，你看，我还为你做了蛋糕……"

宋哲的目光落在边上那碎得不成样子的蛋糕上，声音小了下来："我在学啊……我在努力……你怎么能一次机会都不给我？你怎么能……"

"我怎么能怎样？"杨薇忍不住笑了，是讽刺的笑容，"怎么能不看到你的努力，怎么能对你的努力不闻不问，怎么能在你开始学着喜欢我的时候，却不等待你，不喜欢你？"

这话把宋哲说愣了。杨薇转过头去，眼眶有些发酸："你这些问题好奇怪啊。"她说，"那我努力的时候你为什么没看到？我的努力，你为什么不闻不问？为什么我喜欢你的时候你却不喜欢我？为什么我对你好的时候，你就仗着我对你好，肆意践踏这份心意。”

“宋哲，你知道为什么，离婚之后，我还能和你好好说话，还能和你当朋友，还能在南城留下来吗？”

杨薇深吸了一口气，慢慢回头看着他：“因为我告诉自己，其实你没犯多大的错。”

“你不喜欢我，不是你的错，所以你不回应我的努力、你对我不好、你不关心我，都不是你的错。我们都是受害者，你是遵从你妈妈的意愿娶我的。你出轨是不对，可这场婚姻本来就不对……”

“我没出轨！”宋哲骤然开口，有些愤怒，“谁和你说我出轨？谁和你说……”

“陈雯是怎么回事？”

“她是谁？”宋哲下意识地开口，过了一会儿后，他反应过来了。

但不等他说话，杨薇就说：“我们结婚第一年的时候，有一天你送了我一条项链，我很高兴。后来在一场慈善晚宴上，我见到了她，她脖子上有一条和我一样的项链。再后来，我就从报纸上看到了你们的恋情。”

“那都是媒体胡说八道……”

“那武纶呢？”

宋哲呆住了。

杨薇坐回沙发上，平静地说：“你亲口承认过的，不是吗？”

“你们从小青梅竹马，她一直喜欢你，只是你妈不太喜欢她。打小你就护着她，她像小公主一样长大。我们结婚后，她一直对我怀有敌意，可不管发生多少次冲突，你都和我说，她是小孩子脾气，让我让着她。”

“一个女人可以大方，可是她不能对一个觊觎自己丈夫的女人大方。大家都是二十多岁的人，就因为我脾气好，我就要让着她？”

“宋哲你现在难受吗？”杨薇打量着宋哲，她也不知道为什么，看见他坐在她对面，一言不发的样子，她内心居然升起一种快感。她为自己这份狭隘作呕，可她难以自控。她把自己隐忍了那么多年的恶心一一描述出来。

“如果你此刻看见我和周文，我和任何一个男人在一起，让你感觉难受，那麻烦你把这种感觉乘以十，甚至百。因为那时候我喜欢你，远比此刻你喜欢我要深。那时候我是你的妻子，远比你此刻要理所应当。我看过无数关于你的绯闻，每一次，我都选择相信你。我告诉自己，宋哲不是这样的人，如果你出轨，你一定会大大方方。”

“后来我才知道，自欺欺人没法保护自己，只有面对真相。”

“你说我不给你机会，可你看，我给了你多少次机会？你每一次绯闻我都记在心里，每一个绯闻对象我都记得。在我第一次听到你和陈雯的绯闻时，我问过你，你还记得你说的话吗？”

“我是宋太太，我该大方一点，你不会让她们威胁我的地位……”杨薇忍不住笑出声来，“哈……宋太太？你以为我很在意吗？”

宋哲颤抖着，他想解释，想说什么，却一句话都说不出来。

杨薇将目光落在宋哲身上，声音里带了几分疲惫：“你知道我那天为什么吐吗？”

“因为我恶心。”

“别说了……”宋哲感觉后面会有更多伤人的话，这些话让他软弱惶恐，让他仓皇无力，他没有任何可以抵御的能力，只能沙哑着声音说，“别说了……”

“我一想到触碰你，碰一个这么脏的人，我就想吐。其实我身体很好，我没事。”杨薇说，“医院开的病历是假的。我和你分居那些年，单纯只是因为我觉得你恶心透了……”

“别说了！”宋哲怒喝，他咬着牙关，“我没有在外面乱来。”

杨薇静静看着他。

宋哲整理了思绪，迅速说：“当初那些绯闻是我放出去麻痹二叔的。武纶那件事是武纶找我帮忙，说她需要掩盖一些事情……”

“找一个有妇之夫？”杨薇觉得有些嘲讽，“是你傻还是我傻？”

“那时候知道我们结婚的人少……”

话没说完，宋哲就顿住了。

他呆呆地看着杨薇，这才发现，回顾往事，无论怎么解释，都是伤害。

无论是他觉得帮武纶操作无所谓，还是他在事后为了和她赌气说话气她。那时候他还年轻，他总惦记着当年她抛弃他，总怀疑她嫁给他的动机，总计较她的感情纯粹与否，于是故作浪子，吊儿郎当。

然而无论什么原因，无论哪一件事，都是伤害。

杨薇看着呆住的宋哲：“回去吧。”

“其实我不想和你说这些，这是我的伤口，说起来我也觉得难堪。”

“武纶喜欢你，”杨薇垂眼，“当时她找的是你，不是其他人，不是因为你好说话，是她喜欢你。宋哲，其实你还有大好人生，不用把时间耗在我身上。”

宋哲张了张嘴。

杨薇目光坚定：“无论你喜不喜欢我，我都不会再喜欢你了。”

“一个人的伤口是不会那么快愈合的，你给我的伤害，我永远记得。”

“我愿意相信你没有真的出轨，可是我也永远心存怀疑。我不想让自己活在这份患得患失里。”

“我愿意承认你努力了，你喜欢我，可我也永远记得你给过我的伤害，永远记得我一厢情愿时的痛苦和艰辛。”

“你觉得你今天很努力了吗，宋哲？”杨薇的眼里有了雾气，“你发个短信，你送个花，你为我做个蛋糕，你就很努力了，是吗？”

“那你能不能告诉我，我过去十三年，是不是把命都给你了啊？”

杨薇笑着，眼泪不自觉地落下来：“如果你这是努力，我过去那十三年，到底是什么啊？”

宋哲没敢说话。他觉得杨薇的眼泪像是落在他心上，那眼泪灼热，一路侵蚀他的心脏，让他血肉模糊，疼痛不已。

他突然想起过去的杨薇。

她替他写作业，她小心翼翼地跟在他身后，她偷偷画着他……

他从来没从她付出的角度去回顾过他们在一起的时间，等他回顾的时候，他才发现，她说得对。

他做过的，算什么啊？他现在做的，算什么啊？

宋哲站起身来，半跪在杨薇身前。杨薇痛苦地闭上眼睛，想克制住自己落泪的冲动，可是眼泪像蓄势已久的洪水，在他跪下的瞬间奔涌而下。

他伸出手，将杨薇揽进怀里，杨薇的额头抵在他肩颈，他轻轻拥抱着她，感受她身体的抽搐。

“别哭了……”宋哲觉得杨薇的哭声像是大卡车在他心上碾过去，他沙哑着声音，“别哭了。”

杨薇听见这声“别哭”，积累了十几年的委屈奔涌而出。她咬紧牙关，克制着自己，听他小声哄她：“别哭了，都是我的错。”

“是我不懂事……”他的眼泪落了下来，“是我太幼稚……”

“是我太自私……”

“是我……都是我的错。”

“对不起……”他也哭了，“对不起……”

“我在学，”宋哲的声音里全是悔意，“我真的在学，我在努力了，你别放弃我，好不好？”

杨薇听着他的道歉，慢慢平静下来。

她突然发现，自己那些不甘，那些愤怒，那些暗藏着的怨恨，在这一声声“对不起”里，慢慢平息下来。

这份道歉，她好像等了很多年，等着这个少年长大成人，等着他终于明白他曾经做过多伤人的事。

她听着他急切又笨拙地说对不起她。

“我会学着对你好，我会学着体谅你。”宋哲抽噎着，抱紧了杨薇，“你所有为我做过的事，我都会学。我对你会比你对我好，你想要什么，我都给你。我帮你做饭，我照顾你。我再也不会说伤人的话了，我会学着夸你，杨薇啊……”

他哭出声来：“我会学会喜欢一个人的，你不要丢下我，好不好？”

杨薇没说话，好久后，她才说：“阿哲，你知道吗？”她的声音里带了几分温柔，“其实从一开始认识你，我就知道，有一天，你一定会成长为一个很好的男人。”

“因为你有一颗很温柔的心，你的喜欢很纯粹，你的讨厌也很简单。你永远不知道，在你挡在我面前，和所有人说，‘杨薇很好’的时候，我觉得你有多好。”

“那时候我就知道，有那么一天，我的阿哲，一定会成为一个顶天立地的男人。”

“他不会随便说伤人的话，他会很温柔地照顾他爱的人，他会替对方遮风挡雨，他会成为一个所有人都喜欢、都称赞、都尊敬的男人。”

“我知道你说伤人的话是因为你害怕，”杨薇伸手，温柔地回抱住宋哲，“我知道你说你不在意，是因为你怕失去。阿哲，我知道，其实你骨子里很好，我一直知道。”

“可是我等不到了。”杨薇抱着宋哲，“阿哲，我的爱已经磨光了。”

“等一个人成长太累了，而你长大了，我也不想要了。”

听到杨薇这句话，宋哲整个人都僵了。

杨薇抬手想要去触碰宋哲，却被他猛地推开。他像是面对什么巨兽，仓皇起身，跌跌撞撞地朝着门外冲出去。

“宋哲！”杨薇大吼，“逃避没用！”

“那我能怎么办……”宋哲背对着杨薇，克制着语气，“我又能怎么办？”

是他要站在这里吗？是他想低头吗？是他想要为一个人、为一份感情低头认输到这一步吗？

都不是。

从杨薇要走的那一刻开始，一切早已不是他能掌控的。他之前的所有任性的行为，都在这之后变成一把利刃，切割着他。

“宋哲，”杨薇起身，看着他的背影，“如果你学不会放手，那你和过去就没有任何区别。”

宋哲慢慢转身，他的面色惨白，看着她，苦涩地笑了：“我想改变，是因为我想留住你。可我改变了，就得放开你。”

“你没有给我选择，你给我的，就是一条绝路。”

宋哲看着杨薇，感觉自己每个细胞都被痛苦填满，他努力支撑着，让自己站在原地将话说完：“可我愿意承受。”

“你当年能走过去，我也能。”

“只是我会比你做得更好，”宋哲看着杨薇，眼里带了几分摇摇欲坠的傲慢，“我和你不一样，我喜欢一个人，我就决不会放弃她。”

“我会一直喜欢她，一直对她好，一直等待她。”

“哪怕她不喜欢我，哪怕她不爱我，哪怕她有新的喜欢的人。”

宋哲扬起下巴，眼里带着水汽，骄傲又坚定：“我宋哲，就能喜欢她一辈子。”

杨薇失了神，也就是这一刻，宋哲快步走出去，狠狠地关上大门。等他走了之后，她在这空旷的房间里，听见了自己的心跳声。

这告白迟来得太久了。

杨薇感觉那被她封闭起来的情绪，在这无人的时刻，尖叫着冲撞着那道禁锢它的大门。

杨薇虚脱一般坐在地板上，呆呆地看着面前已经坏掉的蛋糕盒子。她也不知道自己是怎么了，竟探过身子，颤抖着手，打开了那个盒子。

盒子里的蛋糕已经看不出样子了，奶油和蛋糕混在一起，或许还夹杂着玻璃碴。两个定做的人偶被奶油包裹住，杨薇伸出手，抹开奶油，那是两个手拉着手的小人，穿的是他们中学时的校服。

杨薇看着那个小人，觉得眼眶有些发酸。

她颤抖着伸出手，抓了一把蛋糕，送进嘴里。

她轻轻咀嚼着，感受蛋糕里的甜味。

眼泪从她的眼眶滚落下来，落进蛋糕里，她却完全没有察觉。

把蛋糕吃完，她才抱住自己，蜷缩着，一言不发。

长大不是你说喜欢就喜欢，说不喜欢就不喜欢。长大是你学会了把一份感情放在心里，不打扰任何人。

不会因为失恋痛哭流涕地和所有人说这辈子不会再爱了，不会因为喜欢那个人哭天抢地不肯放手，而是哪怕内心翻滚着惊涛骇浪，面上却仍旧平淡如常。

然后在旁人不知道的时候，悄悄把那个人的一点好拿出来，反复品尝。

又清楚地知道——昨日之日，不可留。

宋哲下楼后，看见周文的车还停在那里。他停顿了片刻，朝着周文的车走过去。

方淮看见宋哲走过来有些害怕，赶紧说："文哥，咱们走吧，他看上去不好惹，也不知道会不会有狗仔什么的，要是被拍下来真的太难看了……"

"把窗户摇下来。"周文平静地说。

方淮咬了咬牙，看了看外面的宋哲，又看了看旁边的周文，终于还是选择把窗户摇下来。在宋哲走到面前时，方淮没出息地笑着叫了声："宋先生……"

"你让开。"

宋哲一把推开方淮的脸，死死盯住坐在副驾驶座上的周文。

周文慢条斯理地回头，看着宋哲。

"离她远点。"宋哲的眼神凶猛。

周文神色平静，他说："如果你喜欢她，不打扰是对她最好的爱。"

"这种话你去和慕雪说，"宋哲冷漠地怼他，"她就算真的再选一个人，也不该是你这种拖泥带水，欠着一屁股情债的人！我警告你，周文，慕雪怎么把你捧上去，我就能怎么把你拉下来，杨薇是我妻子，你敢碰她，慕雪也保不住你！”

说完，宋哲转身就走。周文叫住他：“宋哲，杨薇不会因为你喜欢她就回头的。”

“那也不用你管！”宋哲嘲讽着，“管好你自己吧，吃软饭的。”

说完，宋哲转身朝着自己的车走去。旁边的方淮脸色难看至极，他对周文说：“文哥，你别同他计较。”

“嗯。”周文淡淡地应了一句，“无所谓。”

周文习惯了。这些年他和慕雪的关系，外界不都这么说吗？

他是慕雪捧出来的，无论他拿过多少奖，获得多少认可，拥有多少资产，外人永远不会在意他做过什么，他们关注的，从来只是慕雪对他的照顾和呵护。

“美国那个公司条件怎么样？”周文突然转移话题。

方淮有些吃惊。其实周文在业内实力出众，早就有国外的公司来挖了，只是周文从来没有动过出国发展的念头，这是他第一次提起。

方淮赶紧回复了周文，详细介绍了对方的情况和好处，周文点点头，没有再多说。

等了一会儿后，周文突然说：“我很希望杨薇过得好。”那会让他觉得，他也能过得好。

宋哲开着车回家。他选了一条最远的路，打开车窗，沿着城市的边缘，慢慢开着。

南城临海，海风带着初夏的温度扑面而来，让宋哲的内心一点一点地平静下来。他停在沙滩边上，听着海浪拍打着海岸的声音和人们追逐打闹的声音，他突然觉得内心前所未有的空旷和宁静。

他走在沙滩上，想起以前和杨薇去度假。

他的父母总是很忙，经常答应带他们一起出去玩，然后又失约，于是每次都是林姨和他爸身边的秘书陪着他们一起去。

他们去过很多地方，冬天度假一般都会去海岛，马尔代夫、毛里求斯、斐济……

他们还没结婚的时候，似乎就已经把度蜜月的地方都玩过了。那时候年少，一起去的时候从来没想那么多。杨薇喜欢那里的气候，他喜欢游泳。她总是穿着海滩长裙，他下水，她就安安静静坐在边上，笑眯眯地看着他。

那时候他觉得这个人太无趣了，出来什么都不做。

此时此刻，宋哲学着年少的杨薇那样，坐在沙滩上，静静地看着海面。

他很想知道，当年的杨薇在看什么，然而此刻，他什么都看不到。他静静坐了一会儿，感觉身后有人拿着手电筒晃他，他回过头，看见一个小女孩蹲在沙滩上看他，眼里全是好奇。

“你干什么？”宋哲皱眉，“不要用手电筒对着我。”

“哥哥好看呀，我想多看看哥哥。”小女孩高兴地说，“我还没有见过比哥哥好看的人。”

宋哲用手挡着手电筒的光，皱着眉头，有些哭笑不得：“你把手电筒拿开一点。”

小女孩听话地把手电筒移开了一些，宋哲适应了光线，上下打量了一下小女孩：“你爸妈呢？”

“他们在那里。”

小女孩一指旁边的火堆，宋哲看见一对夫妻在对他打招呼，应该是晚上来露营的。

“哥哥，”小女孩认真地问，“你一个人在干什么啊？”

宋哲笑了：“你觉得我一个人在干什么？”

小女孩看着海面，想了想：“是不是有你喜欢的人在前面啊？你在等着她？”

宋哲愣住了。她问他："不然你看这么久，是在看什么呀？"

宋哲没说话，有那么一瞬间，他突然想起了杨薇年少时的目光，那一贯平静的目光里，看向他时，藏着的小小的温柔。

宋哲过去很少注意杨薇，当他回忆时，才发现，原来她的一颦一笑里，都藏着她的情绪。

她的情绪这样内敛，藏得小心翼翼。

小女孩蹲了一会儿，抬手在他面前晃了晃："哥哥，你怎么不说话了？"

"哦，"宋哲说，"我想起了一些事。"

"想起什么啊？"小女孩坐到宋哲边上，一副小大人的样子，"你可以跟我说啊，我会很认真听的。"

宋哲不禁笑了。他看着海，温柔地说："我想起一个人，我觉得她以前喜欢我。"

"其实我一直知道她喜欢我，可我不确定她喜欢我多少。我小时候就觉得，她喜欢我，一定要比我喜欢她多。她也的确是这样的。她的眼睛总是注视着我，所以我一直想，她这辈子，不会离开我。"

宋哲神色茫然："为了我妈，为了宋家，或者是为了我，她都不可能离开。"

"哥哥，你说得不对。"小女孩果断地说，"我妈妈说了，人都会分开的。"

宋哲没说话，海风吹着他的头发，他神色黯然："是啊，都会分开的。"是他从来没想过，所以在那一刻，才会措手不及。

"所以妈妈说，如果不想分别，就要加倍努力。"

"努力什么？"

"努力追上对方啊。"小女孩一本正经地说，"你们会分开，是因为她跑得比你快，或者她跑到了另一个方向。如果你一定要和她在一起，那你就得努力追上她，努力陪伴她。你们要站在同一个角度，让她觉得，你这个人太好了。”

宋哲愣愣看着女孩子。

这时候，小女孩的妈妈叫她了，小女孩子赶紧起身，问宋哲：“哥哥，烧烤好了，你要跟我一起去吃吗？”

宋哲摇了摇头，女孩子高高兴兴回去了。

宋哲开始有些明白这个孩子的意思。他低下头，拿出手机。

他的手机从来都是默认壁纸。

宋哲记得他们刚结婚的时候，杨薇曾经悄悄把他手机的壁纸设成了他们两人的照片，她做了这件事，又假装什么都不知道，那时候他觉得她幼稚无聊，很快就换回来了。现在，他打开相册，翻了很久，才找到那张照片。

那是他们的结婚照，她穿着婚纱，头上顶着白纱，在他面前低下头。

他含笑捏起她的白纱，正准备掀开。

教堂里的光斑落在他们身上，他们身后是目光温柔的神父。

宋哲静静注视着这张照片，感觉眼睛有些模糊。

他才发现，原来人都会在无形中遵从自己的内心。哪怕那时候他以为自己不喜欢她了，他觉得他们的婚姻就是合作关系，他有那么多复杂的情绪，可他还是把这张照片留在了手机里，留了很多年。

他认真地回忆着，将这个人从他的记忆里找出来，把所有与她有关的记忆单独装订。

他试图去描绘这个人，她喜欢什么，她不喜欢什么，她是从哪一刻开始喜欢他，哪一刻开始变化……

他慢慢发现，其实他不了解杨薇。杨薇生活在宋家的时候，一直活得小心翼翼，她克制又压抑，把自己最真实那一面，偷偷藏在别人无法看见的地方。尤其是在他出国多年归来后，他看到的她像是个精致的木偶。

宋哲回顾杨薇的情绪，试图构建一个立体的杨薇，然后去揣摩她此刻的心情。

她放下他了吗？

她放下了。

她还喜欢他吗？

这个问题问出来的时候，宋哲自己都愣了。杨薇的无数个眼神从他脑中闪过，直到不久前，她在屋子里目送他离开。

他发现自己无法回答这个问题。

如果不喜欢，她眼中不该有温柔。如果喜欢，她眼中不该有放下。

然而他可以确认，那眼里有悲伤和难过，而这悲伤和难过，来源于他过往做过的每一件事。

他沉默了很久，拿出手机，打了许久的字，又重新删除，反反复复了很久，才终于打下一句："对不起。"

这是他该给她的道歉。其实他也知道，口头上的言语弥补不了什么，可是该说的话，他得说出来。

他言语上的傲慢，无数次伤害过她，他要学着改变，首先就从这句"对不起"开始。

杨薇收到"对不起"时有些发蒙，她正蜷在床上，面无表情地看一部搞笑剧。

看到这句"对不起"，她明白了宋哲的意思。

他在为过去道歉。

如果是以前，宋哲决不会低头说一句"对不起"，哪怕他知道自己错了，也只会别扭地从其他方面弥补。可这一次，他真的学会了说"对不起"。

杨薇看着这句"对不起"，竟有些欣慰。像是守着一棵枯树守了很多年，然后在某一天，突然看到它冒出了绿色的嫩芽。

尽管这棵树已经与她没有关系了，可是曾经耗费过那么多心血，头一次得到回应时，总会带来悸动。

她虽然已经放下，也决不会回头，却也会在这个人骤然改变成她曾经期待过的样子时，内心变得柔软且难以自持。

宋哲见杨薇久久没有回话，猜想她大概是睡了。于是他发了一句“晚安”，便没有再打扰。

他回到车上，重新启动车子。这时候他冷静了许多，已经能够思考，杨薇的底线在哪里。

现在的杨薇一定是不想回头的，但是他们之间除了爱情，还有很多的牵绊，这是他追求她的有利条件。

他不能让杨薇觉得他在威胁她，在逼迫她，以她的性格来说，感情上的事，越逼，她就越要反抗。他只能顺着她，哄着她。

他不能真的放手，这样他就会失去杨薇。可他又不能强行挽留，这样也注定会失去。他唯一能做的，就是哄着杨薇，不以爱情为理由地融入她的生活。

宋哲有了规划，等回了家里以后，他的内心安定了许多。他迅速洗漱完毕，躺到床上。他翻过身，看着床上空着的位置。

他们分居的那两年，她偶尔会回来，她就睡在那个位置，面色平静，举止拘谨。

当时他以为她是累了，现在才知道，她的确是累了，是心里爱得太累了。

他静静看着那个空荡荡的位置，许久后，他伸出手轻轻搭过去，仿佛那里有个人一样，闭上眼睛，努力开口说：“我爱你，晚安。”

这话对宋哲来说太肉麻了，可他知道，他必须学习，也必须习惯。

杨薇一觉睡醒，觉得神清气爽。

人就是这样的，不哭的时候，压抑的情绪能绵延好几天。可是只要一哭，任何烦恼都能在大哭又大梦之后消失无踪。

杨薇给自己化了个淡妆，看了看时间，便起出门去大米娱乐。

她现在按照向维的要求，每天培训打卡，按时直播，算起来，她也是有工作的人了。

她到了停车场，看见自己的车被一辆车堵得严严实实。

对方似乎是昨天晚上找不到停车位，停在她的车前面，到现在也没挪走。

她皱了皱眉，围着车转了一圈，也没找到车主的信息。

她来不及等车主过来移车，干脆叫了滴滴，同时打电话给物业处理这件事。

杨薇一边打电话，一边往路边走去，走了没多久，就看见宋哲的车停在路边。

这次宋哲没坐在里面，他穿着米色格子的休闲西服，双手插在裤兜里，身体轻轻靠在车上，含笑看着杨薇。

他似乎特意打扮过，晨光落在他身上，映得他眼角眉梢都带了暖意，像是宣传海报上的明星，不需要任何P图，就足以光彩夺目。

杨薇看着宋哲发呆，他抬了抬眼镜问："去上班？"

杨薇狐疑地看着宋哲，宋哲轻轻扬了扬下巴说："一起吧？"

她好像知道是谁堵住她的车了。

第十五章　你体会过嫉妒吗

杨薇不说话，宋哲一时有些心虚。他总觉得杨薇什么都知道了，但他仍旧强装镇定，抬手看了一眼时间，问：“你不赶时间吗？”

“我叫了滴滴……”

“前面追尾，封路了，我估计它一时半会儿赶不过来。”

宋哲直接给出了杨薇无法拒绝的理由，杨薇沉默了片刻，终于还是点了点头，上了宋哲的车。她很想知道，宋哲折腾这么半天，是想干什么。

上车之后，宋哲说：“你吃早餐了吗？我带了早餐盒。”

“还没，谢谢你这么上心。”杨薇盯着前方，一副警惕的样子。

宋哲应了一声，对她说：“如果你想吃可以吃，就放在你的位子前面了。”

杨薇点点头，用余光看了宋哲一眼，宋哲扬起嘴角开车，似乎心情极好。

她想了想，抬手拿过饭盒，低头打开，看见摆盘精致的早餐和一次性用具。她一边吃东西，一边和宋哲聊天。

“你怎么会来这里？”

“哦，打算搬家，今天早上过来看看。”

“你是不是来得太早了点？”

“这种杂事，也就早晚有时间了。我想着早点过来看看，也想早点住过来。”

“你要住这种小区？”杨薇有些狐疑，“你不嫌弃？”

“没什么好嫌弃的。”宋哲淡淡地说，“都是住房，没什么区别。”

杨薇肃然起敬，觉得宋哲觉悟太高。然而她又反应过来：“那你到底为什么来这个小区住？”

宋哲这次没接话，杨薇突然反应过来，一时有些尴尬。

杨薇很想问宋哲，是不是为了她，又不敢开口。若问出来，无论是什么回答，都有些尴尬。

“你一个人住不安全。”宋哲轻咳了一声，“像你这样，长得好看，看上去又有钱的单身女性，是犯罪分子的重点目标。你是我妈的心血，我得保证你的安全。”

“我成年了。”杨薇幽幽地说，“你不需要担起这种监护人的责任。”

宋哲无话。过了好久后，他才慢慢地说：“你……你总得给我一个适应时间吧？”

这次换成杨薇无法回答了。

其实宋哲将说到这种地步，在杨薇看来，已经是极大的进步了。

昨天晚上睡前杨薇还在想，按照宋哲的脾气，他辛辛苦苦做出一个蛋糕，被她为了周文砸了，她又说了那些话，估计要闹翻天。

就算宋哲不会为了这种感情问题干出什么伤天害理的事，口头上的羞辱、诋毁总是不会少的。

放狠话这种事，宋少爷比谁都擅长。然而杨薇没想到，他不仅没有和她斗，还学会了以退为进。

宋哲见杨薇不说话，便说：“咱们互相陪伴了十几年，我从中学起就知道我妈是把你当我妻子培养，我花了很大力气接受了这件事，然后习惯了这件事。你突然要离开，也该给我个适应时间。就像你给一个孩子吃糖吃太久，要戒糖也得慢慢来，要一下子断了，谁都受不了。你给我点时间，我慢慢来，嗯？”

杨薇看着早餐盒，没有出声。

宋哲看了杨薇的表情，漫不经心地问：“你平时喜欢吃什么？”

“都行。”

这等于没有回答。

到了大米娱乐，进了停车场，杨薇下了车，对宋哲说：“咱们一前一后进去，你别跟着我。”

宋哲愣了。

杨薇认真地说：“请保护我清白的人设，我不想成为你第N位绯闻女友。”

这位用脸和身份热情赞助了娱乐圈多年的宋公子，和谁传绯闻谁红，可杨薇一点都不想因为这种事情红。

“哦，还有，”杨薇还是提醒他，“你明天不用堵我车了，也不用来接我，我会自己来公司的，谢谢。”

说完这句话后，杨薇利落地关上门，戴上口罩，迅速上楼。

宋哲坐在车里，想了想，把杨薇的饭盒拿过来，认真研究了一下。

鸡蛋黄留下了，蛋白吃干净了；西红柿留下了，西瓜吃干净了……

宋哲拿出小本子，把杨薇吃的东西都记录下来，像记录实验数据一样，无比认真。

第二天早上，杨薇照常出门，她出门有些早，太阳刚刚出来，还带了几分凉意。她披了件外套，打量了一下四周，确认宋哲不在以后，总觉得有诈。

她看了看时间，决定搭公交车去公司，等她慢悠悠走到公交站台的时候，果不其然，宋哲站在公交站台上。

杨薇有些哭笑不得。宋哲转过头来，轻咳了一声：“你也赶早班车啊？你坐几路？”

“你又来这里干什么？”杨薇披着外套，看着西装革履的宋哲，完全无法想象宋哲挤公交车的样子。

宋哲抿了抿唇，递给她一个早餐盒。

“我想和你一起挤公交。”

宋哲这话说出来后，也不知道是哪里戳中杨薇的笑点，她笑着上下打量了宋哲一眼，挑了挑眉：“行啊。”

等了大概十分钟，公交车进站，看见上面挤得严严实实的人，宋哲突然产生了一丝恐惧。

“要不……”

他话还没说完，就看见杨薇和其他人已经朝车子走去。他来不及思考，下意识就跟着杨薇走。他人高腿长，比旁边人快很多，他刚来杨薇身边，车门就打开了，接着他就感受到了强大的推力。

宋哲顿时有些愤怒，呵斥身后的人：“别推了！”

说着，他伸手去阻挡旁边的人挤杨薇。然而总裁的威严在这一刻毫无作用，大家为了上车使出了全力，他感觉自己化身成了一堵墙，众人都在试图推倒他。他满怀怒气被挤到了车上，好不容易站稳，就听见司机大声喊：“里面那个穿西装的，你还没投币！”

他哪里去找硬币投币？！而且都挤到这里面来了，投什么币？！

宋哲的脸红一阵白一阵，他听到有人小声说：“长得人模人样的还逃票，果然人不可貌相……”

宋哲开始掏钱包，在他把钱掏出来的前一刻，杨薇突然伸出手，递出一张公交卡，对旁边人说：“麻烦您帮个忙。”

然后宋哲就看见那张公交车卡，被人传到了投币机旁边，刷了一下后，又传了回来。

接着他看见杨薇将公交卡放进包里，动作熟练自然。

他感觉有种隔阂在他们两人之间展开，他问：“你哪儿弄来这东西的？”

“离婚之后，我学会了挺多东西。”杨薇笑了笑，“我还办了很多卡，比如公交卡。”

宋哲本来想笑这东西无用，但是看见杨薇伸手扶着椅子，转头看着窗外，晨光透过树枝落在她脸上，忽明忽暗，让她整个人呈现出一种带着烟火气息的温柔，他竟不忍打扰，沉默着没有说话。

宋哲一路想法子，把人群和杨薇隔开，自己和那些人拼命挤来挤去。公交车走走停停，路走了一大半，宋哲有些撑不住了，脸色不太好，车才刚停下，他就向外挤去。

杨薇傻眼了，随后就看见他在路边吐了。车门即将合上的瞬间，她还是赶紧下了车。

她站在宋哲身边，犹豫了片刻后，把纸递给他。

宋哲吐完之后，从杨薇手中接过纸，直起身子，擦了擦嘴角。他肠胃一贯不好，吐完之后，觉得胃隐隐作痛。

杨薇看宋哲脸色不好，领着他坐在一旁歇息，递给他一瓶矿泉水漱口，看他拿出随身携带的胃药吃了下去。她说："让高林来接你吧，以后别来陪我挤公交了，没必要。"

宋哲歇了一会儿，慢慢睁开眼睛："我没事。"

杨薇欲言又止。过了一会儿，她站起身来："想跟就跟吧，随你。"

杨薇没等宋哲，他起身跟在她身后。他们走了一段路，她没有刻意放缓脚步，他一路跟着，他的胃随着行走越来越疼，她也没回头。

快到公司了，宋哲停住步子，杨薇回头看了他一眼，确认他没跟着之后，才进公司。

等杨薇进了公司，宋哲才叫高林下来扶他。

高林赶紧把宋哲送去医院，路上他听宋哲简单地描述完早上的事情，终于忍无可忍："先生，您下次别犯傻了，杨小姐这是摆明给您设坎子，让您别跟着呢。您换个法子，别跟了。"

宋哲没说话，他靠在副驾驶座上，一手捂着胃，一手拿着手机，合着的双眼微微一颤，好久后，才说："我知道。"

宋哲又不是傻子，怎么可能不知道？

可是他更清楚，杨薇不仅不想让他跟着，她甚至不想见他，不想和他说话。对于此刻的杨薇而言，她最想的大概是他不再出现。

这样，她就会慢慢忘记他，然后彻底放下他。

他要真的每一步都如她所愿，那就是真的把她放走了。

“而且，她在直播间里说自己现在经常忙得不吃早餐。”宋哲虚弱地说，“我不给她送早餐，我怕这傻子又不吃了。你看看她，离开了宋家，什么都乱了。”

这话让高林呆住了，他没想到有一天宋哲也会在这么小的事上担心杨薇。

高林张了张嘴，好久后，才说：“先生……”

然而剩下的话他又不敢说了。

喜欢这件事，意识到了，努力了，总会越来越喜欢。最难过的不是喜欢上了一个不喜欢的人，而是喜欢上了一个，曾经喜欢自己的人。

杨薇每天看着自己的车被堵在车库里，而这个人就在她车边等着，死活要送她上班。

杨薇不是喜欢给自己制造麻烦的人，加上宋哲每天早上送的早餐的确好吃，于是她冷眼旁观，看他能维持几分钟热度。

在杨薇观察宋哲的时候，宋哲也在认认真真地实施追求计划的第二步——了解杨薇。

为了真正了解她，每天晚上杨薇一开播，他就老老实实地坐在电脑前，认真记录她的每一句话，然后分析这句话的意思。

他像在做阅读理解题，有时候他不确定答案，就会询问杨薇：“主播的意思是……”

杨薇发现最近这个猫大侠特别爱问问题，而且问的问题都很奇怪，经常拿着她的话反问她。她觉得这个人像一个小孩子，于是她很耐心，几乎问什么就回答什么。

于是几场直播下来，宋哲搞清楚了很多问题。

这些问题他过去从来没关注过，现在他却认认真真记录了下来。她喜欢的颜色，她喜欢的歌，她喜欢的电影，她喜欢的娱乐活动……

宋哲那个取名为“杨薇研究手册”的本子上，记录的内容越来越多。他逐渐把握了怎么给杨薇送礼物，怎么理解她说的话。

这样的状况维持了几天，杨薇就发现自己对门搬来了新邻居。

杨薇家对面的房子原先一直空着。现在对面突然来了人，一天到晚在装修，装修了四天，安静了。

当天晚上，杨薇正在家里煮方便面，门铃响了，她系着围裙去开门，门一开就看见宋哲站在门口。他轻咳了一声：“那个，你有没有吃饭？”

“嗯？”

“我刚搬过来，家里做了饭，你要不要来吃？”

“不用了，谢谢。”杨薇立刻拒绝。

在关门前一刻，宋哲赶紧抬手挡住了门，说：“是重庆火锅！从十三巷那家趁热打包过来的！”

杨薇顿了顿。她最近特别忙，《玩转文字》节目播出后，她的流量涨得很快，向维和冷玫说要趁热打铁，向维让她多出内容节目，冷玫则给她接了许多杂志封面，保证曝光率。

这一来，她每天忙得出门的时间都没有，出去吃个饭少说要两个小时，她每天吃盒饭吃得反胃，昨天晚上还在直播间里疯狂吐槽了好久，表达了她对重庆火锅的想念，尤其是十三巷那家。

宋哲继续说：“刚打包回来，我才摆上桌，他家的香油我都打包回来了……”

“你等一下。”杨薇回头闻了闻自己房子里的方便面味，又看了看时间。只有一个半小时就要直播了，她咬了咬牙，决定为了食物屈服一次，毕竟她要给宋哲一点时间适应。

于是她说：“你去准备吧，我马上过来。”

宋哲勾起嘴角，靠在门边：“都准备好了，我就站这儿等你。”

杨薇停顿了一下，低头看了一眼自己的兔子睡衣，又看了一下长廊，说：“我就这么穿着和你吃火锅，不介意吧？”

宋哲笑起来，他很想笑出声，却还是克制住了。他憋着那股高兴劲：“不介意。”

“行，”杨薇关上大门，“走吧。”

宋哲跟在杨薇后面，看她穿着睡衣，扎着丸子头，穿着一双兔子拖鞋往他屋子里走去，他心中就有种莫名的喜悦涌上来。

两人进了屋，杨薇看见餐厅里放了张火锅店特有的八仙桌，她有些疑惑。

宋哲轻咳了一声：“我顺便把他们家桌子也打包回来了，觉得有氛围……”

吃人嘴软，宋哲有钱，在这张桌子上吃着火锅的确比较有氛围，于是杨薇高兴地说：“开火开火，准备开吃，我去弄调料。”

“我来。”宋哲赶紧抓住表现的机会，“你坐着就好了。”

“不用，我的口味你不知道……”

“我知道。”宋哲打断她。

杨薇一愣，她看见宋哲进了厨房，挽起衬衣袖子，从台面上舀起蒜蓉、葱花放进一个小碗，但他没有倒香菜，然后又加入耗油、小米辣，倒了点醋，又放了麻酱和麻油，最后才倒了香油。

宋哲做这些的时候很认真，麻油都是数着滴数倒进去的。

他生得精致好看，带着书生气质，一双看似应该执笔的手捧着碗做这些时，有一种说不出的温柔。

杨薇愣愣地看着宋哲。他抬眼，朝她看了过来，有些忐忑地问：“不对？”

杨薇笑起来，靠在门边，一脸温和：“对的。你怎么知道？”

“我学了啊。”宋哲眼里带了几分得意，“是不是特聪明？”

“聪明。”杨薇竖起大拇指，“你以前就这样，学什么都快。”

“行了。”宋哲给自己倒了调料，然后端起碗，对她说，“走吧，去吃火锅。”

具实宋哲不爱吃重庆火锅。他口味偏清淡，但是上中学的时候江淮安老拉着他去，于是他就一个人吃清汤，其他人吃红汤。

然而这个锅全是红汤，杨薇有些奇怪：“你不吃清汤？”

“没事，”宋哲摆摆手，“我陪你吃。”

杨薇没说话，她的心一动，她很害怕宋哲说，他学着吃红汤，是为了陪她。

做她做的事情，喜欢她喜欢的东西。这样的事，她曾经做过很多年。

然而宋哲什么都没说，他笨拙地替她涮肉，偶尔吃下一块肉，辣得眼泪直流。

杨薇忍不住劝他：“你要不别吃了……”

“没事。”宋哲摇头，“小事，我问过了，刚吃辣都这样。”

杨薇有些无奈，只好低头吃东西。

宋哲从来没这么照顾过人，帮她涮肉，帮她剥虾，她就只负责吃，他则一直在忙。

杨薇看着对面俊雅的男人，终于还是把那句话问出口来了：“阿哲，最近见过武纶吗？”

宋哲的手顿了顿，杨薇平和地说：“你需要时间去适应离婚这件事，我能理解，我不会为难你，可是你自己也要努力啊。”

杨薇仿佛一个姐姐一般，不带半点情绪：“其实武纶挺好的，你可以试着去接触一下。如果不行的话，其他人也可以，你要多尝试。”

宋哲没说话，他觉得他的心仿佛被杨薇放进锅里煮着，疼得他捏紧了筷子，一句话都说不出来。他的手微微颤抖着，下意识想反驳，想愤怒地质问，想吼她。她就这么不在意？这么急着推他出去？

然而他克制住了。

吵过了，闹过了，认真想过了，他也明白了，他和杨薇会走到这一步，就是因为这些不假思索的怒吼、质问、嘲讽与谩骂。

宋哲静静思索着杨薇此刻的内心，隐约意识到，他要是让杨薇感到压迫和害怕，杨薇就会以最果断的姿态斩断他的念想。毕竟，任何一个受过伤害，想要放下的人，都会无比敏感。杨薇有她的骄傲，她容不得他大呼小叫，也不愿受他牵绊。

所以他不能有太激烈的情绪，只能假装无所谓。他涮着肉道："嗯，我知道了。来，吃东西。"

宋哲抬起头，烟雾缭绕中，他的笑容有点僵硬，镜片后的眼眸垂下来，杨薇看不清他眼中的神色，只听他说道："你别担心，我学得很快的。"

他会很快学会吃她喜欢吃的东西。

他会很快学会喜欢她喜欢的音乐、电影、书籍。

他会很快学会理解她说的每句话。

他会很快学会克制自己的情绪，压制那些伤人的话语。

他已经学会了说对不起，已经学会了从她的角度去思考，已经学会了克制，学会了隐忍。

他学会了喜欢她。

早晚有一日，他会学会她喜欢的一切，成为她喜欢的人。

"你别担心，"宋哲重复道，"很快的。"

——成为你喜欢那个人，很快的。

杨薇吃完火锅回来直播，她直播的时候有些走神。周文上线了，很快便发现杨薇的不对劲。

周文想了想，给杨薇刷了几个礼物表示安慰，紧接着猫大侠立刻刷了双倍。

杨薇看着这个冒出来和周文较劲的猫大侠，总觉得他傻甜傻甜的。

周文也看出这个猫大侠在和他较劲，便不在直播间和杨薇聊，干脆在微信上发语音。

杨薇悄悄将语言转换成文字，周文和她随便聊了几句后，便询问了宋哲的情况："他最近没骚扰你吧？"

杨薇笑了笑，回复：“也没什么了。他搬我家对面来了，但也没说什么。”

周文看到这话，好久后才说：“他没给你找麻烦吧？”

“还好，他说自己需要一段时间来适应一下，让我给他点时间。也没做什么出格的事，今晚还请我吃了火锅。”杨薇诚实地说，“挺好的。”

比起之前那些毫无意义的送礼物、送花，宋哲最近的行为，都刚刚好，令人舒心而不反感。

杨薇其实并不是讨厌宋哲，只是单纯地想远离他。可是非但远离不了，他又这样恰到好处地讨好她：送她上班，让她多了几分钟睡觉的时间；给她送早餐，还都是她喜欢的口味，营养搭配均衡；在她想要吃什么的时候，及时送过来，还学会调她喜欢的调料……

她不是石头做的人，哪怕不想再喜欢这个人，也不至于呵斥他。

“随缘吧，”她说，“咱们不是佛系青年吗？”

和周文聊完之后，已经很晚了。她低头看了一眼微信，宋哲的短信如期而至：“晚安。”

第二天早上起来，杨薇一出门，就看见宋哲站在门口。

杨薇不知道这是巧合，还是宋哲一直在等她，她朝他微微颔首，说了句：“早上好。”

宋哲立刻笑起来，他跟着杨薇来到电梯口：“你是要去大米娱乐吧？我也去，刚好顺路。你看，以后要不我送你吧，这样还能省点油。”

听着宋哲在后面找理由胡扯，杨薇笑着打趣：“宋总不像是会心疼油费的人，你知道油价多少吗？”

“我不是心疼油费，”宋哲一脸正直，“我是心疼地球，低碳出行，人人有责。”

这话把杨薇逗乐了，她和宋哲聊着天到了地下车库，宋哲赶紧引着她往他的车走去。她不答应，但也不拒绝，和他一边聊一边走，然后回头看了一眼她的车，果然还堵着。

杨薇不是个矫情的人。

车坐了好几次，饭吃了这么多，这时候还扭扭捏捏地不上车，这不是她的作风。她和宋哲到了大米娱乐，宋哲停下车，对她说："真的，你考虑一下，我送你是一个非常理性的决定，你……"

"行，"杨薇点点头，从包里拿出了一叠百元钞票，放在他手边，"这是包车的费用，我算过了，以后费用月结，谢谢你了。"

说完，杨薇推开门走了出去。宋哲怔了一会儿，低头看着那一沓钱。

过了片刻，他拿起钱，认真地数了一下。

两千元。

这钱对他来说算不上什么，但是一想到这钱是杨薇给的，他就决定珍藏起来。

宋哲揣着杨薇给的两千元钱到了公司，刚进门，就看见高林迎了上来。他将所有日常报了一遍，宋哲点着头。到了办公室，他拿出一个戒指盒："按您的吩咐，昨晚林姨把婚戒找出来了。"

宋哲拿过戒指盒，打开，发现这里面不是一枚戒指，是一对。

他不喜欢戴戒指，带着戒指他就觉得难受，所以结婚之后，他把婚戒留在家里。房间都是杨薇整理，久而久之，他也不知道婚戒放在哪里了。

林姨在宋哲的吩咐下把戒指找出来，他没想到，杨薇的那枚戒指，也留下了。

他静静凝视着这一对戒指，直到高林叫他："先生？"

宋哲反应过来，点了点头："没事了。你后面找个时间，帮我约一下武纶，说我有事想和她谈一谈。"

高林没有多问，应了下来。等他离开了，宋哲拿起他那枚戒指，戴在了无名指上。

不喜欢的束缚感瞬间涌上来，然而这一次，他静静凝视着手指上的戒指，居然有了那么一丝，迟来的喜悦。

这份欢喜冲淡了戒指戴在手指上的不适，他妥协了。

宋哲早上在大米娱乐办公完，下午去了宋氏集团。他手上的戒指引起了属下的注意，等会议开完，宋哲放松下来，有人大着胆子询问：“宋总……”

“嗯？”

“您最近结婚了？”

这是第一次有员工当着宋哲的面问起他的私生活，他愣了片刻后，笑起来，点头说：“嗯，很早就结了。”

所有人大吃一惊，似乎都窥探到了什么不得了的秘密，问话的人小心翼翼地说：“是……是武小姐？”

“为什么会是她？”宋哲皱眉。

大家都僵住了。宋哲扫了众人一眼，知道他们似乎有所误会，便说：“我和武纶不是那种关系，后面会澄清，不要乱猜。”

众人点头，感觉自己吃到了一个惊天大瓜。

散会之后，宋哲让大家离开，只有高林留下来。他的手摩挲着戒指，说道：“高林，为什么他们会觉得我的妻子是武纶？”

高林犹豫了，宋哲抬眼看他：“你说，不要紧。”

“一方面是因为这么多年来，您的绯闻虽然多，但您承认的只有武小姐一个。”

“嗯。”

“另一方面……武小姐有时候会来公司。”

“她来公司怎么了？”宋哲眉头紧皱。

高林小心翼翼地说：“武小姐来了几次公司，不知道怎么回事，公司上下就都传您和她是一对……”

“谁说的？”

这话高林没法接了，宋哲也知道高林不管这些事。想了想，他立刻说：“这个消息你去查清楚，是谁传出来的。”

高林应下了。

回去的时候，宋哲从冷玫那里得知杨薇下班的时间，早早回了大米娱乐，等在公司外面。

杨薇一出门就看见宋哲的车，珠光白的车身在黑夜里特别显眼。宋哲看见杨薇出来，立刻朝她招手。

杨薇笑眯眯来到车边，发现宋哲手上戴上了婚戒，她有些意外，目光落在婚戒上。宋哲注意到她的目光，抬了抬手："不好看？"

"你……"杨薇的话在嘴边，宋哲静静地等着她询问，然而她只叹了口气，"算了，没什么。"

一个戒指而已，它的意义都是人赋予的。

宋哲眼里闪过几分失落。但他没有表现出来，也没有出声。他和往常一样等杨薇上了车，然后和杨薇说起白天的小事。

下车后，杨薇快到直播的时间了，她风风火火地往家里冲。宋哲忍不住皱眉："你没吃饭吧？"

"不吃了。"杨薇摆摆手，大方地说，"你去吃你的吧。"

说着，杨薇已经打开门，在关门瞬间，宋哲抬手抵住她的门："我给你煮碗面条。"

听到这话，杨薇整个人呆了。但她想起了宋哲做的那个蛋糕，很快镇定下来，正准备拒绝，就听宋哲说："我也要煮我吃的，顺便煮一碗给你。"

杨薇低头看了看时间，不想和他争，赶紧去了房间，开始直播。

她直播的时候，宋哲就在厨房里百度煮面条的方法。

他煮到第三锅，终于成功了。

这时候杨薇的直播也结束了，她到了餐桌前，就看见宋哲正苦大仇深地盯着面条。等她拉开凳子坐下来，宋哲有些心虚："那个……你就随便尝尝，要是不好吃，我们就出去吃。我第一次煮面，发挥得不行……"

杨薇没理会他，低下头，吃了一口。

其实没什么味道，可是对宋哲来说，他煮出来的面条能吃，已经很不容易了。

两个人静静吃着面条，他们都不是喜欢吃饭说话的人，屋里变得格外安静。

不知道为什么，这碗什么味道都没有的面条，杨薇还是把它吃完了。

宋哲起身去端碗，杨薇帮着他一起把碗送到厨房，宋哲立刻说："你把碗放下，该做什么做什么吧，我来洗。"

杨薇的动作顿了顿，片刻后，她终于说："宋哲，其实你不用这样的。"

她抬头看他："你是要学着放下我，不是学着讨好我。你打小没做过这些，现在也不需要学。"

"我不是在讨好你。"宋哲将碗拿过来，放进水池，小声说，"我是在学着对一个人好。你不给我机会学着对别人好，以后我又怎么学得会？"

这话让杨薇有片刻的失神。宋哲低着头，笨拙地冲着碗，说："你也别说我是在讨好你，与其说是讨好，不如说我是在给你赔礼道歉。"

"你以前照顾我的时候多了去了，"他垂着眼，似是有些不好意思，"我照顾你一下，没事的。"

杨薇没说话，她静静注视着面前认真洗碗的人。

好久后，她说："宋哲……"

"你不用管，去坐着吧，你也不用愧疚……"

"洗碗，"杨薇认真地说，"是要放洗洁精的。"

听到这话，宋哲僵住了。看见宋哲一脸茫然的样子，杨薇忍不住"哈哈"笑了。

"我来吧。"杨薇从旁边取了围裙系上，来到宋哲身边。宋哲让了一步，看她示范着如何洗碗。

"要用温水，这样才能去油。你把洗洁精放在海绵擦里……"

杨薇低头洗碗，宋哲静静注视着她。他见过她各种模样，光彩亮丽的，耀眼夺目的，但没有哪一刻，让他觉得如此美丽，此刻，她只随便扎个丸子头，穿着睡衣，低着头洗碗。

几缕头发垂落下来，随着她的动作轻轻摇晃，让她的温柔里带了几分率真。他抓着抹布，机械地擦着水，听着她讲解。

他感觉他们似乎走近了一些，头一次让他能够认认真真地关注她。

他心头一热，下意识地说："杨薇，我们……"

话没说完，杨薇的手机响了起来，她手上沾了水，于是扬了扬下巴："麻烦你帮我接一下。"

宋哲转过头，便看见了她的手机屏幕上周文的名字。

这个名字似是当头棒喝，让宋哲清醒了许多，他没动。杨薇看了一眼手机，说："快呀。"

宋哲伸出手，划到了接听键，然后将手机贴在杨薇耳边。

杨薇抬起手，朝着他做了一个"噤声"的手势，随后笑着开口："文哥。"

宋哲捏紧了手机，他听不太清楚周文的话，只看见杨薇眉眼都带着笑意，那是与面对他时截然不同的笑。

杨薇对他的笑容总是带着无奈和包容，像一个看着孩子胡闹的长辈，听着周文电话的她，才是真正欢喜的。

这样的认知让他愤怒又嫉妒，可他什么都不能做。他好不容易才和杨薇构建出这短暂的和平，他不能让杨薇察觉他真正的内心。

嫉妒不会因为克制而消除，他只能一手举着手机，一手捏着拳头，听着杨薇打完这个电话。

这通电话像是一把锯子一样搭在他的心上，她说话时锯过去，她笑时锯回来，来来回回。他僵着身子，死死捏着手机，平复着自己的内心。

等周文挂了电话，杨薇的碗也洗得差不多了。她注意到宋哲还握着她的手机不放，有些奇怪："宋哲？"

宋哲回神，这才反应过来，自己还拿着杨薇的手机。他将手机放下，开始擦桌子。

杨薇感觉到宋哲的状态，明白了些什么，她没有说穿，只是继续教他做家务。等最后如何装垃圾袋也教会了，她才看了看时间，对他说:“现在挺晚了，你该回去了。”

宋哲点点头。杨薇送宋哲到了门口，宋哲开了门，还是有些犹豫，他回过头看着杨薇，问了句：“杨薇，你体会过嫉妒吗？”

杨薇微微一愣，她双手抱胸，片刻后，她苦笑了一下：“喜欢一个人，怎么会不嫉妒呢？”

“我曾经喜欢的那个人，他可能喜欢的人太多了，喜欢他的人也太多了。”她面色平静，似乎在讲述别人的事，“我曾经嫉妒得快疯了，但我清楚地知道，嫉妒是人类的本性，这是可以原谅的。可若将嫉妒发展为恶意，对别人做什么，就不可原谅了。”

杨薇笑了，她知道，宋哲这样聪明的人，应该知道她这话是什么意思。

在她正准备说下一句，安抚一下宋哲时，却听到宋哲突然说：“对不起。”

杨薇有些茫然。紧接着，她听见宋哲的声音里带了几分沙哑和认真：“你过去，过得真的很不好。”

宋哲现在才知道，现在才体会到。

杨薇明白他的意思，她沉默着，好久后，轻轻一笑。

“都过去了。”

“过去的事情，就无所谓了。”

第十六章　你骗我

杨薇把话说得云淡风轻，宋哲捏着拳头，感觉自己近乎窒息。

他突然特别希望面前这个人能对他做点什么，打他，骂他，疯狂拒绝他，都可以。那至少证明，他还是那个牵动着她内心的人。

杨薇见宋哲沉默无言，朝他一笑："回去吧，早点睡，你明天还要上班。"

说着，她关上门："晚安。"

宋哲看着门关上，深吸了一口气，回到自己家里，给她发了"晚安"。

第二天早上起床，宋哲去宋氏集团的本部开完会，高林提醒他到了和武纶约定的时间，武纶已经到他办公室等着了。

他点头，从会议室到了办公室，推开办公室的门，就看见武纶正坐在沙发上玩手机。看见他进来，她抬起头，笑眯眯地说："哲哥哥你来了？"

武纶个子不算高，五官立体小巧，看上去带了种混血风格的甜美，栗色大波浪随意披散着，整个人看上去像个精致的洋娃娃。

宋哲坐到办公椅上，高林去给他们倒茶，武纶吩咐高林："我的咖啡多加一个奶球！"

高林面带微笑地点头。

武纶回头看向宋哲，叹了口气："感觉哲哥哥好久没见我了。"

"你有你的工作，大家都是成年人，少见很正常。"

宋哲单刀直入："我这次请你来是想和你说件事。"

“嗯？有什么需要我帮忙的？”

“二年前你被狗仔拍到和男朋友拍拖，你说那个人的身份不方便透漏，所以没经我的允许，直接对外说那个人是我。你把话放出去，又来请我帮忙，我顾着大家一起玩到大的面子，帮了你。”

听到这话，武纶神色一变，然而她很快控制了表情，微笑着说：“这事啊，这么久了，怎么突然提起来了？”

“我希望你发个声明，把当年的事说清楚。”

宋哲这话一说出口，武纶的脸色顿时大变。

宋哲看着她，淡淡地说：“当时那个人是谁，你说清楚是谁。”

“哲哥哥……”

“你和他们一样，叫我宋哲吧。”宋哲打断武纶的话，“都长大了，你还这样叫我，不太好。”

武纶被抢白后，居然接不下去了，她憋了好久，才说：“你能不能和我说一下，到底发生了什么？这事已经过去很久了，突然提起来有点奇怪。当年那个人的确不适合说……”

“我也不适合。”宋哲很果断，“其实我今天也不是请你来商量的，如果你不发这个声明，那就由我发。”

“宋哲！”武纶终于忍不住提高了音量，“你非要这么逼我吗？！都过去三年了，你翻这些旧账做什么？！你这样会毁了我，你知道吗？！”

“武纶，如果你真毁掉了，毁掉你的也不是我。”宋哲抬眼看她，眼里全是冷漠，“要和不适合的人在一起的不是我，被拍到照片的也不是我，不顾别人的意愿拖人下水的也不是我。”宋哲深吸了一口气，“我当年不懂事，我没想过帮你这个忙，会伤害不该伤害的人。我现在意识到了，想要弥补……”

“就拿我的前程弥补吗？！”武纶难以置信地看着宋哲，“为了弥补杨薇，你就要这样对我吗？”

这话让宋哲一顿，他抬眼看着武纶，眼里全是冷意：“当初你做这件事的时候，就知道会伤害杨薇。”

武纶迅速反应过来，她眼眶泛红，低着头说：“哲哥哥，这些都过去了，我在抢一部大导演的新戏，现在是转型的关键期，你别这样……是不是杨薇找你麻烦了？我去和她解释，我……”

“你不需要和她解释。”宋哲感觉有一口气闷在胸口，他克制着情绪，让自己不要多想，“你离她远点。你现在要做的，就是把当年的事说清楚。有什么后果，这都是当年你要承担的。如果你不这样做，那我今晚就发声明。”

武纶听着宋哲的话，握紧了拳头，目光落在他的脸上，咬着牙不让眼泪掉下来。

“声明你先写，写完了给冷玫看，我会让他们配合你，尽量把事情……”

“杨薇是不是不要你了？”武纶突然出声。

宋哲抬起头看着武纶。他很想问她为什么知道，他和杨薇离婚的事情并没有传出去。然而他想到杨薇正在直播，也就不觉得奇怪。

武纶的目光落在宋哲的戒指上，嘲讽地笑了：“以前你们好着的时候你不戴婚戒，现在她不要你了，你就戴上了，你不觉得可笑吗？”

“武纶，”宋哲冷声道，“慎言。”

“我慎言？”武纶眼里全是嘲讽，“最不该说的话你都要我说了，你还指望我慎言？你现在做这些有什么意义？你让我澄清绯闻，你以为我澄清绯闻，杨薇就会回来吗？！”

“徒劳！”武纶大喝，“你对她的伤害不可能消失。杨薇那样的人，你以为你道歉了、认错了，她就会回来？现在澄清没有任何意义，她不在乎！”

“关你什么事？”宋哲克制住自己的情绪，让自己不要去理会武纶的话。可他内心翻江倒海。

他不知道，为什么所有人都能看出来，所有人都知道他喜欢她，唯独她不知道。

宋哲故作平静，维护着他在人前那份骄傲，抬眼看向武纶，冷声说：“你只要做你该做的事情就够了，我做什么，与你无关。”

“行啊，”武纶笑了，“你要我做什么我就做，不过宋哲，我告诉你，没有用的。”

她靠近他，语气里带了几分悲悯：“杨薇早就受够你了，你别整天自己感动自己，你要真的喜欢她，就从她面前滚得远远的。”

“你这种垃圾没几个人会喜欢，你一辈子只会把责任推到别人身上。你捅了她一刀，现在为了她捅我一刀，你以为她会喜欢你这种人？”

“别做梦了！”

“那又怎么样？”宋哲听着武纶的话，艰难地笑起来，“伤害她这件事，我有责任，你也有。你和我说这么多，无非是想把当年的谎言延续下去，可凭什么？”

“我不在乎她现在还在不在意这件事，哪怕她只有万分之一在乎的可能性，我也要让她清楚当初发生了什么。”

“我不想宋太太被人误会是你，我也不想我明媒正娶的人反而被人当成小三。”

“那我呢？”武纶红着眼，“为了她万分之一在乎的可能性，你就要这么牺牲我吗？你知道我为你做了多少？你以为我为什么来当这个明星，为什么与宋氏传媒签约？我做得比她少吗？！”

这话把宋哲说愣了。武纶抹了一把眼泪，她扭过头去，捏着拳头，没有说话。

好久后，宋哲说：“所以，跟杨薇有什么关系？”

“你为我牺牲，你为我做了很多，就可以伤害旁人吗？”

“当初你是不是真的没有选择？”宋哲皱起眉头，看着武纶，“你明知道我有妻子，你也明知道这件事会伤害她，可你还是做了。今天我要你澄清，很过分吗？”

“宋哲……”武纶呆呆地看着他，“你就没有半点感动吗？”

“如果我会因为感动爱上一个人，”宋哲的声音很平静，“那也不是你。”

宋哲的目光坚定：“如果我过去有任何让你误会的地方，我道歉。可是我仔细想过，你的确是单恋。我对你的好，都是看在你哥的面子上，和对其他人没有任何区别。如果这也让你觉得我对你有意思，那我抱歉，可这的确不是我的责任。”

宋哲这话说得很平静，却让人觉得羞辱，武纶颤抖起来：“你怎么可以这样……”

“我怎么会喜欢上你这样的人……”她又急又恼，“我怎么会……”

“因为你瞎。”宋哲果断地说，“瞎了就好好治，总有重见天日的一天。回去吧。”他叹息一声，“做错了事就要努力弥补，我们都一样。声明明晚之前出，明晚十二点前你不出这个声明，我会出。”

高林端着咖啡和茶才敲门进来，就听见宋哲说：“送客。”

不等高林开口，武纶提着包，抹着眼泪冲了出去。

武纶走后，宋哲终于有了喘息的机会。他看着高林送进来的茶，还没喝下去，就感觉苦涩已经在嘴里蔓延，苦得他一句话都说不出来。

宋哲这才发现，越回顾过去，越感觉到自己无能。

其实武纶说得没错，对杨薇所有的伤害，别人都只是从犯，他才是主犯。

因为他不在意、不关注、不在乎，所以才让那个喜欢自己的人，遍体鳞伤。

他不敢去想当年的杨薇是什么感觉，他只是稍微思及，就觉得心被捶打了千万遍一般，又酸又痛。

他深吸了一口气，提醒自己不要想太多，他如今唯一能做的，就是好好对杨薇。

他低下头，对高林说：“把我以前的绯闻收集起来，联系那些记者，让他们把当年绯闻的真相澄清一下。”

“这不好吧……”高林说，“大家其实不会记得的，您这样澄清，也没人会信。”

“我不在乎他们信不信，”宋哲低头假装看着项目计划书，“我只在乎我有没有做。”

当年如果他在第一时间开口澄清，杨薇就不会那么难过了。

现在虽然已经晚了，可他仍得做。

晚上回家的时候，宋哲感觉前所未有的疲惫。他计算杨薇下班的时间，到大米娱乐门口等她。等到时间，杨薇还没从里面出来，他想了想，给杨薇发信息：“你还没下班吗？”

这时候杨薇刚到地下停车场，周文在停车场等着她，她坐上周文的车，猜出宋哲要来接她，直接回复：“和朋友去吃饭了。”

宋哲看见杨薇说“朋友”，下意识地想起周文，连忙问：“不是周文吧？”

杨薇是知道宋哲那份占有欲的，他才和周文打过一架，如果现在知道自己和周文出去吃饭，估计麻烦事会有一堆。她不想搭理他。

宋哲继续追问：“是不是周文？”

杨薇知道不回答他怕是没完，于是回复了一句：“不是，是顾岚。”

看到顾岚的名字，宋哲总算放心了。

他想了想，自己也不能逼太紧，于是十分贴心地回复了一句：“好好玩，早点回家。”

没有接到杨薇，宋哲独自回了家。他想了想，趁着有空，就在厨房里学做菜。

杨薇喜欢吃冷锅串串，他高价买了冷锅串串的配方，在家里自己学着做。

他想到自己有一天会做所有杨薇喜欢吃的东西，就觉得格外高兴，学起来也十分卖力。

这时候周文带着杨薇去了一家清吧。

店是杨薇推荐的，这是一家格调十分高雅的清吧，店里流淌着昏黄的灯光，缓慢的曲调，杨薇领着周文坐在昏暗的吧台旁边，熟门熟路地点了酒，随后说："这家清吧是我一个朋友投资的。"

周文点点头，听杨薇积极地介绍这家的酒。她说完后，见周文没什么反应，犹豫再三，才问："是不是发生了什么？"

"慕雪说，她想和我结婚。"

周文的话让杨薇愣住了。

她并不了解周文和慕雪的关系，所以不好开口问。

周文喝了口酒，笑得苦涩："我是不会答应的。过去的日子我记得太清楚了，人生还这么长，不用想就知道，如果我和她结婚，这一辈子，我都要在这份感情里患得患失。"

"我明白。"杨薇喝了口酒，"你是对的。"

她语调平静，周文忍不住抬头看她。在昏暗的灯光下，她目光平和从容，完全看不出半分怨愤和不甘。

他的内心慢慢平静下来，他觉得杨薇仿佛是自己感情路上的一盏明灯，她指引着他，照耀着他。

他端起酒杯，与她碰杯。

"谢谢。"周文认真地说，"这时候陪着我。"

杨薇回过头，温柔地笑了笑："应该的。"

杨薇和周文聊天时，宋哲的第一锅冷锅串串出锅了。卖相看上去有些惨烈，宋哲有些嫌弃。

这时候江淮安突然给他电话："那个，阿哲……"

"嗯？"

"你在做什么？"

"做串串。"宋哲用肩膀夹着手机，"有什么事赶紧说，我要倒油。"

江淮安沉默了片刻，还是说了："刚才我朋友在'一渡'看见杨薇了。"

"嗯，她今晚和顾岚去吃饭了。"

宋哲漫不经心，下一句话还没出口，就听见江淮安说："不是顾岚。"

"是周文。"

宋哲愣在原地，壶里的油倒出来，他猛地反应过来，手忙脚乱地收拾好后，才对江淮安说："我知道了。"

"嗯。"江淮安想了想，还是说了句，"别冲动。"

"我知道。"宋哲解下围裙，深吸了一口气，"我这就过去。"

宋哲挂了电话，立刻赶去"一渡"。

这时候杨薇和周文换了个小桌，正在闷头喝酒。周文断断续续和她说着慕雪和他的过去，杨薇能从他的口吻中感觉出他对以往的怀念。

"当时她带我去酒吧，"周文的声音很温和，"她带着我跳舞，后来我总记得那时候，每次看见人跳舞，总会想起她。"

"其实我特别怕……"周文顿了顿，"我特别怕一直记着她，一直放不下。"

杨薇没说话，她喝着酒，转过头看周文。

周文静静看着前方，目光有些呆滞。这种茫然的神色让杨薇觉得很熟悉，她看见蚊虫在他面颊边轻轻飞舞，下意识伸出手想要驱赶。然而刚刚伸出手，就被人一把抓住了。

来人喘着粗气，似乎是狂奔而来，他紧紧抓着她的手，让她忍不住皱了眉头。

杨薇抬眼，看见昏暗灯光下的男人，他斯文的面容下带了几分克制不住的愤怒。杨薇皱了皱眉，有些惊讶："宋哲？"

这一声"宋哲"让来人气息一滞，他抬眼看向对面的周文，好久后，突然笑起来。他放开杨薇的手，一边解开西服扣子，一边拉开椅子坐下来。

杨薇和周文都看着他，宋哲仿佛感受不到两人的排斥，大大方方地挑眉说："怎么，不方便加我一个人？"

宋哲是看着周文说的，周文皱了皱眉头。宋哲又说："影帝不至于这么小气吧？大家都是熟人，加杯酒怎么了？还是我坐在这里，让周影帝害怕得坐不下去了？”

周文笑起来，眼中却没带半分笑意，他客气地说：“怎么会？宋总请坐。”

宋哲坐下来，漫不经心地将手搭在杨薇的椅背上，杨薇不动声色看了他一眼，他毫无察觉。好像还是少年时那样，他坐在她身边，将手搭在她椅背上，和对面的江淮安等人聊着天。

“我发现最近周影帝在南城停留了很久啊？”宋哲抿了口酒，笑着说。

“休假。”周文的声音平淡，“只接了一个综艺活动，就一直留在南城了。”

“哦，”宋哲点了点头，“听说慕小姐也来了南城，也是休假？”

听到这话，周文抬起头冷冷地看着宋哲。

宋哲似是找到了对方的弱点，手指轻轻敲打着杨薇的椅背，含笑说道：“我最近专门了解了一下周影帝，听说影帝在京城混得风生水起，跟着慕小姐出入酒席多年，陪女人喝酒这事，你也是颇有经验吧？”

这话可以说是字字讽刺，一方面反复提起慕小姐与周文的关系非同一般，另一方面又强调了周文在酒席上陪酒。

这话虽然没有明面上的羞辱，却让人无比难堪。

杨薇抿了口酒，正准备说话，就听周文笑着说：“陪女人喝酒没有多少经验，但喝酒这件事，我的确很有经验。”

说着，周文让人上了一瓶酒，打开盖子，对宋哲说：“宋总，敢喝一杯吗？”

宋哲没说话，他看得出来这是挑衅，他不该接受这种挑衅，然而在周文的注视下，他突然笑了：“行啊。”

听到宋哲答应，杨薇皱起眉头。

“文哥，”她不安地说，“你先回去吧。”

“薇薇，”周文倒了酒，委婉拒绝了杨薇的提议，“这是我和宋总的事情。”

杨薇明白，方才宋哲刺伤了周文，她没有拉偏架的道理。她深吸了一口气，站起来：“那你们喝，我先走。”

她起身离开，走了几步，又有些放心不下，回来拉宋哲：“你跟我走。”

宋哲没理会她，垂眼说：“这是我的事。”

“行，”杨薇深吸一口气，坐下来，“我就坐这儿，喝死了我给你收尸！”

宋哲的脸色白了白，但他没说话，倒满了酒，先直接喝了一杯，将酒杯倒扣在周文面前。

周文笑了笑，拿起酒杯，也一口闷下去。

他们无声地喝着酒，过了一会儿，宋哲的脸色开始泛白，然而他依旧保持着笑容，看向周文的眼神冷静又决绝。

周文面上也不太好看，但没有一个人退缩。

“其实我很奇怪，”宋哲一边喝，一边说，“周文，你说你和慕雪关系不清不楚的，你还来和其他女生喝酒，不合适吧？”

“这和你没关系。”杨薇果断地说，她知道慕雪是周文的软肋，也清楚知道宋哲这人说话极具杀伤力。

他知道怎么把语言当成最锋利的刀，精准地捅进一个人最疼的地方。

宋哲抬眼看了杨薇一眼，神色冷漠。他紧紧捏着酒杯，他不明白，才认识一段时间的人，怎么就能在她心中有这么重要的地位。

杨薇护着周文，他说周文一句，她都要帮着他。

宋哲克制着自己的情绪，捏着酒杯，将酒喝下去。

火辣辣的酒灌入肠胃，在里面翻江倒海，他的意识开始模糊，他却死死捏着拳头，盯着对面的周文，他知道，这是他们两人之间的一次较量。

周文的脸色越来越难看，神色也开始恍惚。宋哲头脑发昏，但他控制着呼吸，集中精神。

他向来执拗，在比拼意志这件事上，少有人能赢他。

许久后，周文终于支撑不住，“哐”一下倒在了桌上。

宋哲捂着胃，苍白的脸上带着嘲讽的笑。

杨薇着急地拍着周文的脸，关切地问："文哥？文哥你还好吗？"

那关切的模样落在宋哲眼里，所有酒精都化成愤怒，他盯着杨薇，冷声说道："你放开他。"

杨薇抬眼看向宋哲，皱着眉："你闹够没有？"

"我闹？"宋哲嘲讽着，"我闹什么了？是他要和我喝酒，他喝不了，还怪我？"

宋哲捂着胃，感觉里面翻搅着疼，他看着杨薇，委屈和愤怒交织在一起。他的目光落在杨薇的手上，再也忍耐不住，伸手去拖杨薇。

然而酒后的他全然没了平时的平衡力，杨薇猛地推开他，怒喝："你要干什么？！"

他被杨薇一把推在地上，脑袋撞在后面的墙上，疼得眼前发昏。

杨薇扶着周文起来，这时候被她叫来的方淮赶了过来，赶忙去扶周文。周文已经迷糊了，杨薇嘱咐了方淮几句，方淮点头，送走周文后，杨薇才去看宋哲。

宋哲坐在地上，一句话都不说。

杨薇犹豫了片刻，伸手去扶宋哲。

宋哲没有反抗，杨薇扶着他去了副驾驶座，自己坐上驾驶位，探过身子去给他系安全带。然而就在她系好安全带坐正身子的时候，他一把抓住她的手，睁开眼，漂亮的眼里带着诘问和疲惫："你骗我。"

杨薇顿住了，她抿了抿唇，好久后才说："你放开我。"

"为什么骗我？"宋哲的声音沙哑，死死捏着她的手。他的力道让她感觉疼，她忍不住皱眉。然而宋哲控制不住自己，他盯着她，像一头被激怒的狮子，怒吼着："你和他出来，你为什么不告诉我？你为什么要和他出来？你怎么就和他断不了关系？他和慕雪有千丝万缕的关系，你不知道吗？你说我绯闻多，说我背叛你，所以你要和我离婚，你为什么就可以接受他？！"

“你放开。”杨薇说，“你醉了。”

“我很清醒。”宋哲看着她，“我有什么比不上他？有什么他能做到而我做不到的？你到底喜欢他哪一点？”

“你喜欢他的脸？”

“还是你喜欢他会唱歌？会说好话？会演戏？”

“杨薇，”宋哲强撑着，急切靠近她，“你看看我。”他像一个笨拙地争宠的孩子，“你认真看看我，我也长得好看，他们都说我长得好看……”

“还有呢？”杨薇抬眼看他，接着问，“除了这张脸，你还有什么？”

“我知道你看不起他，可至少他的一切是他挣来的，他会唱歌，会演戏，会说好话。他对每个人都能温柔以待，在我最难过的时候，他陪伴我。”

杨薇的话让宋哲坠入谷底，他急切地想要反驳，可他什么都说不出来，酒精让他的头脑混乱，他呆呆地看着杨薇。

杨薇神色平静：“我骗了你，没错。因为我怕你打扰我的生活。我没有对你坦诚的义务，也不需要坦诚。宋哲，我希望你明白，你和我没什么关系。”

“我此刻照顾你，我同意你在我身边打转，是因为你说，你需要时间适应离开我。”

这话让宋哲无法喘息，胃疼和心疼交织在一起，疼得他的眼里带了雾气。

“我知道文哥和慕雪纠缠不清，但这和我没有关系。对我来说，如果我喜欢文哥，那我静静等他做抉择就好。如今我作为朋友，更没有管他的理由和资格，我不在意他的过去。”

“你喜欢他？”宋哲的牙齿轻轻打战，他看着杨薇，想要追究一个答案。

“如果你一定要这么问，你可以当我喜欢他。”

这话让宋哲整个人都蒙了。他知道杨薇和周文关系暧昧，可他一直觉得，这是周文一厢情愿的单恋，或者是他们还没开始接触。

可他没想过，杨薇居然会承认，她喜欢周文。

她喜欢他……她真的喜欢他！

宋哲呼吸急促，脑子乱乱的。

杨薇将手从宋哲手里抽出来，她得手腕被他捏出了淤青。她静静看着那淤青，片刻后，她嘲讽地笑了笑，启动了车。

宋哲看着前方，一直不说话。等下车之后，杨薇扶着他回了他的屋子，他躺在床上，有些恍惚。

杨薇给他盖上被子便打算离开，然而经过厨房的时候，她突然看到了厨房里的串串。

那串串还没做完，但可以看出模样，厨房里一片狼藉，可以想象之前发生了什么。

宋哲饮食清淡，和她完全不一样，他会在这里做串串，不用想也知道，是为了什么。

杨薇站在客厅里静静地看着厨房，好久之后，她深吸一口气，转身去翻药箱。

宋哲躺在床上，胃很难受，他蜷着身子，一个人在黑暗里备受煎熬。他听着她离开的声音，咬着牙，一句话都不敢说。

卧室的灯突然亮了，宋哲不敢睁眼，抓着被子的一角，装作什么都不知道。

杨薇坐到他身边，把一杯温水和胃药放在床头柜上，对他说："先起来把药吃了。"

宋哲睁眼，看见坐在床头的杨薇。他下意识地想问，走了又回来做什么？给他药做什么？让他去死就好了，还管他干吗？

然而他不敢问，他怕问完了，这人就真的走了。

过去他敢说这些话，是因为他知道她不会走。可此刻他知道，她没有那么多的耐心和爱意，供他挥霍。

他撑着起身，乖巧地将药吃下。

杨薇看着宋哲吃完药才说："我先走了。"说完，她便转身离开。

刚走了没几步，她就听到身后传来一阵踉跄的脚步声，她回过头，就看见宋哲冲进了卫生间，关上门随后里面传来他拼命呕吐的声音。

杨薇的身子僵了僵，她转身朝卫生间走去，还没到门口，就听见宋哲说："别，别过来。"

宋哲的声音虚弱，杨薇知道他不喜欢让人看到他狼狈的模样，于是就在卫生间门口等着。

过了一会儿，杨薇听见里面响起水声。她一边等着，一边仔细听着里面的动静，过了好久，她听到"哐"的一声闷响，连忙推门进去，就看见宋哲倒在地上，似乎有些迷糊。

花洒还在喷水，杨薇关了花洒，蹲下身子，焦急地问："怎么了？摔哪里了？"

宋哲没说话，轻轻喘着气。杨薇不敢动他，扯了条浴巾盖在他身上，检查他身上没有没有伤口。确认没有问题后，她皱着眉说："我扶你起来，没问题吧？"

宋哲轻轻应了一声，杨薇扶着他站起来，宋哲整个人都靠在她身上，他的体温有些不正常。

杨薇把宋哲扶到床上，给他盖上被子，又测了体温。果然发高烧了，杨薇想把他送去医院，又被他拦住。

"没事，"宋哲说，"你陪陪我就好了。"

杨薇只好去给他找退烧贴和退烧药。

等这些事做完后，她终于松了口气，正准备离开，宋哲突然伸出手拉住她。他什么都没说，拉着她的手甚至都没力气，轻轻颤抖着，看上去虚弱得不行。

杨薇背对着他，感受到他的挽留。

“杨薇……”宋哲的声音里带了几分哭腔，“求求你，陪陪我，行不行？”

杨薇没说话，许久后，她拍了拍他的手，示意他放开。

宋哲没动，他坚持了一会儿，终于艰难地放开手。

杨薇回了自己家，她换上衣服，躺在床上，左思右想，始终记挂着宋哲。

也不知道他退烧没，更不知道他是不是又胃出血了。她犹豫了一会儿，终于还是抱着被子去了宋哲屋里。

她打开宋哲卧室门的时候，宋哲正蜷在被子里，压抑着声音轻轻抽噎。

宋哲没敢探头，他在被子里胡乱擦着眼泪。杨薇深吸了一口气，把被子铺在了床的另一边，躺到床上，关上灯：“睡吧，如果你觉得不舒服了，就叫我。”

宋哲背对着杨薇，没有说话。

屋里静静的，只有两个人的呼吸声。宋哲听着她的呼吸声，仿佛回到了他们新婚的第一年。

那时候他们每天睡在一起。其实他很喜欢抱她，但他又不愿意承认这件事，于是每天睡得端端正正，醒了却抱在一起。

她那时候脸红红的，装作什么都没发生。

他们那时候过得很好，床上的事情，他其实不太懂，都是跟着她一起探索，一起学。只是他学得快，很快就像个老手。

那时候她一直矜持自制，他就特别爱看她爆发的时候展露的那点真实。

他能感觉到她的欢喜，也能感觉到她的炙热。

他怀念那时候的愉悦，后来她总拒绝他，不是说身体不好，就是说太累。

他一直体谅，她说的话，他都当真了。他那样的性子，被拒绝几次，也就不会再主动了。

这些点滴过往，现在想起来都是剜心般疼。

杨薇听到他的呼吸声不太正常，不由得皱眉，叫了一声："宋哲？"

宋哲没说话。杨薇掀开被了，看着用手抱着头不让她看的男人，她沉默了片刻，问："哭了？"

宋哲不回应。杨薇叹了口气："宋哲，我现在才发现，原来你这么爱哭。"

这话让宋哲僵住了。杨薇躺下去，用手枕着头，慢慢地说："我以前只在你父母走的时候看你哭过。"

宋哲沉默着，他想起了那时候。

杨薇陪着他参加他父亲的葬礼，那时候所有人对他们母子虎视眈眈，他看着他父亲下葬的时候，整个人绷得很紧。是她站在他身侧，轻轻握住他的手，镇定又沉稳地对他说："别哭。"

后来他母亲下葬，还是她站在他身边。他已经是青年，西装革履，她身穿黑裙，撑着伞站在他身边。

她什么都没说，他就感觉自己有无穷的力量，可以面对这世上所有恶意。

后来他一个人面对被二叔把持的公司无能为力，在墓园痛哭的时候，也是她找到他，站在他身后，静静替他撑伞。

她一言不发，他却知道，这个人——她的妻子，她会支持他，在他身边。

他站起来，哭着抱紧她。

那时候他想：所有人都走了，只剩下杨薇了。

他静静想着那时候，突然反应过来。

为什么他不能放手？为什么他不愿放手？因为如果没有了杨薇，他身边，就真的一个人都没有了。

他没有兄弟姐妹，他父母亡故，他也没有孩子，他唯一的家人，也只有杨薇。

他不能失去她，他需要她的陪伴，不然他一辈子都是无根浮萍。

杨薇是他一生的精神寄托，友情、亲情、爱情，都在她一个人身上。

她是他的命。无论怎样，他都放不开。

宋哲闭上眼睛，感觉自己仿佛从长时间的自欺欺人里，清醒过来。这样的清醒让他格外惶恐，他开始幻想，杨薇喜欢周文，如果杨薇和周文在一起……

如果杨薇离开他……

想到那个场景，他就觉得，自己再也没有任何勇气。他再也没有了任何支撑生命的分量。

宋哲不说话，杨薇以为他睡了，她打了个哈欠，缩回被窝。就在她迷迷糊糊要入睡的时候，她突然听他问她："杨薇，如果你喜欢周文，那我怎么办？"

杨薇背对着他睁开眼，然后她就感觉他靠近了她。

他熟悉的温度和味道包裹了她，他抱着她："杨薇，我离不开你。"

杨薇看着黑暗，平静地说："宋哲，我总会有喜欢的人，也总会有下一段婚姻。"

宋哲抱着她的动作僵了僵，好久后，她听见宋哲说："你喜欢别人……也没关系。我会陪着你，你想要什么，我都能给你，你把我当什么都行。"

"只要我们在一起。"

"我什么都能原谅，也什么都能接受。"

听到这话，杨薇忍不住笑了。

"我喜欢别人也没关系？"

"没关系。"

"把你当替代品也没关系？"

宋哲顿了顿，说："没关系。"

"如果我和别人结婚，让你当情夫，一直和我偷情，但是你不准有其他恋人，不能有孩子，也没关系？"

宋哲沉默了，他抱着她的手紧了紧。这话几乎抽空了他周边所有空气，让他五脏六腑都觉得疼。

杨薇轻轻笑了，她叹了口气，正准备说什么，就听见宋哲咬着牙出声："没关系。"

"只要你陪着我，我都可以。"

话说完的时候，宋哲突然感觉到无尽的绝望。他明明抱着她，却仍旧觉得冷。

他，终于明白，在一份感情中若是爱得卑微，能卑微到什么地步。

第十七章　你不用把我想得那么不堪

和杨薇离婚前，宋哲的一生说不上顺遂，却也一直居于他人之上。他从未向人低过头，也没给人弯过腰。

不光是他，就是杨薇，也没有想过，有那么一天他能为了一份感情，退让到这种程度。然而这样的退让，对杨薇而言却不是滋味。

她看着黑夜，恍惚想起当年的白衣少年挑眉一笑的肆意模样，她忍不住问："宋哲，你怎么就变成这样了呢？"

怎么能为一份感情把自己作践到这种程度？怎么能为了她卑微到这样的地步？

宋哲轻轻颤抖着。

"我又能怎么办？"宋哲的声音里充满了无奈，"你让我怎么办？"

放不下，离不开，舍不得，求不了。

这份感情，它来得太早，醒得太晚。

它若是来得晚一点，他的人生里或许除了杨薇，还能有点其他。

它若是醒得早一点，他和她，也不至于走到这一步。

杨薇轻轻叹息，拍了拍宋哲的手，有些疲惫："放开吧，先睡觉。"

"你答应我。"宋哲固执地想求个答案。

过了许久，杨薇终于说："阿哲，每一份感情都带着占有欲。我若喜欢别人，又怎么可能和你在一起？"

"那你不要喜欢别人，"宋哲焦急地说，"你喜欢我，你再喜欢我一次。

这次我不会让你失望了，我不会让你难过。你再喜欢我一次……”

“阿哲，”杨薇轻叹，“喜欢这种事，哪里是能控制的？你答应过我会学着放下，如果你学不会，我们还是不要见面，直到你学会为止比较好，嗯？”

听到这话，宋哲知道不能再逼了。他静静抱着她，没有回答。

杨薇闭着眼睛：“睡觉吧。”

这一声“睡觉”是在提醒宋哲，他艰难地收回手，然后躺在床上，一直看着她背影。

等杨薇睡熟了，他才小心翼翼地伸出手，轻轻贴在她背上。

他太珍视这一刻了。这曾经是他唾手可得的时刻，如今他才知道，这样的时候，只会越来越少，而且越来越难拥有。

杨薇一觉醒来，宋哲就在她背后，轻轻靠着她的背，像个孩子一样，睡得香甜。

杨薇抬手碰了碰宋哲的额头，确认他没发烧后，起来去厨房煮粥，煮完粥后，她留了一张纸条，便起身出门。

等她出了门，宋哲睁开眼睛，呆呆地看着床边。

杨薇直接去了大米娱乐，她在路上给方淮打了电话，确认了周文有没有事，又说：“你帮我向文哥说声抱歉，我让他受累了。”

“这算什么受累啊？”方淮叹了口气，“你也看出来了，他心里憋着事，找不到地方发泄，不如趁着这个机会，痛痛快快地喝一场。吃亏的应该是宋哲，他那病秧子，一看就是个不能喝的，昨晚没胃出血吧？”

“没。”杨薇笑了笑，“文哥怎么样了？”

“就这样。”方淮有些无奈，“杨薇啊，我说句实话，我们家周文其实什么都好，他和慕雪都过去了，你听到外界的传言，也别信。周文他是真的要放下，也是真的铁了心要重新开始一段感情。等以后你们真在一起了，你就知道他的好。”

“方先生……”杨薇哭笑不得，“我和文哥不是你想的那样。”

“你们可以发展的啊。”方淮撮合着，“你看，周文对你也不错吧？我看得出来，你觉得他不错。我替你探过口风了，你给他点时间，他会喜欢你的。”

“方先生，”杨薇知道方淮现在是不惜余力要把周文推销出去，她也不想解释，只能说，“等文哥醒来后帮我和他说一声抱歉，谢谢他了。”

杨薇和方淮结束通话，没多久到了大米娱乐。

她刚进公司，向维就迎了上来，拿了一堆数据：“最近数据很好，你有一个短视频点赞数过了千万，金主爸爸很满意。你知道现在《玩转文字》的收视率到了什么程度吗？”

“多少？”杨薇推开培训室的门。

向维激动地说：“百分之一点九！一般情况下综艺能破一大家都说很厉害了，现在接近百分之二！薇薇，你不知道，最近我们的电话被广告商打爆了！你给了我巨大信心，我觉得我太棒了，我这么慧眼识珠……”

向维在杨薇背后絮絮叨叨，杨薇被他说得头疼，赶紧抬手：“行了，我知道了，你赶紧出去吧，我得准备了。”

“好！”向维高兴地说，“薇薇，你好好准备，这次一举夺冠，不要让他们再瞎说我们网红出身是野路子。”向维握紧拳头，“加油！”

杨薇笑了笑，点头接受了这份鼓励。向维被她赶了出去，她转头和老师聊接下来《玩转文字》的准备。

《玩转文字》下一场是总决赛，这次一共就剩下六个人，设计的关卡十分复杂，整体娱乐性也更强，除了辩论和单独演讲两个环节要提前准备，剩下的包括“绕口令”“传话”“配音”等环节，都是临场发挥。

杨薇的演讲设计了快板和口技两个内容，于是她一直跟着老师学习口技。

宋哲处理完手里的事后，到了培训室门口。他隔着玻璃看着里面的女人，她一边打快板，一边做出稀奇古怪的表情。

宋哲忍不住笑了。

杨薇练得太专注，完全没注意到他。他虽听不清她说什么，但就这么静静看着，都觉得有意思极了。

宋哲看她说几句，就清清嗓子，喝一口水。他想了想，让高林去买了咽喉片，又让人准备了雪梨汤。

杨薇练习得太投入，等嗓子疼了，她才停下来，这时候公司里其他人也走得差不多了。她喝了口水，休息了片刻，一回头就看见在外面办公桌边趴着的宋哲。

他似乎等太久了，也似乎是太累了，居然趴在桌边睡着了。

睡着的宋哲看上去没有攻击性，俊美斯文的面容在灯光下好看得让人心惊。

他手边放着一个保温杯，一个盖着盖子，精美绘花的白瓷碗，还有一盒咽喉片。杨薇一瞬间，就知道他的意思了。

她犹豫了片刻，还是走上前推了推他。他昨晚才病了一场，现在这样睡，她怕他着凉。

宋哲睁开了眼睛，他一看是她，忙直起身子，从旁边摸了眼镜，有些疲惫地戴上："我给你准备了雪梨汤，你喝了润润嗓子，也垫一垫肚子。我已经让他们在家里准备吃的了，你练了一天，嗓子肯定不舒服，吃点清淡的吧？"

杨薇笑了笑，没有说话。宋哲心里忐忑："你和我过不去，也犯不着和自己过不去……"

看着宋哲慌乱的样子，她轻笑着指了指嗓子，宋哲反应过来，她是失声，不是拒绝。他替她揭开碗盖，将雪梨汤捧到她面前："先喝这个？"

杨薇的目光落到雪梨汤上，汤还是温热的，色泽透亮，看着就觉得舒服。

她突然发现，宋哲在照顾人这件事上，越来越妥帖。他站在别人的角度思考对方在想什么，然后认认真真地为之付出。

杨薇心里说不出是什么感觉，她有些欣慰，又有几分失落，甚至有些害怕。她觉得自己简直像是看见前男友暴富的拜金女，希望对方过得好，可是他过得好了，又不能在一起。这种失落令她惶恐万分，她对任何会死灰复燃的感情苗头，都十分警惕。

杨薇脑中胡思乱想，神色却不变，伸出手端起小碗，小口小口地喝起来。

看见她喝下去，宋哲松了口气。等她喝完，他又给她递水和药，她全部接受后，宋哲的心才落下来。他高兴地说："我们回去吧，我送你。"

杨薇没有说话，宋哲拿过她的包，跟在她身边："你准备得怎么样？你不用和我说，你眨眨眼就好了。眨一下就是不错，眨两下就是很好。"

听到这话，杨薇忍不住笑了。宋哲放慢脚步，走在她旁边，绞尽脑汁和她说话。

杨薇不说话，就静静微笑。宋哲说的每一句话都早有准备，在等待她的时间里，他努力思考了自己要说的每一句话。

他怕自己又管不住这张嘴，说话伤了她，于是他将要说的话都打了腹稿。此刻她不能回话，反而给了他打腹稿的时间。

杨薇跟着宋哲上了车，听他紧张又忐忑地说着话。他好像特别怕冷场，于是一直转移话题。

一会儿说他二叔，一会儿说股市，一会儿说现在宋氏集团的战略布局，一会儿和她聊她现在的情况。

失声让杨薇不需要回应，这种状态令她很放松。她漫不经心地听着他说话，同时低头刷着手机。

她刚进入微博，就看见已经爆了的热搜。

＃武纶男友不是宋公子＃

看到这条热搜，杨薇愣了，她下意识地看了一眼还在喋喋不休的宋哲。

宋哲很紧张，并没有注意到杨薇的眼神，杨薇见他还在努力说话，便收回目光。她犹豫了片刻，终于还是点开了那条热搜，看到了武纶发出的声明。

理智告诉她，其实这一切与她无关，无论武纶和宋哲是什么关系，都不会影响她的决定。

然而她内心又有几分执念，她总觉得，这至少涉及自己过去的生活，她有资格知道到底发生了什么。

她点开了声明，宋哲依旧在旁边絮絮叨叨。

武纶的声明主要是澄清三年前与宋哲的绯闻。三年前她被拍到和一个男人一起出入她家，被记者追问时，她爆出了和宋哲的恋情。而后宋哲在记者追问下，承认了和武纶是恋人关系。

武纶在声明中陈述了事情的经过，澄清那个人并不是宋哲，而是一个街头小混混。一方面因为对方是个普通人，她不想要别人打扰他；另一方面那时候公司觉得对方形象不佳，所以让她找了好友宋哲“顶缸”，给她打掩护打了这么多年。

当年那个小混混，如今已经是摇滚圈小有名气的歌手，当年不适合承认，现在承认了，似乎也没有什么，而且过去这么多年了，她早已和对方分手了。

这个声明一出来，武纶的粉丝立刻控场，评论大都是为武纶加油的，赞美她对伴侣的保护，或者就是调侃宋哲够“义气”。

杨薇看着这个声明，心里很清楚，武纶不可能无缘无故在这时候说这种话，尤其是还要特意把当年那个人爆出来。

宋哲去找武纶要个解释，她不意外，宋哲做了这些，却没跟她说，她才觉得有些意外。

宋哲正和她商量着《玩转文字》结束后，她的安排，一回头，就看见杨薇正静静地看着他。

宋哲不由自主地笑了：“你看着我做什么？”

“是你去找武纶的？”她的声音还有些沙哑，一说话嗓子就疼。

宋哲没说话。杨薇继续问：“既然做了，怎么不告诉我？”

“告诉你做什么呢？”宋哲看着前方，“我知道你不想再牵扯到这些事情，再把你卷进来，你也心烦。”

“如果我不知道，”杨薇清了清嗓子，“你做这些又有什么意义？”

杨薇是真的觉得奇怪，她开始摸不清宋哲的路子了。他做这些，不就是想感动她，再告诉自己，他付出了，他努力了吗？

如果她都不知道，又怎么被感动？

宋哲似乎也知道杨薇在想什么，他眼里的嘲讽一闪而过，他看着前方，风轻云淡地说：“那你现在不也知道了吗？”

杨薇看出宋哲不高兴，也不再招惹他。

过了好久，宋哲终于还是憋不下这口气，他捏着方向盘，克制住情绪说道：“我不是小孩子，不是每一件事我都想要你看到，要你表扬。我只是做我想做的，你不用时时刻刻想着我是要你感动或者其他目的。我做什么是我的事，与你没有关系。”

“我以前的确算不上好，”宋哲深吸了一口气，抬眼看她，目光里带了几分幽怨，“可你不用把我想得那么不堪。”

这话把杨薇说愣了，她看着眼里带着委屈的宋哲，忍不住轻轻笑了。

这一笑让宋哲有些蒙，那些怒气突然就消失了，他有些别扭地说：“你笑什么？”

“我在想，阿姨活着的时候，经常和我说，她最放不下的就是你。她怕你学不会和别人相处，以后身边也没个长长久久的人。”

“不还有你吗？”

宋哲说完以后，就后悔了，他怕杨薇在这个时候再说出否定的话，这些话，他不想再听。

好在杨薇并没有这样做，她只是解释着：“那时候她快撑不住了，就是放心不下你。其实，她和我都以为，你这辈子都改不了，但现在看到你知道怎么对一个人好了，我很高兴。”

宋哲沉默了，他不想再聊这个话题。杨薇也明白他的想法，她头一次有了同他讨论未来的兴趣：“阿哲，你想过以后是什么样吗？”

“没想过。”宋哲的回答有些生硬。

他撒了谎，其实他想过。他的未来全是和杨薇有关的，这个时候，大概不适合说。

杨薇喝了口水，润了润嗓子，接着说：“我想过。我想在《玩转文字》里赢，然后我会继续努力，我想创立一个专门做视频内容输出的工作室，培养一批和我一样的人，未来有一天，我想去金方馆做一场演出。”

金方馆是南城最大的演出场所，接纳过亚洲华语乐坛几乎所有顶级歌手，多年以来，它一直是华语乐坛的圣地，每一个一流歌手都必须在金方馆有一场演出，否则就是某种意义上的不入流。于是金方馆不仅是个演出场所，还是某种身份标识。

在金方馆里做非演唱性演出的人，更是屈指可数，算起来都是亚洲顶尖的艺术家。

宋哲知道杨薇的意思，这次他没有否定，默默听着。

杨薇的计划很好，很热血，唯一的缺陷就是，没有他。

宋哲不确定杨薇是不是在暗示他，他只能装作什么都不懂，听她描述着她规划的未来。

她嗓子疼，说得很慢，他就安静听着。她脸上笑容是真的，听着听着，他也高兴起来。

两个人出了电梯，她对他说再见，然后各回各家。他走了几步，终于还是忍不住，突然回头叫住了杨薇。

杨薇停下脚步，看着站在走廊里的宋哲。

宋哲深吸了一口气，认真地说：“我觉得你的想法很好，我很支持。以后你去金方馆演出，我就买离你最近的票。我很喜欢看你表演，我觉得你表演得很好。”

“我不知道你是不是在暗示我什么，可是哪怕是作为朋友，我也会一直陪着你。”

宋哲这话说得太真诚，也太动人，像是一颗石子，“扑通”一下扔进她的心湖里，溅起水花，泛起涟漪。

于是杨薇忍不住告诉他："我不是在暗示你什么。"她说，"我只是在单纯和你分享我设想的未来。谢谢你的支持，我也知道，我很好。我会加油。"

听了这话，宋哲顿时高兴起来，他笑得有些傻："嗯，你加油。"

杨薇朝他摆摆手，开门进去。她用水洗了一把脸，静静地看着镜子里的人，感觉自己有些不清醒。

之后杨薇照常去公司培训，宋哲每天都会提前到培训室等她，她不说话，不拒绝。

宋哲感觉到杨薇的态度软化，顿时神采飞扬。高林明显察觉到宋哲情绪的变化，也忍不住替他开心。

眼看着总决赛临近，宋哲让人盯着，果不其然，比赛前一个星期，冷玫和向维脸色难看地来到宋哲办公室。宋哲看见两人，就知道杨薇那边出了问题，他放下手里的事，对他们说："你们说吧。"

"这个比赛是星空传媒投办，杨西泽是他们要推的新人。"冷玫明显克制着怒气，"他们藏得深，之前一直没有消息，昨天他们推了杨西泽的单曲，我才发现。"

宋哲点点头，这种比赛有内幕太正常了。杨西泽这种外形思维俱佳的人，虽然有些张狂，但就是有人吃这一套。他抬眼看向冷玫："你们有应对方案吗？"

冷玫抿了抿唇，向维看冷玫不说话，急了："您当赞助商啊。"

"宋总，星空投钱，我们也能投。以薇薇的能力，若没有干扰，她肯定是冠军。"

宋哲应了一声，他抬眼看向冷玫："你觉得呢？"

冷玫深吸了一口气，想了想："其实这个节目的主要目的是让薇薇亮相，现在目的已经达到了，只要保住前三，对于杨薇的后续发展来说，差距不会太大。冠军自然是最好，可这个节目不是我们投办，如果我们要更改星空的决定，只能让他们宰一顿，成为他们的赞助商。如果只是为了捧红杨薇，有点得不偿失。”

宋哲点了点头。向维有些着急，他看了冷玫一眼，见宋哲还在考虑，咬了咬牙，说：“宋总，这里大家都心知肚明，说句不该说的，薇薇为这次比赛准备了很久，我们就算不确保她拿下冠军，也该确保她能公平地接受评判。您每天看着她努力，就这么输了，”向维憋红了脸，小声说，“您舍得吗？！”

“向维！”冷玫提声呵斥，“你胡说八道些什么！”

宋哲抬眼看了向维一下，向维吓得往后退了一步。宋哲沉默着没说话，过了一会儿后，他问：“现在拿下赞助，大概多少钱？”

冷玫平静地说：“现在《玩转文字》的冠名赞助是三亿元。”

这话让向维迅速闭嘴了，他看了宋哲一眼，宋哲面不改色，似乎在思考什么。

“那个……”向维忐忑地说，“我刚才的话，宋总您当我什么都没说过。”

宋哲轻轻敲打着桌面，慢慢地说：“原来计划给杨薇的年度推广费是多少？”

“一千万。”

宋哲点点头，不说话，向维和冷玫静静等着。

冷玫在宋哲手下工作有几年了，这位老板的脾气她还是清楚的。他在个人感情上可以说是一塌糊涂，在公事上却从来没有糊涂过，对这种一掷千金为红颜的事情，她其实没有抱多大希望。只是这事不小，她得同宋哲说一声，宋哲此时开始考虑，已经出乎她意料之外了。

宋哲低着头，他脑海里都是杨薇在培训室训练的模样，和她满怀期望对他描绘着未来的样子。

他从来没有让私事影响过公司，这一刻他却有种剧烈的冲动，他很想为杨薇点做点什么。

可理智尚存，他深吸了一口气，对冷玫说："再看看具体情况，我再想想。"

冷玫点点头，领着向维回去了。

晚上宋哲等杨薇的时候，他有些心不在焉，杨薇见他沉默了一路，知道他遇到事情了，想了想，还是开口问一句："今天有事？"

"哦，"宋哲回了神，抬手揉了揉太阳穴，有些疲惫，"公司的事，太忙了。"

杨薇点点头："身体要紧，还是不要太累。"

这么一句宽慰的话，让宋哲有些感动。他犹豫了片刻，才问："杨薇，我是说如果，如果有一场比赛，你可以被内定为冠军，你是选择内定，还是选择公平竞争？"

听到这话，杨薇迅速明白了他的意思，她一脸认真地说："阿哲，每个人都有自己的路，我想公平、公正地拿到我该拿到的东西。比起拿到冠军，过程更重要。"

宋哲轻轻应了一声。杨薇怕他听不明白，接着说："阿哲，别干涉我的比赛结果。如果你尊重我，请尊重我选择的路。不要用你的意愿，去干涉我的结果。"

"我明白。"宋哲叹了口气，"你放心，我不会的。"

过去他可能会，可现在他不会。他能体谅她的内心想法，自然不会再做这种事。

和杨薇各自回了屋，宋哲走到阳台上，给冷玫打电话。

"你去打听一下杨西泽的合同金额，看如果把他挖过来，大概要多少钱，给我报个数。"

冷玫立刻明白了宋哲的意思。杨西泽原来名不见经传，签约的合同必然不会太好，宋氏传媒现在本就缺少杨西泽这种类型的男艺人。如果他们挖杨西泽，星空不可能把冠军给杨西泽。现在和杨薇势均力敌的选手就是杨西泽，如果突然爆冷，对节目必然有很大的负面影响，那公平竞争的可能性更大，星空不捧人，至少能保住节目的水平。

挖杨西泽对宋氏传媒来说是一举两得的事，替杨西泽赔偿的金额比起冠名赞助少得多。只是能不能挖过来，就要看杨西泽的眼光了。

冷玫没想到宋哲脑子转得这么快，她赶紧应下来。

宋哲挂了电话，想了想，还是有些不放心。

第二天，宋哲便直接带着资料去了慕达日化，亲自找了慕雪。

宋哲和慕雪的交情不多，但也认识。慕雪在南城停留的时间不多，很快就要离开，得知宋哲过来，亲自接待了他。

宋哲见了慕雪，将《玩转文字》好好吹捧了一番后，对慕雪说："我知道贵公司现在正在力推一个针对知性女性的护肤品品牌，现在广告布局还没完成，《玩转文字》从受众人群、收视率等各方面来看，都和贵公司的品牌十分吻合。"

"所以，"慕雪点点头，明白了宋哲的意思，"你是过来给《玩转文字》跑业务的？"

说着，慕雪笑起来："其实品牌的广告投放方向，不是我管，宋总过来，我本来还以为是要谈公司收购之类的问题，冠名一个品牌，你直接去找我们公司相应的主管部门谈就好。"

这话说得有些打脸，宋哲心里有了火，但生意场上，他能克制住自己，他低头笑了笑："如果是公司的事，我自然不会过问这种事情。但这件事，是我的私事，所以特意来找慕总。我知道慕总的考虑，《玩转文字》虽然各种风格都合适，但是冠名费用太贵，所以我私下过来，就是想和慕总做一个交易。您冠名《玩转文字》，但是要求这个栏目公平竞争，所有数据全部公开。在此情况下，如果杨薇拿到冠军，她可以免费为你们旗下的产品代言三年。如果杨薇输了，这笔冠名费，我出一半。"

听到这话，慕雪挑了挑眉。

杨薇如果拿到了冠军，加上宋氏集团的力捧和她的个人资质，前途不可限量，无论是她未来三年的代言费，还是一半的冠名费，都不是个小数目。

慕雪静静地看着宋哲，有些意外：“宋总为了捧人，好大的手笔。”

宋哲端着茶抿了一口：“不及慕总。”

慕雪的眼里闪过一丝苦涩，她叹了口气：“既然宋总这么说，我总不能小气。这样吧，这个冠名赞助费我自己出，我还能让杨薇拿冠军，我会全力帮助宋总追求杨薇，宋总需要的帮助，我都会倾力提供。但我有一个要求，”慕雪垂眸看着杯子里的茶，“宋总能不能让杨薇不要和周文再见面了？”

听到这话，宋哲看着慕雪，认真地说：“我确定一下，我和慕总现在，谈的是私人交易，私事，对吧？”

“这些事，难道还能是公事？”慕雪轻笑。

宋哲点点头，突然放松下来，懒洋洋地往椅子上一靠，抬眼看向慕雪，眼里带了几分嘲讽和不屑。

这翻脸的速度让慕雪傻眼了，随后就见宋哲嘴皮子一掀：“让我管杨薇？你倒是管着周文别缠着她啊？就周文那样的，他不主动缠着杨薇，杨薇还能看上他？”

慕雪皱眉。宋哲嗤笑：“和你不清不楚，还到处招惹女人！吃着女人饭长大的软骨头，女友粉一堆，屁事一箩筐，除了一张脸，什么都没有，这男人除了你，你以为还有人稀罕？”

说着，宋哲一副突然想起什么的神情：“哦，我还忘了，就说脸，他还不一定比我好呢。有我在这儿，你觉得杨薇眼瞎，会看上他？我拜托你管管他行吗？”

慕雪没说话，她捏着杯子。涵养让她保持冷静。她深吸了一口气，抬起头来笑道：“早就听闻宋总一张狗嘴吐不出象牙，今日一见，果然名不虚传。”

“被人戳中伤心事的人才会把‘狗嘴吐不出象牙’挂在嘴边，”宋哲笑眯眯地说，“我再教你个文雅的说法，‘哪壶不开提哪壶’。”

“周文确实处处不如你，”慕雪被宋哲怼得一口怒气发不出来，她从来没有这么憋屈过，她终于有些忍耐不住了，深吸了一口气，抬头看向对面的宋哲，露出笑容，“但是，我们家周文至少不传绯闻，性格温和，善解人意，没有离婚啊，二手货。”

这话一出口，宋哲的脸色顿时变了。

他很想反击，可不管是和慕雪证明他不是二手货，还是就此进行反击，都会陷入一种莫名其妙的尴尬境地，以至于他一时无法反驳。

打嘴仗这事，他这辈子没输过。两人静静对视，过了许久，慕雪先休战，喝了口茶：“方才你说的那事，就这么定吧。我会让他们内定杨薇是冠军。”

“不用。”宋哲果断地拒绝。慕雪有些疑惑，只听宋哲说：“她要的不是冠军，她要的只是一个公平的结果。是不是冠军，这是她能力决定的，而我要做的，只是给她打扫干净屋子请客。”

慕雪没有说话，她皱着眉头，似乎在思索什么。宋哲站起来：“慕总没有意见，这件事就这么定了。我会让人把协议拟好给你送过来，下周就比赛了，一切尽快。”

慕雪点点头，两人僵硬地客套了几句后，才分开。

宋哲出了慕达日化的大厦，还处于被慕雪攻击的状态，总觉得有一口气憋着。

晚上他送杨薇回去，杨薇也察觉到了宋哲的情绪，她处理好自己的事后，抬头看向旁边似乎在生气的人，一脸疑惑：“今天谁惹你了？”

宋哲没说话，他总不能和杨薇说，自己今天骂架输了吧？

听上去太傻了。

杨薇见宋哲不说话，有些担心：“是公司出事了？”

宋氏集团是赵阳兰的心血，如果真的出事，杨薇不可能眼睁睁看着，什么都不做。

宋哲见杨薇是真的担心，迫不得已解释了一下：“没，和人争执了一下。”

杨薇明白了：“输了。”

“那人说话太过分！”宋哲顿时发火了。

杨薇有些好奇，什么话能把宋哲气成这样。

“别人说你什么了？”

宋哲憋了半天才说：“她说我二手货！”

杨薇无言以对。

宋哲抬起头，看着杨薇，愤怒地说：“你知道我不是！”

杨薇不想回答这个问题，太拉低智商了。